CHORWACKA
PRZYSTAŃ

ANNA KARPIŃSKA

CHORWACKA
PRZYSTAŃ

Prószyński i S-ka

Projekt okładki
Olga Reszelska

Zdjęcia na okładce
© David Ridley / Arcangel Images
© iStock

Redakcja
Renata Bubrowiecka

Korekta
Grażyna Nawrocka

Łamanie
Ewa Wójcik

ISBN 978-83-7839-212-5

Warszawa 2012

Wydawca
Prószyński Media Sp. z o.o.
ul. Rzymowskiego 28, 02-697 Warszawa
www.proszynski.pl

Druk i oprawa
OPOLGRAF Spółka Akcyjna
ul. Niedziałkowskiego 8-12, 45-085 Opole

Mężowi Sławkowi. Z miłością.

*Dziękuję całej swojej najbliższej Rodzinie,
z którą wychodzi się zawsze dobrze, nie tylko
na zdjęciu. To dzięki Waszemu wsparciu i mobilizacji
powstała ta historia. Szczególnie jednak jestem
wdzięczna moim nieocenionym, zawsze gotowym,
by wysłuchiwać wątpliwości i popędzać do tworzenia
kolejnych rozdziałów córce Martusi i synom Maciusiowi
i Jędrusiowi. Dziękuję Wam.*

Anna: Jestem matką.

Weronika: Jestem córką.

Anna: Nie zrobisz tego.

Weronika: Zrobię.

Anna: Ja tego nie zrobiłam i jestem szczęśliwa.

Weronika: Nie jestem tego pewna.

Anna: Ważne, że ja jestem.

Weronika: Fałsz, nie jesteś.

Anna: A skąd ty o tym możesz wiedzieć?

Weronika: Bo mam oczy.

Anna: Córuś, to błąd, chcę cię przed nim uchronić.

Weronika: Ja też chciałabym cię uchronić przed twoim błędem, ale nie było mnie jeszcze na świecie.

Anna: Mam doświadczenie. Sprawdziło się, co założyłam.

Weronika: Nie mam doświadczenia, jestem świeża i odważna. Jestem pewna, że sprawdzi się to, co zakładam.

Anna: Kochałam go, ale już od dawna nie kocham.

Weronika: Kocham go i będę kochać.

Anna: Mam udane życie.

Weronika: Będę miała udane życie.

Anna: No nie wiem.

Weronika: A ja wiem.

POWRÓT

Samolot z Zagrzebia wylądował na Okęciu około wpół
do szóstej po południu. Marcowe muldy zdobiły krawężniki niczym niestaranne szlaczki pierwszoklasistów.
Słońcu nie udało się przebić przez chmury, przedwiosenna
szarość ogarniała brunatne, dawno nieremontowane ulice, kładąc na oskubanych kamienicach i zasłanych psimi
odchodami skwerach cień pozimowego brudu. Poczułam
lekkie wstrząsy. Może się zwali – przeszło mi przez myśl.
Ogarnęła mnie obojętność. Niespodziewane marzenie rozlało
się po świadomości, kojąc nerwy przed spotkaniem z moim
mężem, Jerzym. Moje obie nogi jeszcze tkwiły na drugim
pięterku zadarskiego domu z zielonymi okiennicami – lewa
nie do końca się otwierała, wpuszczając rankiem nieproszone po nieprzespanej nocy promienie słońca. Wyglądam
za okno. Blaż czeka w terenówce, ospały, jakby nie pamiętał,
że ma mi pomóc wynieść bagaże. Wychodzę więc z torbiszczem rzeczy, ciągnąc je do samochodu, a on opuszcza

go powoli, otwiera bagażnik i podrywa moje bambetle, jak gdyby właśnie przypomniał sobie o zasadach savoir-vivre'u. Wrzuca do środka walizy nieobecny, wskazując mi miejsce z przodu auta. Jedziemy szybko, cicho, w skupieniu. Skromne chorwackie lotnisko oferuje niewielki parking, na którym ledwie znajdujemy miejsce. Szukam słów, jakimi pożegnam Blaża. Nie będę go żegnać! Przecież zobaczymy się niebawem. Postaram się o to. Przyjadę, nie przeżyję, gdyby miało się stać inaczej. Przed oczami przemyka mi obraz Jerzego na warszawskim lotnisku. Matko, on o niczym nie wie. Czeka na mnie, wymalował mieszkanie.

Blaż spogląda na mnie z miną zbitego psa. Cudnie prezentuje się w cywilnej wersji munduru moro, spod którego wystaje kołnierzyk czarnej barchanowej koszuli. Nic nie jest w stanie pozbawić go męskości i wyglądu chorwackiego macho. Czekam na gest z jego strony. Mam nadzieję, że mnie szybko pożegna, odepchnie, zostawi na płycie lotniska, odejdzie, nie odwracając się za siebie. A ja popatrzę na jego oddalające się plecy, dźwignę torbę i powoli, oglądając się za siebie, pójdę w kierunku autobusu podwożącego pasażerów do samolotu. Marzę o takiej scenie, marzę, by wyzwolił mnie z odpowiedzialności decydowania o naszym losie. Marzę, by się na mnie wściekł, wzgardził mną za upór, sentymenty, poczucie odpowiedzialności za małżeństwo z Jerzym, za moją decyzję powrotu do Warszawy.

– Powiedz coś. – Nie wytrzymuję milczenia.

– Coś – mimo woli wymyka mu się żart, rozładowując atmosferę.

– Teraz lepiej – złapałam oddech.

Nie dołuj mnie, ledwie się trzymam. Napiszę zaraz po przyjeździe. Pisz do mnie na redakcję. Uważaj na siebie. Pamiętaj, że cię kocham.

– Ana. – Przytulił mnie mocno. – Ana. Wracaj.

– Witamy na pokładzie samolotu Polskich Linii Lotniczych LOT. – Stewardesa informowała o parametrach lotu, sącząc do uszu pasażerów wszystkie „niezbędne" dane.

Ludzie zapinali pasy, wiercąc się na swoich siedzeniach, poprawiając bagaż, łykając tabletki, uspokajając dzieci. Patrzyłam w przestrzeń, nie znajdując siły, by sięgnąć po pasy.

– Proszę zapiąć pasy.

– Tak – zdobyłam się na wysiłek.

– Czy dobrze się pani czuje? – Stewardesa pochyliła się w moją stronę.

– Oczywiście. – Dajcie mi wszyscy święty spokój! – przeleciało mi przez głowę, ale usta grzecznie odpowiedziały: – Dziękuję, wszystko w porządku.

W najlepszym, kurwa! Właśnie zostawiam miłość swego życia, mojego Blaża, jadę do domu, do mojego męża Jerzego, i nie rozumiem dlaczego, ale czuję, że to jest błąd, i nie mogę temu zapobiec. Co ja robię? Matko, muszę wytrzeć oczy, bo Jerzy zobaczy, że ryczałam. Po mnie zawsze widać. Dlaczego wlazłam do tego głupiego samolotu? Dlaczego wracam do starego i wiadomo jakiego. Dlaczego będę jadła z Jerzym kolację, a potem pójdziemy do łóżka? Dlaczego w sobotnie popołudnie przyrządzę kolacyjkę i zaprosimy naszych rodziców, którym będę opowiadać, co się działo w Chorwacji? Nie chcę wylądować. Mam nadzieję, że będziemy latać w przestworzach w nieskończoność, nie dając rzeczywistości zgarnąć nas w swoje objęcia. Niestety, nie jest to możliwe. Kobieta, która jest w ciąży, musi w końcu urodzić, samolot musi osiąść na lotnisku.

Płyta lotniska w zasięgu ręki, lusterko też. Wklepuję krem nivea w policzki, próbuję przypudrować twarz, kręcę oczami, by wyglądały świeżo, przeczesuję włosy dłońmi. Wystarczy jeszcze obciągnąć bluzkę, by ułożyła się wzdłuż linii spodni, zarzucić torbę na ramię i z podciągniętym krawatem wyjść z samolotu.

Widzę go z daleka. Stoi z wiechciem tulipanów. Żółte, moje ulubione. Niech to! Pamiętał. A nie chciałam, żeby pamiętał. Mógłby przynieść garść różowych goździków.

– Nareszcie, Anuś. – Jego słowa sprowadzają mnie na ziemię.

– Cześć, Jurek – próbuję udawać radość. – Długo czekałeś?

– Dobrze, że jesteś. Daj torbę, poniosę. Dobrze, że jesteś.

Nie wiem, Jerzy, czy dobrze, że jestem. Poczułam kamień w sercu. Moje ciało lata w przestworzach, nogi kroczą po Okęciu, plecy podparte przez Blaża lekko opadają na miękkie poduszki, zapadając w nasz wspólny sen.

ANNA
WRZESIEŃ 1991

Aniu, możesz do mnie podejść? – Szef włożył głowę we wpółotwarte drzwi. – Jest sprawa.

Był lekko po czterdziestce, miał szpakowate, rzedniejące włosy, a gdy się postarał, całkiem miły uśmiech. Tym razem jednak chyba nie było mu do śmiechu, bo kąciki ust opadały mu w kierunku brody, a oczy wydawały się zmęczone.

– Siadaj, Anka.

Wskazał mi krzesło przed biurkiem, gdy po chwili zjawiłam się w jego gabinecie. Sam zajął miejsce na jego blacie.

– Siadaj, słuchaj i się nie odzywaj, a już na pewno nie podejmuj żadnych decyzji.

Wstrzymałam oddech. Czułam przez skórę, że ze szpitala nici, a może, Matko Boska, coś gorszego? Chce mnie zwolnić? Pracowałam w gazecie od zawsze, sam mnie zatrudnił. Ta dupa Miśka na mnie nagadała? Myśli gnały jak opętane, nie znajdując mety. Tylko kłopoty mi teraz potrzebne. W ciągu trzech lat dwa poronienia, badań, że ho, ho! Ostatnia szansa w tym profesorze Douglasie, sławie endokrynologicznej, na którą dostałam namiar od ginekologa prowadzącego mnie od ośmiu lat. „Proszę pani", powiedział w trakcie kolejnej wizyty, „nic nie mogę już zrobić w pani przypadku, to poza moimi kompetencjami. Polecę pani starszego kolegę, profesora Douglasa. To Amerykanin, będzie w Warszawie przez miesiąc. Dam pani kontakt do doktora Wziętego, proszę się do niego udać i za jego pośrednictwem załatwić wizytę u profesora. Niech się pani nie martwi. Jest pani młoda, w końcu się uda". Wzięłam do ręki kartkę z telefonem do Wziętego. Wstałam z krzesła, starannie wsunęłam je pod biurko i wyszłam z gabinetu. „Dziękuję panu, doktorze", powiedziałam już do siebie na korytarzu, biegnąc do wyjścia, by żadna z pacjentek nie zauważyła moich łez.

Jestem młoda. No nie wiem, trzydzieści jeden lat, osiem lat starań o dziecko. Amerykanin. I co z tego? W Ameryce też są bezpłodne kobiety, którym nie można pomóc. Profesor, doświadczony. A może po prostu stary i już nic nie umie?

Wyszłam na jesienną deszczową ulicę. Spadające liście przylepiały się do butów, popędzana wiatrem mżawka ścierała łzy z policzków. Zapomniałam, gdzie zaparkowałam samochód. Nie chciałam, by Jerzy jechał ze mną. Instynktownie czułam, że potrzebuję czasu w wieczornych korkach, by uporać się z kolejną złą wiadomością.

Douglas – przypomniałam sobie. Nadzieja. Kolejna? Rozum pokonywał nadzieję. Tak, kolejna – nadzieja pokonywała rozum. Tylko się trzymaj! Jesteś młoda, powiedział doktor, nie poddawaj się.

Wzięty przyjął mnie miło, zainkasował, umówił na spotkanie. Jerzy był pełen optymizmu. Wspierał mnie, jak mógł, chociaż czułam, że chęć posiadania dziecka nie determinuje jego działań. „Kochanie, będzie dobrze. Pójdziesz do tego Amerykanina...". „Douglasa" – przypomniałam. „Tak, Douglasa, i on ci coś poradzi". „Chyba nam?" – uniosłam się ze zniecierpliwieniem. „Oczywiście, że nam, kochanie".

– Anka, jesteś tu? – Stary stuknął nogą w stół. – Co się tak zamyśliłaś? Puk, puk, wracaj do żywych.

– Co mi miałeś do powiedzenia? – wysiliłam się na inteligentne zagajenie, przywołując siebie do porządku.

– Powtórzę. Nic nie mów, słuchaj i nie odmawiaj, zanim się nie zastanowisz.

Zamknęłam się, nadstawiłam uszu i przestałam myśleć. Wyduś to z siebie.

– Ha! Ale cię nabrałem! Już myślałem, że będę musiał wzywać karetkę. Jest robota! – Stary z zadowoleniem rozwarł przede mną ramiona. – Mam dla ciebie wspaniałą propozycję. Pojedziesz do Chorwacji jako korespondent wojenny.

– Kiedy?

– Za kilka dni, gdy tylko zdążysz zapakować walizkę – emocjonował się, wyrażając to szerokim uśmiechem.

– Ale ja nie mogę – szepnęłam cicho.

– Co to znaczy „nie mogę"? – nachmurzył się. – No dobrze, rozumiem, wojna, niebezpieczeństwo jakieś jest, ale myślałem, że to ci się spodoba! Anka, jesteś najlepsza. Kogo mam tam posłać? Miśkę?

Wiedział, stary skurczybyk, jak mnie podejść. Miśkę, no na pewno, pomyślałam, głupią siusiumajtkę. Niech sobie sztyftuje ile wlezie w gazecie i tak nic z tego nie będzie. Myśli galopowały jak tabun koni. Adrenalina mi się podniosła. Przez głowę przeleciał dom, Jerzy, Douglas, wszystkie smutki i niedawne zniechęcenie. Poczułam krew krążącą prędzej w żyłach, zobaczyłam przygodę, wziął mnie pod włos.

– Na jak długo, Harry? – spytałam spokojnie.

– A co, czy ja jestem Duchem Świętym, żeby ci powiedzieć, jak długo wojna będzie trwała? – Widząc pytanie w moich oczach, zreflektował się i dodał: – No, na razie na trzy miesiące. Pasuje? Nic nie mów. Powiesz mi jutro.

Po wyjściu z redakcji opanowało mnie podniecenie. Jadę! Do licha ze wszystkim. Jadę! Matko, przecież ja jeszcze nigdzie nie byłam. Pamiętam, jak przekraczaliśmy z rodzicami granicę z Czechosłowacją w Libercu. Co to było za przeżycie! Zagranica, inny język, nobilitacja. Za rok wypuściliśmy się na wczasy do Warnemünde w ramach dobrych stosunków ze wschodnimi Niemcami. Mama była nauczycielką i udało się jej załapać na związkowe wczasy. W osiemdziesiątym pierwszym odwilż. Niemcy wpuścili Polaków na saksy, a potem *halt!*, delegalizacja Solidarności i znowu siedzimy, drodzy panowie i panie, na własnych śmieciach, pozostawiając imperialistom ich rubieże. Kto wyjechał, to jego, reszta została bez prawa wyboru. A tu taka okazja!

Gdy dobiegłam do domu, decyzję już miałam za sobą.

– Jurek! Jadę do Chorwacji! – krzyknęłam od progu.

– Gdzie?! – nie dosłyszał, telewizor zagłuszał mój głos.

– Stary zaproponował mi wyjazd do Chorwacji. Potrzebują korespondenta.

– Chyba żartujesz! Nie pozwolę ci – oburzył się Jerzy.
– Ty nie wiesz, co tam się dzieje. Mowy nie ma.

– Jurek, nie mów tak. Może do końca nie wiem, ale się dowiem. Jureczku, dam sobie radę i ty też, prawda? – Zalotnie spojrzałam mu w oczy.

– Porozmawiajmy. – Jerzy poważnie podszedł do tematu. – Nawet się nie orientujesz, jakie to jest niebezpieczne. – Spojrzał mi w oczy i świadom podjętej już przeze mnie decyzji, postanowił wytoczyć najcięższe armaty: – A profesor Douglas?

– Misiu, nie przepadnie. On tu będzie jeszcze nieraz. A poza wszystkim jesteśmy młodzi, nie ma się o co martwić.

Złożył broń. Długo rozmawialiśmy tej nocy. Skończyło się na tym, że trzeba mi przygotować odpowiedni ekwipunek i nie rezygnować z okazji. Aha, i mam na siebie uważać.

ANNA
WRZESIEŃ 1991

Następnego dnia, tuż po kolegium redakcyjnym pomknęłam do szefa obwieścić swoją decyzję. Harry nie wydawał się zaskoczony. Szczwanemu lisowi wystarczył rzut oka, by zyskać pewność, że zasiane ziarno nadziei na przygodę przyjęło się. Nie odzywał się, pozwalając mi wygłosić przygotowaną kwestię.

– Zdecydowałam się, szefie. Pogadaliśmy z Jurkiem, jadę.

– Nie wątpiłem, że tak się stanie. Słuchaj, od lipca tam siedzi Julek. Wysłaliśmy go po pierwszych starciach w okolicach Vukovaru, miesiąc po tym, jak Chorwacja i Słowenia proklamowały niepodległość. On obskakuje Krajinę i okolice Zagrzebia, jednym słowem, północno-wschodnią Chorwację. Ciebie chcę posłać na wybrzeże. Porty są bardzo ważne. Spodziewamy się, że z czasem może nastąpić ich blokada. Jeżeli prognoza się nie sprawdzi, wesprzesz Julka. Polecisz do Zagrzebia, jeszcze nie wiemy, jaką trasą, a potem do Zadaru. Tam się ulokujesz. Skontaktowaliśmy się z kolegami z „Zadarskiego Listu", pomoże ci też Julek. Ale prawda jest taka, że musisz sobie radzić. Na wojnie nikt nikogo nie niańczy. Zrozumiano?

– Tak jest. Co mam robić?

– Codzienne depesze, jeśli będzie się coś działo, i reportaże na ważne tematy. Dam ci kontakty do ludzi, a sama znajdziesz sobie własne.

– Dobra, Harry, ale muszę ci się do czegoś przyznać...

– Wiem, dlatego postanowiłem, że teraz nie będziesz pisać, tylko zamienisz się w pilną studentkę. Leć do archiwum i dowiedz się, co się dzieje na Bałkanach. Poczytaj nasze artykuły, popatrz na konkurencję i bez kompleksów, na miejscu złapiesz klimaty.

– Dzięki, Harry, za zaufanie. Postaram się.

– Gdybym wątpił, nigdy bym ciebie nie wysyłał – uśmiechnął się. – Tylko mi tam nie zostań! – pogroził palcem na pożegnanie.

Jak bumerang wróciły studenckie czasy w bibliotece, książki, gazety, notatki, fiszki, czytanie, notowanie, przyswajanie. Dawniej nie potrzebowałam dużo czasu, by ogarnąć wiedzę do egzaminu. Tydzień wystarczał na wykucie kilku podręczników i otrzymanie niezłej oceny. Grunt to motywacja i krótki termin. Harry przekazał mi prosty komunikat: w każdej chwili możesz się spodziewać biletu do Zagrzebia, nie zmarnuj czasu. I nie marnowałam. Zabrałam się do czytania gazet, relacji z Jugosławii, reportaży. Nie było ich zbyt wiele i dotyczyły na ogół pojedynczych zdarzeń. Brakowało opracowań ogólniejszej natury. Julek, jedyny człowiek w temacie, siedział na miejscu, poza moim zasięgiem. Grzebałam w artykułach o Jugosławii za rządów Tity, które kojarzyłam z opowiadań znajomych rodziców spędzających tam wczasy. Przypomniałam sobie relacje kolegów wyjeżdżających na saksy do RFN w osiemdziesiątym pierwszym, o Jugosłowianach pracujących tam, a nawet prowadzących firmy i za zarobione pieniądze budujących w ojczyźnie pokaźne domy. Dlaczego nagle na Półwyspie Bałkańskim miała się zacząć wojna?

Lata osiemdziesiąte mogłam sobie odpuścić – w prasie dominowały jedynie słuszne poglądy rządzącej partii. Ale miało to dobre strony, zawęziło obszar poszukiwań do lat dziewięćdziesiątych. Po godzinach wertowania miałam już pewne pojęcie. Rozpad systemu socjalistycznego dotknął też tamtych terenów, ale przecież Jugosławia zawsze kroczyła własną drogą i jej zależność od Moskwy była znacznie mniejsza aniżeli innych krajów. Jej otworzenie się na mechanizmy rynkowe sprawiło, że ludziom żyło się coraz lepiej, a państwo się bogaciło. Jugosłowianie nie mieli kłopotów z uzyskaniem wizy na przykład do Niemiec, z czego skrzętnie korzystali, jeżdżąc tam po marki, które wydawali u siebie. Rządy Broz-Tito budowały w nich poczucie odrębności od Wschodu i Zachodu.

Problemy zaczęły się pojawiać po śmierci Tity, gdy wprowadzono system kolektywnego kierownictwa, zgodnie z którym co rok zmieniał się człowiek na najwyższym stanowisku w państwie. Jak się można domyślać, system ten był nieefektywny i prowadził do pogłębiania się różnic pomiędzy sześcioma republikami. W Słowenii poziom życia zbliżał się do austriackiego czy włoskiego, w Kosowie panowała bieda i bezrobocie. Okazało się też, że trudno iść tą samą drogą prawosławnym Serbom, katolickim Chorwatom i muzułmańskim Bośniakom. I gdy na czele federacji stanął Slobodan Milošević, Serb preferujący swój naród, wystarczyło już tylko podpalić lont. Chorwaci w majowym referendum opowiedzieli się za niepodległością swojej republiki, a kiedy dołączyli do nich Słoweńcy, zaczęła się regularna wojna.

Wiedziałam już, o co się biją. Reszty powinnam się dowiedzieć na miejscu.

– Widzę, że połknęłaś przynętę. – Jurek nie miał już siły na moją gorliwość. – Miałem jeszcze nadzieję, że się zniechęcisz, ale teraz widzę, że płonną.

– Wiesz co? Jugosłowiańska marynarka wojenna zbliża się do portów chorwackich. Chyba wyjadę w najbliższych dniach. Harry załatwia bilet na samolot. Jurek, jestem już spakowana.

– Będę się bał o ciebie każdego dnia. Obiecaj, że zachowasz ostrożność. – Przytulił mnie mocno.

– Wiesz, ilu tam jest dziennikarzy? Słyszałeś, żeby któremuś się coś stało? – odpowiedziałam pewnym głosem, chociaż nie była to prawda. Ale co tam! Mnie nic się nie stanie. Po co Jurek ma się martwić. Jeszcze nie zgodzi się na wyjazd.

Na kolację zadowoliłam się kanapką i do gazet. Jurek szedł spać. Kiwnęłam mu ręką na pożegnanie. Z politowaniem pokręcił głową.

ANNA
WRZESIEŃ 1991

Jugosłowiańska marynarka wojenna zablokowała wszystkie chorwackie porty. Julek nadał newsa. Jutro wrzucamy go na jedynkę – Harry bez zbędnych wstępów poinformował mnie o tym przez telefon, gdy zamierzałam kłaść się spać. – Federalni blokują wjazd do Zadaru. Anka, szykuj się.

– Jestem gotowa.

Jugosłowiańska Armia Federalna, broniąca w rezultacie interesów Serbów, ostrzeliwała dwa chorwackie miasta: Vukovar i Osijek. Julek na bieżąco relacjonował przebieg walk. Czytając jego doniesienia, próbowałam wyobrazić sobie realia, w jakich przyjdzie mi żyć w Chorwacji.

– Poczekamy na kolejny rozejm pomiędzy Chorwatami i Serbami i wtedy pojedziesz – kontynuował Harry – żeby wślizgnąć się do Zadaru bez ryzyka. To może nastąpić w każdej chwili.

– Dobra, Harry, jestem gotowa. Co z biletem na samolot?

– Jeśli nie polecisz LOT-em, znajdziemy inne rozwiązanie. Tym się nie martw. Do jutra, wyśpij się dobrze.

Nawet o tym nie myślałam. Na podłodze leżały sterty nieprzeczytanych jeszcze gazet i czasopism. Wzięłam się do roboty. Poczułam przedegzaminacyjne emocje i konieczność maksymalnej koncentracji.

– Nie za dużo tej pracy? Nie wybierasz się spać? – Jerzy kierował się do łazienki.

– Idź, idź, ja jeszcze popracuję. Jestem kompletnie zielona, nie czekaj na mnie.

– Jak chcesz. Nie siedź zbyt długo.

Nie patrzyłam, czy wzruszył ramionami, czy się do mnie uśmiechnął. Porwałam notatnik, by na własny użytek spisać informacje o ostatnich wydarzeniach na półwyspie. Gdy zgasło światło w pokoju Jurka, zrobiłam sobie kawę i zaczęłam zapełniać treścią stosik kartek w kratkę.

Gdy Warszawa zaczęła powoli budzić się do życia, wyszłam na balkon zapalić ostatniego tej nocy papierosa. Trzeba się położyć i oddalić na kilka godzin nie do końca realne obrazy bałkańskiej wojny, które niebawem będę oglądać z bliska. Wrześniowy poranek był jednak nieco zimny. Postanowiłam umyć się po drzemce. Usunęłam jedynie cień z powiek i wyszorowałam zęby. Wsunęłam się pod kołdrę do śpiącego spokojnie Jerzego. Sen nie kazał na siebie długo czekać.

ANNA
25 WRZEŚNIA 1991

Lecę do Zagrzebia! Co prawda przez Monachium, bo nie udało się z dnia na dzień dostać biletu na linie LOT-u, ale nieco okrężna droga niewiele wydłuży czas podróży. W ciągu kilku ostatnich dni gorączkowo przygotowywałam się do wyjazdu, załatwiając sprawy rodzinne i towarzyskie. Impreza urodzinowa mamy, spotkanie ze Staszkami, pieczenie mięsa dla Jurka, żeby miał co jeść chociaż przez pierwsze kilka dni po moim wyjeździe, uzupełnianie kosmetyczki o pastę do zębów i szampon (nie wiedziałam, co zastanę w chorwackich sklepach).

Rodzice na wieść o celowo skrywanych moich planach wpadli w podwójną histerię, próbując wyperswadować mi ten, ich zdaniem, nieodpowiedzialny krok. Co będzie, gdy mi się coś stanie? Stracą jedyne dziecko. Zginę bezpotomnie i nawet wnuków nigdy nie zobaczą! Na szczęście przygotowałam się na lawinę argumentów, pod których ciężarem powinnam zmienić zdanie, i natychmiast wystąpiłam ze swoimi. Że dziennikarzy nikt tam nie zabija, ale w razie czego będę uważać, by nie pchać się na linię frontu, że cały świat przygląda się wojnie, a zarówno Chorwatom, jak i Serbom zależy na dobrym międzynarodowym image'u, że Bałkany to nie koniec świata, że zamieszkują je tacy sami Słowianie jak my, a pra-Chorwaci prawdopodobnie pochodzą z terenów dzisiejszej Polski, a zatem niemal jadę do swoich. Gdy wreszcie udało im się przerwać mój słowotok, usłyszałam, że nie mam pojęcia, czym jest wojna i jakie straszne rzeczy dzieją się na froncie, a oni wiedzą dokładnie, bo w czasie drugiej światowej mieli już w końcu po kilka lat. Kolejne armaty uderzyły w moje małżeńskie uczucia. Jak ja mogę na tak długo zostawiać Jurka, mąż i żona powinni być zawsze razem, bo nigdy nie wiadomo, co z rozstania może wyniknąć – tę kwestię mama szepnęła mi do ucha w kuchni, gdzie musiałam się z nią udać pod pretekstem zrobienia kolejnej kawy. Gdy i to nie pomogło, rodzice zaczęli strzelać z moździerzy, uruchamiając najcięższy kaliber argumentów. Co z nimi? Czy nie pomyślałam o swoich biednych starych rodzicach (mają lekko po pięćdziesiątce) porzucanych właśnie dla kariery? Spodziewałam się problemów z ich strony, nie zdawałam jednak sobie sprawy, jak ciężką walkę przyjdzie mi stoczyć w drodze o własną suwerenność.

– Jesteście jak ci Serbowie, którzy nie pozwolą innym pójść własną drogą. Zobaczycie, wyłączę prąd w waszym garnizonie, może wtedy odpuścicie – zrobiłam użytek ze świeżo nabytej wiedzy o sposobach walki z okupantem.

– Co ty mówisz? Jaki prąd? W jakim garnizonie? – Tata nie sczaił moich subtelnych odwołań.

– Gdy Serbowie atakują chorwackie wioski, Chorwaci wyłączają im prąd w ich garnizonach, żeby zostawili ich w spokoju.

– A co oni na to?

– Atakują dalej, oblegają i bombardują miasta – wyjaśniłam niepotrzebnie, powodując kolejne wybuchy.

– Ty nas masz za okupantów? Gdyby nie to, że wyjeżdżasz, powinniśmy z matką się chyba obrazić – nadąsał się, ale nie podniósł z fotela, by opuścić posiedzenie.

Chwała Bogu, pomyślałam, usłyszawszy słowo „wyjeżdżasz", które świadczyło o tym, że pogodzili się z moją decyzją. Pełna wdzięczności losowi za ten przełom próbowałam łagodzić nastroje. Obiecałam kontaktować się w miarę możliwości, dbać o siebie i pamiętać o nich. Po kilku godzinach ciężkich bojów dałam buziaka na pożegnanie.

Stewardesa przypomniała o konieczności zapięcia pasów. Samolot przygotowywał się do lądowania w Monachium. W dole zobaczyłam ogromne lotnisko, z którego co chwila startowała kolejna maszyna. Gdyby nie fakt, że miałam mało czasu na przesiadkę, pewnie zjadłby mnie stres. Konieczność szybkiego działania uruchomiła zdolność mobilizacji w trudnych warunkach. Jakimś nieznanym mi sposobem znalazłam się na pokładzie niemieckiej maszyny i zajęłam miejsce przy oknie. Warszawa stała się odległym punktem na mapie. Za ogonem samolotu została rodzina, doktor Douglas, Jurek, codzienna gonitwa.

– *Wunschen Sie ein Glaschen Cognac*? – widząc w rękach

stewardesy tacę z buteleczkami alkoholu, domyśliłam się, że pyta, czy mam ochotę na kieliszek koniaku.

– *Bitte sehr* – odpowiedziałam, korzystając z mojej znajomości niemieckiego nabytej na wczasach z rodzicami w Warnemünde.

Przyjemne ciepełko rozlało się po piersiach, przepływające za oknem chmury kołysały do snu. Przymknęłam oczy, oddając ciało we władanie senności. Narzucona na ramiona kurtka lekko grzała. Kołysało...

– *Hallo!*

Ktoś dotknął mojej ręki. Otworzyłam półsenne oczy. Młody mężczyzna wcisnął mi wizytówkę i z zawadiackim uśmiechem oddalił się, budzić kolejnych pasażerów. „*Export, import in all goods*" – przeczytałam tekst znajdujący się nad numerem telefonu.

– Handlarz bronią – uświadomił mnie mężczyzna zajmujący sąsiednie siedzenie.

– Jak to? To legalne? – zdziwiłam się mimo woli.

– Jedziemy do Zagrzebia, droga pani, a tam teraz wszystko jest legalne. W końcu musimy skądś tę broń brać. Wszystkie państwa udają, że jej nie sprzedają, ale interes kręci się jak cholera. Sam żałuję, że w to nie wszedłem. Byłbym bogaty. Darko Ivanić, przepraszam, że się nie przedstawiłem – podał mi rękę. – Od lat mieszkam w Niemczech. Mam tam małą firmę budowlaną, zarabiam na emeryturę. Tego handlarza widziałem już nieraz.

– Anna Jakubiec, jestem z Polski – zrewanżowałam mu się prezentacją. – Jadę do... znajomych – nie odważyłam się ujawnić swojej profesji.

Facet rozsiadł się wygodniej w fotelu i przymknął oczy. Zrozumiałam, że rozmowa skończona. A szkoda, bo mogłam gościa pociągnąć za język i czegoś się dowiedzieć na przykład na temat handlu bronią. Swoją drogą dobry temat na początek, Julek nie pisał o tym. Z niepokojem pomyślałam, czy osoba, która ma mnie odebrać z lotniska, będzie czekała. Na wszelki wypadek miałam trochę dinarów, z taksówkarzem się dogadam. Jak dobrze, że w młodości wykazałam się dużą ambicją i zaczęłam się uczyć egzotycznego języka chorwackiego (wtedy nosił nazwę serbsko-chorwackiego). Teraz jak znalazł.

Wylądowaliśmy planowo. Ustawiłam się w kolejce po bagaż, cierpliwie czekając na moją czerwoną torbę, fuksem zdobytą w sklepie sportowym kilka dni przed wyjazdem. Na wojnę z czerwoną torbą. Bardzo stylowe, pomyślałam ze wstydem. Co było jednak robić, gdy rzucili tylko w kolorze krwistej czerwieni. Na wszelki wypadek po raz ósmy sprawdziłam adres polskiego konsulatu, w którym miałam spędzić noc przed jutrzejszym wyjazdem do Zadaru. Jeśli wierzyć relacjom, od wczoraj można się było tam dostać bez przeszkód. Chorwacja z Serbią zawarły kolejny rozejm, odstępując od wzajemnych ataków. W długim korowodzie walizek pojawiła się czerwona. Wyciągnęłam rękę, by po nią sięgnąć, gdy czyjaś dłoń złapała za jej rączki.

– Przepraszam, to moja – wydukałam po, mam nadzieję, chorwacku, spoglądając na intruza próbującego mi porwać cenną własność.

– Blaż Batelić. – Mężczyzna wyciągnął dłoń w moim

kierunku. – Julek prosił, bym doholował cię do konsulatu. Musiał wyjechać. Nie masz nic przeciwko?

A cóż bym mogła mieć? Z wysokości ponad metra dziewięćdziesięciu centymetrów spoglądał na mnie postawny facet w ubraniu moro, patrząc zadziornie prosto w oczy. Miał długie czarne włosy związane w kitkę. Po jego twarzy plątał się niesforny kosmyk, który wysunął się spod rzemyka. Pewnie uścisnął moją dłoń. Zanim zdążyłam odpowiedzieć, kontynuował prezentację:

– Jestem dziennikarzem „Zadarskiego Listu", kolegą Julka. Dzisiejszą noc spędzimy w waszym konsulacie, jutro jedziemy do Zadaru. Byłem kilka dni w okolicach Osijeku, ale u nas też robi się gorąco. Muszę wracać. Pojedziemy więc razem. W Zadarze masz zarezerwowany pokój. Na początku będę twoim przewodnikiem, zanim się nie rozeznasz.

Musiałam robić głupie miny, bo zaczął mnie uspokajać:

– To długo nie potrwa. Julek mówił, że szybko sobie poradzisz i uwolnisz się ode mnie.

Czułam, że muszę przerwać milczenie i powiedzieć coś sensownego, ale nic nie przychodziło mi do głowy. Zebrawszy się w sobie, wydukałam w końcu:

– Przepraszam, ale nie mówię biegle po chorwacku. Dziękuję ci – w końcu pierwszy zaczął mówić po imieniu – że po mnie przyjechałeś. Przepraszam, możesz chwilkę poczekać? Muszę iść do toalety.

I to było wszystko, na co mnie było stać podczas pierwszej rozmowy. Stałam przed lustrem w kibelku, z zażenowaniem kręcąc głową nad własną nieporadnością. Zimna woda pomogła. Przemyłam twarz, przeczesałam włosy, odgarniając je za ramiona, musnęłam wargi bezbarwnym błyszczykiem i byłam gotowa. Mój Chorwat (pomyślałam o nim „mój"; też mi coś!) czekał przy kasach z tą moją tandetną czerwoną torbą w ręce. Po chwili wojskowym gazikiem podążaliśmy do polskiego konsulatu w Zagrzebiu.

Blaż prowadził szybko i pewnie. Zastanawiałam się, czy aby na pewno jest dziennikarzem, a nie na przykład żołnierzem. Jakby odgadł moje myśli, bo odezwał się:

– Patrzysz na mój strój? W sklepach robią się coraz większe pustki, a u przemytników najłatwiej dostać mundury. A zresztą są wygodne – mrugnął w moją stronę.

– Nie myślałam o twoim stroju – skłamałam – ale w samolocie wpadłam na pewien temat na artykuł. Jeśli jutro znajdziesz czas, chętnie ci opowiem.

– Jasne, będziemy mieli go sporo w drodze do Zadaru. Poczekaj – zatrzymał samochód. – Kupię coś na kolację. W konsulacie nie ma się czego spodziewać. Pozwolisz, że wybiorę?

– Jestem wszystkożerna – powoli odzyskiwałam pewność siebie. – Dziękuję za troskę.

– Nie ma za co, Ana. Dla pięknej damy zrobię wszystko, nie tylko kolację...

No tak, mogłam się tego spodziewać. Przystojny facet nigdy nie robi niczego za darmo. Muszę jutro zadzwonić do Jurka, że szczęśliwie wylądowałam.

ANNA
26 WRZEŚNIA 1991

Która to godzina?! – z wyrzutami sumienia wyskoczyłam z łóżka.

Matko! Po dziesiątej! Pędem pobiegłam do łazienki doprowadzić się do ładu. W kuchni zastałam pana Witolda, który kwaterował nas wczoraj w konsulacie.

– Dzień dobry. Bardzo długo spałam – odczułam potrzebę wytłumaczenia się. – Gdzie wszyscy?

– Rozbiegli się w swoich sprawach, jak to mówią: robić temat. Ten pani znajomy też wyjechał, ale prosił przekazać, że będzie około jedenastej i żeby była pani gotowa do wyjazdu. Aha – przypomniał sobie – i niech pani zje śniadanie. Wasze rzeczy są w lodówce na drugiej półce od góry.

Po prostu luksus! Byłam pod wrażeniem. Nie dość, że mnie tu przywiózł, zrobił zakupy, to jeszcze nie budził rano, żebym mogła się wyspać. W domu już bym dawno zapomniała, że zrobiłam śniadanie i po nim pozmywałam.

Słońce zaglądało do konsulatowej przestronnej kuchni, grzejąc mi twarz przez szybę. Przeciągnęłam się najedzona i odprężona, przypatrując się przejeżdżającym ulicą samochodom. Wbrew przewidywaniom nie zauważyłam żadnych czołgów, skradających się snajperów, chowających się po bramach ludzi. Chodnikiem szła przytulona parka zakochanych, kobieta pchała wózek z dzieckiem, ludzie z siatkami biegli po poranne zakupy. Przyglądając się tej sielance, poczułam się odprężona i niemal jak na wakacjach. Rozciągając ramiona w kierunku słońca, ziewnęłam przeciągle.

– Cudowny poranek w nowym miejscu. Dla takich chwil warto żyć – szepnęłam pod nosem. – Panie Witoldzie, można stąd zadzwonić? – odwróciłam się, przypominając sobie, że muszę skontaktować się z Jerzym.

W drzwiach stał Blaż.

– Przepraszam, że cię przestraszyłem – zaczął się tłumaczyć, widząc moją już po raz któryś zaskoczoną minę.

– Nie, to ja przepraszam, że tak długo spałam. Pędzę się pakować, zaraz możemy jechać. Jeszcze tylko zadzwonię.

Pobiegłam, nie patrząc na jego reakcję. Trzeba się brać w garść. Co ten człowiek sobie pomyśli? Traci czas na zajmowanie się mną, a ja nawet nie potrafię rano wstać. Pobiegłam do pana Witolda. Po kilku minutach międzymiastowa połączyła mnie z Warszawą.

– Tu mieszkanie państwa Jakubców. Chwilowo nie ma nas w domu. Proszę zostawić wiadomość albo zadzwonić później. – Długi brzęczący sygnał dał znać, że można się nagrać.

– Cześć, Jurek, dojechałam bezpiecznie i jestem teraz w Zagrzebiu. Zaraz ruszam do Zadaru. Nic się złego nie dzieje, nie martw się. Zadzwonię, gdy będę mogła. Będę kontaktowała się z Harrym. Jeśli chcesz, możesz również go zagadywać. No to na razie. Trzymaj się. Daj znać rodzicom.

Za chwilę siedzieliśmy w gaziku, kierując się na południowy zachód.

– Mamy przed sobą dwieście siedemdziesiąt kilometrów, około pięciu godzin jazdy. Federalni odpuścili. Myślę więc, że bez problemu wjedziemy do miasta. W pobliżu Zadaru skontaktuję się z kolegami. Jeżeli nie uda nam się główną drogą Zagrebacką, dostaniemy się od Pat Vrela. Rano załatwiłem ci legitymację dziennikarską, bo bez niej byłoby trudno przejść przez posterunki wojskowe. Cholera, zapomniałem zabrać żarcie z lodówki.

– Zrobiłam kanapki na drogę – niemal tłumaczyłam się ze swojej matczynej nadgorliwości.

– Poważnie?!

– No tak, u nas się robi kanapki. – Wygłupiłam się, zachowałam się niczym kura domowa, a nie profesjonalna dziennikarka.

– Dla mnie też masz? – uśmiechnął się prosząco.

– Podać ci jedną? Może być z kiełbasą i sałatą?

– Daj od razu dwie. Nie pamiętam, kiedy ktoś zrobił mi kanapki. Jestem przyzwyczajony do samoobsługi.

Jechaliśmy bez słów. Blaż pochłaniał prowiant, słuchając radiowej relacji z wydarzeń w Chorwacji. Osijek ostrzeliwany, kilkunastogodzinny atak na miasto, w ruch poszły moździerze, ciężka artyleria, rakiety, czołgi. Nad domami przelatywały odrzutowce. W Vukovarze to samo. Krótki przerywnik muzyczny i od początku. Niewiele rozumiałam, wyławiałam pojedyncze słowa, czasami udało mi się uchwycić sens.

– Wydaje mi się, że w samolocie trafiłam na temat pierwszego artykułu z Chorwacji – przerwałam radiową relację. – Leciał ze mną jakiś Niemiec, który częstował wszystkich wizytówkami „Export, import in all goods".

– Handlarz bronią. – Od razu wiedział, o co chodzi.

– Przed wyjazdem przejrzałam chyba wszystkie nasze gazety i nie natrafiłam na tego typu artykuł. Chciałabym w pierwszej kolejności wysłać szefowi kawałek na ten temat.

– Masz kartkę i długopis? – Blaż nawet nie odwrócił głowy w moją stronę. – Dobrze, notuj, będę ci dyktował. Potem sobie zredagujesz.

– Teraz?

– Nie dziw się tak, temat znam od podszewki, już kilka razy o tym pisałem. U nas handel bronią to chleb powszedni. Dostanie pozwolenia na broń z policji nie przedstawia najmniejszego problemu, a pistolety i strzelby myśliwskie można kupić w domach towarowych.

– Żartujesz. Teraz widzę, że nic nie wiem. Jestem gotowa, ale mów trochę wolniej, bo nie wszystko rozumiem.

– Bardzo dobrze mówisz po chorwacku. Gdzie się nauczyłaś?

– A, wzięłam sobie dodatkowy lektorat na studiach. Uczyłam się co prawda tylko półtora roku, ale coś tam zapamiętałam. Słowiańskie języki łatwo mi wchodziły do głowy. No i przydało się. Dzięki temu tu jestem.

– Pisz. – Blaż zaczął wykład. Większość fabryk broni znajdowała się na terenie serbskiej republiki, dlatego armia jugosłowiańska była nieźle wyposażona. Chorwaci i Słoweńcy zaś musieli kupować broń głównie od Brytyjczyków, Niemców, Austriaków, Czechów i Polaków. W tym względzie nie było żadnych przeszkód prawnych. Nikt bowiem oficjalnie nie uznał Jugosławii za obszar objęty kryzysem. Najłatwiej handlowało się w Austrii. W miasteczkach na granicy z Jugosławią powstały dziesiątki sklepów z tym towarem.

– Niedawno wybuchł skandal polityczny związany z zakupem dwudziestu tysięcy kałasznikowów z Węgier. Tamtejsze Ministerstwo Spraw Zagranicznych tłumaczyło się, że sprzedało broń używaną przez dawną milicję robotniczą, legalnie, po odprawie celnej, a opinia publiczna zrobiła z nich kozła ofiarnego. Ale broń kupują też zwykli obywatele. Teraz zapisz, co najczęściej: węgierskie kopie mausera, hiszpańskie karabinki ręczne Star i Rossi, rewolwery Smith and Wesson, czeskie pistolety. W austriackiej strefie przygranicznej handlarze mogą sprzedawać każdy rodzaj broni pod warunkiem, że zostanie ona odebrana poza krajem. W rzeczywistości wygląda to tak, że jadą z klientem na granicę, wypełniają dokumenty celne i ładunek wjeżdża do Chorwacji. Kłopot pojawia się, gdy celnik jest na garnuszku Belgradu i wykorzystując przepisy – na przykład, że nie można eksportować broni, jeżeli kosztuje powyżej pięciu tysięcy szylingów – nie chce jej przepuścić. Mówi się, że trzy czwarte broni dostaje się do nas nielegalnie. No wiesz, embargo na sprzedaż do Iraku zrobiło swoje. Jej ceny spadły. Rynek jugosłowiański uratował niejednego.

– Dzięki, Blaż, jesteś wielki! – Spojrzałam zadowolona na zapiski. – To może w nagrodę jakaś kanapka?

– Nie, teraz to ja ciebie zapraszam na dobre żarełko. Zatrzymamy się na chwilę. Lubisz *ćevapčići*?

– Jeszcze nie wiem, ale pewnie polubię – odpowiedziałam wesoło, zadowolona z tekstu.

Wołowe ruloniki z grilla smakowały wyśmienicie, a Blaż okazał się wspaniałym przewodnikiem. Po godzinie znałam historię Zadaru w pigułce, jego smaki i zapachy. Na szczęście temat wojny odpłynął w siną dal, a ja po raz kolejny poczułam się jak na wakacjach z przystojnym facetem u boku. Cóż, szkoda, że jutro obudzę się w pracy – przeszło mi przez myśl. Ale co moje, tego mi nikt nie odbierze.

– Blaż, jeszcze raz dziękuję ci za wszystko.

– Ależ ja to robię z największą przyjemnością, szczególnie od momentu, gdy cię zobaczyłem. A poza tym jest mi po drodze – dodał trochę zbyt szybko. No – otarł usta serwetką – czas jechać, Ana.

ANNA
WRZESIEŃ 1991

D o Zadaru zbliżyliśmy się o dziewiętnastej, na szczęście pokonując drogę bez przeszkód. W okolicy Karlovaca i innych większych miast napotkaliśmy kilka posterunków chorwackich gwardzistów i jugosłowiańskiej armii federalnej. Wrześniowy dzień cieszył słońcem, w mijanych wioskach życie biegło swoim torem, jedynie dziury w dachach niektórych domów przypominały o toczącej się wojnie.

– Zaraz zobaczysz Zadar. – Blaž wyrwał mnie z kontemplowania bajkowych widoków, jakie fundowały Góry Dynarskie.

Szczyty, na które zawiodła nas trasa, były niemal pozbawione roślinności, gdzieniegdzie skały pokrywały poletka krzewów, jak dowiedziałam się od Blaža, nazywających się makia. Gdy zaczęliśmy zjeżdżać w dolinę po dość wąskiej, pełnej ostrych zakrętów i stromej drodze, na horyzoncie ukazał się widok, dla którego warto było ruszyć się z Warszawy. W słońcu połyskiwał niebieskozielony Adriatyk pokryty zalesionymi wysepkami, na którego brzegu przycupnęło jedno z najstarszych miast Chorwacji – Zadar. Nasza trasa cały czas prowadziła w dół i w końcu z wysokości ponad tysiąca sześciuset metrów znaleźliśmy się na poziomie morza. Byłam zauroczona.

– Podoba ci się?

– Blaż, tu jest cudownie. Nigdy nie widziałam równie pięknych widoków.

– Niedługo będziemy na miejscu. Pokażę ci miasto, które pamięta czasy Rzymian. Nie pochodzę stąd, ale bardzo je lubię. Wiesz, że w Zadarze powstała pierwsza chorwacka gazeta? – zaśmiał się. – Oczywiście nie z tego powodu tu siedzę. Podoba mi się bliskość morza i ogólnie dobrze się tu czuję.

– Uświadomiłeś mi, że tak naprawdę nigdy nie zastanawiałam się nad miejscem zamieszkania. Pochodzę z Warszawy, wyjechałam z niej na studia do Krakowa, a potem do niej wróciłam i mieszkam. Do tej pory nie mieliśmy dużych możliwości podróżowania, to i apetytu nie było. Teraz widzę, jak wiele traciłam.

– Ja też nie mogę powiedzieć, że jestem globtroterem. Ale sama wiesz, Jugosławia jest duża i co nieco się widziało. A poza tym ciągnie mnie w świat.

– Jesteś sam? – wyrwało mi się niespodziewanie.

– Mam żonę i dwuletniego synka w Zagrzebiu.

Po jego minie zorientowałam się, że nie chce opowiadać dalej.

– Przepraszam, że zapytałam. Nie wiem, co mi się stało.

– Nie szkodzi. A ty?

– Od ośmiu lat jestem mężatką. Nie mamy jeszcze dzieci, ale planuję.

Przez chwilę jechaliśmy w milczeniu. Blaż trochę przyspieszył. Na szczęście panował nad kierownicą gazika, pewnie wchodząc w ostre zakręty. Przy rogatkach miasta zatrzymał nas patrol federalnych. Umundurowany żołnierz poprosił o dokumenty. Mówił zbyt szybko, abym mogła zrozumieć, ale po przejrzeniu machnął ręką: „Droga wolna". Po raz pierwszy poczułam, że nie przyjechałam tu na wakacje.

– Nic się nie stało – uspokoił mnie Blaż. – Tych nie trzeba się bać. Jest rozejm i w zasadzie wszyscy go przestrzegają. Ale pewnych zasad musisz się trzymać: w czasie ataków w żadnym wypadku nie wolno wychodzić na ulicę. Nawet jeśli nie zginiesz od bomby, możesz wtedy dostać kulą snajpera. Żadnych brawurowych akcji „dla dobra reportażu". Czasami niestety trzeba przesiedzieć w schronie i kilkanaście godzin. Lepiej unikać zbiorowisk. Ludzie stojący w kolejce po chleb lub dary z Czerwonego Krzyża są dobrym celem. I gdy trafisz na nasz patrol, który pogoni cię z ulicy do schronu, idź. Martwy dziennikarz już niczego nie napisze, a wierz mi, że kilku kolegów fotoreporterów straciło tu życie.

– A tak tu wygląda spokojnie...

– Trzy dni temu Zadar, Split i Šibenik atakowano z powietrza i lądu. Federalni zablokowali porty, drogi i lotniska, w miastach obowiązywało zaciemnienie. Byłem tutaj, zanim pojechałem po ciebie do Zagrzebia. Dobrze chociaż, że starówka nie ucierpiała. Nie mieliśmy światła ani prądu, więc nie mogliśmy przekazać relacji. Radio Split informowało o blokadzie. Nie mówię tego, żeby cię przestraszyć. Po prostu bądź ostrożna i niepotrzebnie się nie narażaj. Teraz zawiozę cię do przyjaciół, którzy cię przenocują i dadzą coś zjeść. U mnie mieszka już kilku kolegów dziennikarzy, nie byłoby ci wygodnie. Jutro zobaczymy, jak sytuacja się rozwinie. Możesz popracować, pogadać z ludźmi, poznam cię z kolegami z innych gazet. W najbliższym czasie planuję wyjazd do Dubrownika. Może będziesz chciała się zabrać?

– Dzięki. Jeszcze raz za wszystko dziękuję. A gdybym chciała się z tobą skontaktować?

– Željko cię podrzuci tak, żeby było bezpiecznie.

Stanęliśmy przed domem Željki na Put Stanova. Wrzosowe oleandry pięły się wokół kamiennych murów z zielonymi okiennicami. Blaž wyjął moje bagaże z samochodu. Zrobiło mi się wstyd za tę czerwoną torbę.

– To do jutra, Blaž. Nie będę zawracać głowy twojemu przyjacielowi. Trafię sama na starówkę.

– To zajrzyj do mnie na Libumską obalę dwadzieścia dziewięć. Zrobię ci dobrą kawę. I uważaj na siebie. – Po przyjacielsku przygarnął mnie do siebie. – Muszę o ciebie dbać – uśmiechnął się naprawdę uroczo. – No, może chcę. Biegnij odpocząć. Do jutra i nie śpij za długo.

ANNA
27 WRZEŚNIA 1991

Nie chciałam sprawiać kłopotu Željce i jego żonie Chesnie – wbrew moim wyobrażeniom o Chorwatkach niewysokiej i cichej kobiecie krzątającej się w kuchni.

– Nie mamy nic takiego do jedzenia – tłumaczyła się, stawiając na stole misę z dużą ilością ziemniaków zmieszanych z liśćmi, jak mi się wydawało, buraków. Zapieczona w piekarniku potrawa przyciągała zapachem czosnku i oliwy. – Trudno teraz coś dostać. Rybacy z powodu blokady nie mogą wypływać w morze. Zdobyłam tylko kilka kalmarów. Będą do *blitvy*. Nie jadłaś pewnie jeszcze *blitvy*? To ziemniaki z boćwiną.

– Pięknie pachną!

– Są z czosnkiem i oliwą. Na szczęście mamy zapasy oliwy. Gorzej z rybami i owocami morza. Mam nadzieję, że kalmary nie będą gumowate.

Były wyśmienite. Moje podniebienie nie należało do wymagających, a zapach grillowanych ciemnych robaczków pobudził apetyt. Na stół wjechało *domace*, białe wino przelane z ogromnego szklanego baniaka.

– Chesna sama je robi. – Željko przytulił żonę. – A jak trzeba, to koktajl Mołotowa też przyrządzi.

– Željko. – Kobieta popatrzyła na męża z udawanym wyrzutem. – No dobrze, chodź, pokażę ci. – Poprowadziła mnie do niewielkiej piwniczki, gdzie na podłodze stały kanistry z benzyną i kilka rzędów butelek. – Jesteś dziennikarką, pewnie cię to zainteresuje. Nalewam do butelek benzynę, wkładam lont i gotowe.

– Skąd wiesz, jak to się robi?

– Z telewizji. Coś muszę robić, a Željko nie pozwala mi biegać z kałasznikowem ze względu na naszego synka Franja. Wystarczy, że sam jest w gwardii.

– Nie boisz się o niego?

– Pewnie, że się boję, ale my nie mamy armii. Muszą iść ochotnicy. Mam nadzieję, że to się szybko skończy i będziemy kiedyś normalnie żyć. Wiesz, że od czerwca zginęło prawie dwa tysiące osób? Dobrze, że oboje jesteśmy Chorwatami, bo teraz każdy Serb to wróg. My wypędzamy Serbów, oni nas. Moja najbliższa koleżanka Serbka boi się wrócić do Zadaru z Belgradu, ale nie możemy przecież pozwolić na to, żeby nas terroryzowali i okupowali. Od czerwca mamy niepodległe państwo, chociaż chwilowo musieliśmy zawiesić suwerenność na żądanie Wspólnoty Gospodarczej. Zagrozili, że jeżeli walki się nie zakończą, Europa wprowadzi sankcje.

– Ale z tego, co wiem, niewiele to dało.

– Pewnie, serbska milicja i armia federalna opanowały jedną czwartą Chorwacji. Nacierają na Osijek, Vukovar i inne miasta. Nasi zablokowali ponad trzydzieści federalnych obiektów militarnych, głównie koszar, i odcięli im prąd. Udało nam się zdobyć sporo sprzętu, czołgi, wozy bojowe, broń i doprowadzić do opuszczenia koszar. W odwecie marynarka jugosłowiańska zablokowała nasze porty i ostrzelała wszystkie – od Zadaru po Dubrownik. Teraz mamy rozejm, ale nie potrwa długo. Radio podaje, że armia federalna i wspierająca ją milicja czarnogórska zbliżają się do Dubrownika. Niedługo będziemy odcięci nie tylko od morza, ale i lądu.

Usiadłyśmy na drewnianej skrzynce. Otaczał nas zapach winnej piwniczki, ścianę podpierały baniaki z owocami winorośli, w workach zapobiegliwa gospodyni zgromadziła ziemniaki, grona suszonego czosnku zdobiły belki sufitowe. Rozglądałam się z ciekawością, odkrywając starannie ustawione butelki z oliwą, zielone i czarne oliwki w grubaśnych słoikach i mnóstwo jakiegoś zielska, które zapewne służyło do nadawania aromatu południowym potrawom.

– U nas stałyby tu raczej dżemy, powidła, konfitury, soki...

– Poczekaj. – Chesna zaczęła nasłuchiwać, dając znak ręką, bym była cicho. – Zamknę drzwi. Nie chcę, żeby Željko słuchał. Boję się o brata. Darko jest w HOS-ie.

Prawdę powiedziawszy, wiedziałam tylko, że to nacjonalistyczna organizacja chorwacka.

– Co mu grozi, Chesna? Jest na froncie?

– Ma dopiero dziewiętnaście lat. Jest o czternaście lat ode mnie młodszy. Zawsze się nim opiekowałam i traktuję go prawie jak syna. A teraz przystąpił do HOS-u i boję się o niego – powiedziała to tak, jakby Darko zabił matkę i ojca, co za groziło mu dożywocie.

– Niewiele wiem o tym, Chesna. Opowiedz mi, proszę.

– HOS to Chorwackie Siły Obronne nawiązujące do historii ustaszów z czasów drugiej wojny światowej. Teraz znów chcą rozprawić się z Serbami. Jak serbscy czetnicy z nami. To walka na śmierć i życie. Mówiłam Darkowi, żeby do nich nie szedł, ale on na to, że gwardia nie jest uzbrojona, a oni tak. Boję się, że jest celem dla obu stron. Albo ustrzelą go Serbowie, albo nasi.

– A gdzie jest teraz?

– Nie wiem. Może w okolicach Vukovaru albo Osijeku. Jeślibyś pisała na ten temat, wspomnij, proszę, że są tam młodzi chłopcy, którzy nie są faszystami. Po prostu walczą o wolną Chorwację. – Zaczęła płakać. – I widzisz – wycierała ręką oczy – tak tu teraz żyjemy.

– Pozwolisz mi o tym napisać?

– Tak, to jedno mogę zrobić dla Darka. Chodźmy na górę, przygotuję kawę.

– O czym tak plotkowałyście? – Żeljko zainteresował się naszą długą nieobecnością. – Był Blaż. Prosił, żeby ci przekazać, że pojutrze jedzie do Dubrownika i może cię zabrać.

– Dzięki wielkie, aż mi niezręcznie korzystać z waszej uprzejmości.

– To nam zależy, żeby świat się dowiedział, co się u nas dzieje. Daj szklankę, naleję wina. – Wypełnił szkło lekko żółtawym płynem. – To istryjski *mamsley* od mojego brata. Na specjalne okazje.

Wino było cudowne, ale czułam, że jeszcze jedna szklanka, a z artykułu będą nici. Chesna po cichu wślizgnęła się do mojego pokoju.

– Widzę, że nieźle znasz chorwacki. Przyniosłam ci kilka naszych gazet. Przejrzyj, może ci się przydadzą.

– Jesteś aniołem. Bardzo dziękuję, dobrej nocy.

ANNA
28 WRZEŚNIA 1991

Czeka mnie dzień w Zadarze. Artykuł o HOS-ie prawie gotowy, potrzebuję jeszcze kilku wypowiedzi i pójdzie. Super, dwa dni, dwa teksty, Stary będzie zadowolony. Pokręcę się jeszcze po mieście, liznę klimatów, dodam krótką depeszę i mogę jechać do Dubrownika. Przy śniadaniu zerknęłam do miniprzewodnika, potem rzut oka na plan miasta i poleciałam na Libumską obalę do Blaża. Było jeszcze wcześnie, gdy dotarłam na miejsce. W niewielkim mieszkaniu kręciło się kilka osób.

– Chodzi ci o Blaża? – Jakiś anglojęzyczny korespondent zaprosił mnie do środka. – Wyszedł, mówił, że będzie około drugiej i jedzie do Dubrownika. Chyba poszedł załatwiać jakieś auto.

– Zostawił dla mnie wiadomość? Jestem z Polski, Anna – wyciągnęłam rękę na powitanie.

– Idź do jego redakcji, jeśli masz coś do nadania. – Podał mi kartkę z adresem. – Jeżeli go tam nie będzie, znajdzie cię.

Pognałam, czując, że czas na zwiedzanie Zadaru gwałtownie się kurczy. A co tam, drugi raz okazja może mi się nie trafić. Polecę do redakcji, a potem rzucę okiem na pozostałości po Rzymianach, Wenecjanach i Bizancjum.

W redakcji szybko załatwiłam sprawę i po chwili maszerowałam już rzymskim traktem Široka. Wrześniowe słońce oświetlało wąskie uliczki odchodzące od głównego traktu, na których zieleń zajmowała każdy wolny kawałek ziemi. Po prostu raj. Gdyby nie widok Chorwatów w mundurach, z giwerami przy boku, czułabym się jak w bajkowej krainie. Gdzie te zniszczenia po nalotach? Szybko się z nimi uporali. Jedynie w niektórych witrynach tkwiły deski zamiast szyb.

Po drodze zaliczyłam barokowy kościół świętego Szymona i dotarłam do resztek rzymskiego forum. Potem obejrzałam kościół świętego Donata, bizantyjską budowlę stanowiącą symbol Zadaru, i romańską katedrę świętej Anastazji, na której najbardziej mi zależało, bo mama, imienniczka świętej, nie wybaczyłaby mi jej pominięcia. Warto by było jeszcze wspiąć się na wieżę i zerknąć na Adriatyk, ale nie było możliwości.

– Nie marnujesz czasu – przestraszyłam się, usłyszawszy głos zza pleców, który, jak się okazało, należał do Blaža.

– Co tu robisz?

– Szukałem cię, za dwie godziny wyjeżdżamy.

– Skąd wiedziałeś...

– ...gdzie jesteś? – przerwał mi ze śmiechem. – A gdzie może być ktoś, kto po raz pierwszy przyjechał do Zadaru?

– Rzeczywiście głupie pytanie – pokajałam się, zła,

że jestem taka przewidywalna. – Ale teksty wysłałam. Po robocie coś dla ducha.

– Przecież ja ciebie nie rozliczam, Ana. Idziemy coś zjeść. Nie wiadomo, ile czasu zajmie nam droga do Dubrownika. Chodź, usiądziemy w ogródku, może coś mają do jedzenia.

Blaż wdał się w rozmowę z kelnerem, a ja nie rozumiałam, o czym mówili.

– Wziąłem grillowanego tuńczyka z sałatą. Lubisz ryby?

– Mówiłam ci już, że lubię wszystko.

– To dobrze – zakończył temat menu. – Mam już samochód, tamten musiałem oddać Draganowi, jedzie pod Vukovar. Mój wysadzili mi w pobliżu Osijeku. Po raz drugi nie pojadę tam własnym samochodem – zaśmiał się wesoło. – Ale był już stary, więc strata mała. Mamy jugo korala, niewygodny, ale zmyślny. Małego łatwiej ukryjesz w krzakach.

Zobaczywszy mój nieco zdziwiony wyraz twarzy, który za wszelką cenę starałam się ukryć, spróbował mnie uspokoić:

– Nic się nie bój, do Splitu pojedziemy sami, a tam ma być kolumna z wozów pancernych i samochodów cywilnych. Gwardziści już wiedzą, jak usuwać miny spod stert gałęzi.

– Nie boję się, mając takiego przewodnika – zdobyłam się na komplement, może zresztą niestosowny. – Ale wytłumacz mi, skąd ten pośpiech, mieliśmy jechać jutro. Chesna coś wspominała, że rozejm długo się nie uchowa.

– Federalni i Czarnogórcy zbierają siły wokół Dubrownika. Jutro moglibyśmy już tam nie wjechać. Smakuje ci ryba?

Jedząc pachnącego czosnkiem tuńczyka, zakropionego zgodnie z radą Błaża oliwą, spoglądałam dyskretnie na mojego gospodarza. Kawał przystojnego faceta. Te długie ciemne włosy, bystre, wnikliwe spojrzenie, że aż ciarki przechodzą... Pomyślałam sobie, jak oni tutaj, jedząc tyle czosnku, się całują? Idiotka! – zawstydziłam się w myślach. Co ci przychodzi do głowy?

– Słuchaj, musiałeś płacić za wynajem auta? Pokryję połowę.

– Nie żartuj, pobiorę od ciebie w naturze: zrobisz mi kiedyś kanapki, dobra? – roześmiał się, ocierając usta po posiłku. – No, jeśli zjadłaś, to daj ten swój aparacik. Zrobię ci zdjęcie przed Anastazją i w drogę.

– Czy ty jesteś wszechwiedzący?

– Po prostu kojarzę. Widzę uroczą kobietę, piękną katedrę – więc musi być zdjęcie. A poza tym może dostanę odbitkę? Jak widzisz, wychodzi na to, że to tylko interesowność. Bardzo ładnie wyglądasz w tej kwiaciastej sukience.

Przymierzył się do zdjęcia.

– Rozpuść włosy. Możesz je trochę zmierzwić? O, tak. Uśmiechnij się. Nie tak sztucznie. Uśmiechnij się do mnie, tak jakbyś mnie kochała. Dobrze. Pięknie.

– Robisz zdjęcia zawodowo? – spytałam. Błaż zadziwiał mnie na każdym kroku.

– Można tak powiedzieć. Dziennikarz powinien mieć

różne umiejętności. A poważnie, moja była żona jest fotografikiem. Uczyła mnie na kursie, a przy okazji...

– Jeśli nie chcesz, to nie mów... – zaznaczyłam, choć byłam ciekawa jak cholera.

– Byliśmy trochę razem, urodził się Zoran... Ale to już przeszłość. Jesteśmy po szybkim rozwodzie, a syna nie widuję, Katerina nie pozwala. Niepotrzebnie zawracam ci głowę, Ana w sukience w kwiaty. Idziemy do Željki się spakować i przebrać. Chesna da ci jakieś bardziej stosowne ciuchy.

– Ja wiem, sukienka w kwiaty i czerwona torba.

– Urocze. I dziękuję ci za to. Mogę prosić cię o jeden koleżeński pocałunek na deser?

Zanim zdążyłam odpowiedzieć, wsunął rękę pod moje włosy i delikatnie pocałował w usta.

– Dziękuję. No, chodź – pociągnął mnie za rękę. – Limuzyna czeka.

ANNA
PAŹDZIERNIK 1991

Nareszcie w łóżku. Zatrzymaliśmy się u znajomych Blaża (matko, czy on wszędzie ma znajomych?), którzy oddali mi pokoik z widokiem na ogromniaste mury oddzielające Stari Grad od morza. Podróż przebiegła spokojnie, jeśli nie liczyć kolejnych posterunków, na szczęście chorwackiej gwardii. Kilka samochodów z dziennikarzami, w tym naszą zastawę, prowadził wóz pancerny, drugi pancernik zabezpieczał nas z tyłu. W powietrzu czuło się niepokój. Okręty jugosłowiańskiej marynarki kotwiczyły na horyzoncie, w pobliżu Dubrownika gromadziły się serbskie oddziały – trudno powiedzieć, czy jednostki wojskowe, czy też partyzanckie. Rano udało mi się nadać depeszę do gazety: „Jestem w Dubrowniku, czekam na rozwój wypadków", i do Jurka: „Nie martw się, jestem bezpieczna, mieszkam u bardzo sympatycznych ludzi, nie będę niepotrzebnie się narażać. Dzwoń na »Dubrovački Vjesnik«".

– Proszę – odpowiedziałam na pukanie.

W drzwiach pojawił się Blaż.

– Chcesz się przejść? – zaczął jak zwykle bezpośrednio i zachęcająco.

– Możesz chwilę poczekać? Tylko włożę moro.

Roześmiał się serdecznie.

– Może być moro. I tak będzie ładnie, pamiętliwa złośnico.

– A kto się ze mnie wyśmiewał?

– Jeśli jest ktoś taki, będzie miał ze mną do czynienia. Włóż to swoje moro i chodź, nie traćmy czasu, umyjesz się w studni Onufrego.

– Dlaczego mam się myć w studni?

Wskoczyłam w kwiaciastą sukienkę i chwilę później szliśmy odpowiednikiem zadarskiej Širokiej, która tu nazywała się Placa. Poranny deszcz wypolerował kamienne płyty, które były tak śliskie, że zastanawiałam się nad zdjęciem sandałów.

– Kilkanaście wieków łażenia i tak wypolerowali ten chodnik, że można się zabić. Mówiłem ci, żebyś włożyła moro i żołnierskie buty.

– Blaż, ciągle się ze mnie śmiejesz – stwierdziłam z wyrzutem.

– Nie z ciebie, tylko do ciebie, Ana. Zdejmij sandały i daj mi rękę.

Gdzie ta wojna? Na dworze schyłkowe wrześniowe słońce, dookoła spacerujące za rączkę pary, w porcie jachty i rybacy naprawiający sieci, na targu warzywno--rybnym kwitnie handel. Nabieram kulinarnej ogłady, *brudet* i polenta nie stanowią dla mnie tajemnicy, *domace* do każdego posiłku, próbowałam *ćevapčići* i *scampi buzara*, o *blitvie* nie wspomnę. Blaž zapewnia mi bezpieczeństwo. Codziennie posyłam drobne relacje Staremu, a wieczorami próbuję nowych potraw. Żyć nie umierać. „Jurek, cieszę się, że u ciebie wszystko gra" – donoszę mężowi. „Pracuj nad swoim artykułem, to na pewno ważne". „Dubrownik jest piękny, przepiękny. Musimy tu razem przyjechać, wojna nie będzie trwała wiecznie. Też cię kocham. Ania".

– Nie mogłem cię znaleźć! Gdzie ty chodzisz?! – Blaż dorwał mnie na ulicy. – Czy ty nie słyszysz, że strzelają? Rozumiesz, że mogą cię zabić?!

– Blaž, nie przesadzaj. Robię wywiad z ludźmi. Mam cały dzień siedzieć w schronie?

– Nigdy więcej tego nie rób! Idź do schronu i siedź tam, zrób wywiad z ludźmi w schronie, ja ci przyniosę resztę. I tak nie mamy łączności, nie prześlesz żadnej informacji. Proszę, wracaj do schronu.

– Blaž, nie mogę. Nie przyjechałam tu po to, żeby się chować.

– Nie chować, tylko przeżyć. Ana, proszę – przytulił mnie mocno.

– Blaž... – spojrzałam na niego błagalnie.

– Wracaj, bez gadania. Będę za godzinę.

Naloty trwały, a miasto próbowało żyć normalnie – bez prądu i wody, żywiąc się zapasami. Wcinaliśmy makaron z oliwą i coś tam jeszcze. Depeszowałam do Warszawy: „Dubrownik odcięty od świata, brakuje prądu i wody.

Armia federalna odcięła łączność telefoniczną, zablokowała wszystkie drogi, rano pod naporem armii chorwacka gwardia narodowa wycofała się z wiosek na wschód od miasta. Ich mieszkańcy uciekli do Dubrownika. Rozpoczęły się walki na przedmieściach. Gwardziści przygotowują do obrony średniowieczną starówkę i wenecką twierdzę w pobliżu portu. Dowódca V okręgu armii federalnej, dowodzący operacją w Chorwacji, zapewnił, że każdy jugosłowiański żołnierz wie, co znaczy Dubrownik dla Chorwacji, Jugosławii i całego świata. Armia nie ma zamiaru atakować ani miasta, ani jego przedmieść". Jak się później okazało, nic z tego nie dotarło do Warszawy z powodu braku łączności, a słowa generała nie miały większego znaczenia. Armia ostrzelała centrum miasta.

W nocy z siódmego na ósmego października doszła do nas wiadomość, że o północy Chorwacja przywróciła deklarację niepodległości i stała się niezależnym, suwerennym państwem. Z rządu federalnego w Belgradzie odwołani zostali chorwaccy ministrowie, zawieszono płatności na rzecz federacji, wprowadzono nową walutę, paszporty i straże graniczne. EWG żądała zaprzestania walk pod groźbą blokady gospodarczej, a w Zagrzebiu zrzucane przez federalnych bomby trafiły w pałac prezydencki. Kolejny rozejm z ósmego października nic nie dał, wojna trwała. Następny, z dziewiętnastego, też nie odniósł skutku. W okolicy Dubrownika wybuchły ciężkie walki.

Blaż znalazł dojście do tajnej radiostacji, za której pośrednictwem informowaliśmy o sytuacji w mieście. Wykorzystując jego nieobecność, wyrwałam się na miasto.

Było coraz gorzej. Brakowało chleba, mąki, jedzenia... Ludzie bali się bombardowania Stariego Gradu, który dzięki gwardzistom opierał się federalnym. Światowa opinia publiczna już nic ich nie obchodziła. Na starówce tłok, wszystkie piwnice wypełnione. Na szczęście nasi gospodarze zgromadzili spore zapasy wina, wody, oliwy i ziemniaków.

Zmęczona całym dniem ostrzału i jazgotem broni maszynowej przysypiałam w piwnicy na worku ziemniaków.

– Wygodnie ci? – słyszałam głos Blaża.

– Yhm...

– Zaniosę cię do łóżka. Dzisiaj będzie spokój. Śpij dobrze, Ana.

Otworzyłam oczy. Blaż. To niemożliwe, to tylko wdzięczność za troskę, przyjaźń. Okrył mnie kocem.

– Śpij dobrze, moja *draga*.

Czy dobrze usłyszałam? *„Draga"* po chorwacku znaczy „kochana". Zasnęłam natychmiast, śniąc o niemożliwym.

ANNA
PAŹDZIERNIK–LISTOPAD 1991

Wracaj do domu! – krzyczał do słuchawki Jerzy, zanim jeszcze zdążyliśmy się przywitać. – Co się tam u was dzieje?!

– Przecież wiesz. Jesteśmy oblężeni. Nikt nie może stąd wyjechać. A poza tym przyjechałam tu do pracy i nie spodziewałam się, że będzie łatwo.

– Wykorzystaj pierwszą okazję do powrotu. Może z jakimiś zagranicznymi obserwatorami albo dziennikarzami?

– Nigdzie nie jadę. Nie rozmawiajmy już o tym, szkoda czasu. Co w domu?

– Nic ciekawego. Całymi dniami siedzę na uczelni. Byłem u Staszków, ale w brydża nie graliśmy, nie było czwartego.

– Jurek, daj znać moim rodzicom, że u mnie w porządku. Za chwilę znowu może nie być łączności, na pewno się martwią. Czytaj gazetę, będziesz na bieżąco z tym, co u mnie – próbowałam zażartować.

– Bądź poważna – stwierdził Jurek serio jak zwykle. – Spać przez ciebie nie mogę.

– To weź tabletkę. Muszę kończyć, całuski.

– Uważaj na siebie i nie szarżuj... – przerwało rozmowę.

I tak bym nie wyjechała, skoro wreszcie dzieje się coś ciekawego. Biegnę do Mirjany, naszej gospodyni, zrobić temat do sobotniego magazynu „Jak ugotować coś z niczego, kiedy piwniczka zaczyna ziać pustką – praktyczne porady Chorwatki z oblężonego miasta". Nigdy wcześniej nie spodziewałabym się, że będzie mi ślinka leciała na widok ziemniaków z burakami. Jaka jestem głodna!

Dzisiejszy dzień był wyjątkowo spokojny. Pogawędziłam z Mirjaną, napisałam całkiem niezły tekst, a kolejny rozejm uspokoił ciężką artylerię. Jedynie od czasu do czasu rozlegały się serie z karabinów maszynowych. Wieczorem usiedliśmy przy *domace*, łapiąc oddech przed kolejnym dniem.

– Nie wiesz, gdzie jest Blaż? Nie widziałam go od rana – zaniepokoiłam się jego nietypowo długą nieobecnością.

– Prosił, żeby ci nie mówić... – Mirjana zawiesiła głos – ale tak długo nie wraca, że chyba powiem. Poszedł do ustaszów zrobić reportaż.

– Boże! Kiedy wyszedł?

– Rano.

– Musimy coś zrobić!

– Poczekajmy, zaraz przyjdzie.

Blaż pojawił się w drzwiach po kilku długich godzinach.

– Nic ci nie jest? – doskoczyłam do niego, hamując się, żeby nie rzucić mu się na szyję.

– Mnie nie. – Opadł ciężko na ławę. – Darko nie żyje.
Przysiadłam obok niego.

– Z czyich rąk zginął? – zdobyłam się na pytanie.

– Z naszych. Zabili go nasi gwardziści. Na szczęście w walce, to nie był wyrok.

– Zawiadomiłeś Chesnę? – Wyobraziłam sobie jej ból i dłużej nie udało mi się powstrzymać łez.

– Zaszedłem do ich obozu – zaczął opowiadać, patrząc w jeden punkt na ścianie. – Rozmawialiśmy, nawet sensownie gadali. Po jakichś dwóch godzinach podali mi rakiję, mieliśmy wypić za ich dzisiejszych zabitych. „Chodź, zobaczysz", jeden z nich zaciągnął mnie na tyły obozu. Pod brezentowymi płachtami rysowało się kilka sylwetek. Odkrył pierwszą – siedemnastoletni dzieciak. Drugi był trzydziestokilkulatek z obrączką na palcu, a trzeci... Darko. Wypiłem z nimi jeszcze ze dwie rakije i... jestem. Chesna nic nie wie, jutro ją powiadomię. Ana, czy mogę się do ciebie przytulić?

– No pewnie.

Pierwszy raz widziałam łzy w jego oczach. Tak mi było przykro i źle, Blażowi też.

– Co mogę dla ciebie zrobić, Blaż?

– Uważaj na siebie, Ana. To zrób dla mnie. – Spojrzał mi głęboko w oczy. – Dobranoc.

Żyjemy od rozejmu do rozejmu – depeszowałam. – *Wtedy uspokajają się wystrzały z moździerzy, cichnie ciężka artyleria, a mieszkańcy Dubrownika nie muszą się bać spadających pocisków. Nie słychać syren ogłaszających i odwołujących alarmy, na których dźwięk należy zająć z góry upatrzone pozycje w piwnicach i schronach. Życie wraca do normalności, niektóre sklepy otwierają swoje podwoje, ale ludzie kupują tylko artykuły pierwszej potrzeby. Na rogach ulic widać zbudowane z worków z piaskiem stanowiska dla karabinów maszynowych, okna piwnic często osłonięte są deskami, żeby nie można było do środka wrzucić granatu. Wszędzie mnóstwo policjantów i gwardzistów w panterkowych mundurach bez dystynkcji. Głównie ludzie młodzi, studenci, ale nie brakuje też starszych. Na ratuszu czarna flaga, przed katedrami świeczki i kwiaty upamiętniające zabitych oraz mnóstwo zdjęć ofiar. Ludzie rozmawiają niemal wyłącznie o wojnie, w domach i piwnicach mają włączone telewizory i radia informujące na okrągło o sytuacji na frontach. Coraz bardziej dotkliwy jest brak żywności. Wydaje się, że pomoc z zewnątrz będzie konieczna. W Dubrowniku przebywa sześciu obserwatorów Europejskiej Wspólnoty Gospodarczej, którzy być może ją zorganizują. Starówka jeszcze nie ucierpiała. Nieliczne ślady po pociskach, powybijane szyby po detonujących bombach i snajperskich kulach świadczą o toczącej się walce. Serbowie deklarują, że pozostawią serce perły Adriatyku w spokoju. Czas pokaże, jak sytuacja się rozwinie. Z oblężonego Dubrownika Anna Jakubiec.*

Spokój po rozejmie dziewiętnastego października trwał kwadrans. Ze wschodnich stoków Gór Dynarskich sprzymierzeńcy Serbów Czarnogórcy rozpoczęli ofensywę. Na przedmieściach rozgorzały zacięte walki. Cztery dni później na historyczną starówkę miasta spadły pierwsze bomby.

Alarm zagnał mieszkańców do schronów. Siedzieliśmy z Blażem w piwnicy z kilkudziesięcioma osobami. Kobiety uspokajały płaczące dzieci, psy wyły na dźwięk wybuchów. Nikt nie wiedział, czy ostrzał potrwa kilka, czy kilkanaście godzin. Nie mogliśmy nic zrobić, pozostało czekać na odwołanie alarmu i modlić się, by zobaczyć jeszcze w całości gotycko-renesansowy pałac Sponza, barokowy kościół patrona miasta świętego Błażeja, piętnastowieczną fontannę Onufrego, w której miałam się umyć na pierwszej przechadzce z Blażem, i dziesiątki innych pałaców, świątyń, baszt, fortyfikacji – cudów architektury zgromadzonych na tak niewielkiej powierzchni. Cieszyłam się, że los pozwolił mi się jeszcze nimi nacieszyć.

– Jak można to wszystko niszczyć? Nie mogę tego pojąć – popatrzyłam na Blaża, który siedział przy mnie bezradny jak wszyscy. – To barbarzyństwo.

Spojrzał uważnie, odgarniając mi włosy z czoła.

– Też nie myślałem, że zaatakują starówkę. Miałem nadzieję, że do tego nie dojdzie, Ana, ale widzę, że zabawa w wojnę się skończyła. Została tylko wojna i wszystko może się zdarzyć. Dzisiaj w Vukovarze zginął mój dobry kolega z Zagrzebia, fotoreporter. Czternasty dziennikarz ofiara tej wojny. Nie bój się, nic się nie stanie – uśmiechnął się lekko, nadal przyglądając mi się z pełną powagą. – Chciałem wybrać jakiś lepszy moment, może bez tylu świadków – zaśmiał się, spoglądając na tłum naszych

60

piwnicznych towarzyszy. – Ale cokolwiek miałoby się stać – złego czy dobrego – musisz wiedzieć, Ana, że zakochałem się w tobie. Nic nie mów. Weź to ode mnie jako talizman, jako dowód tego, co powiedziałem. – Zdjął z szyi łańcuszek z medalionikiem. – To wizerunek świętego Franciszka, patrona dziennikarzy. Chcę, by chronił ciebie, Ana.

– Ale...

– Przyjmij to, proszę, nie odmawiaj. Wiem, że kocham cię i to się nie zmieni. Nawet gdybyś tego nie chciała.

– Nie chciałabym, Blaż. – Przytuliłam się do niego mocno. – Ale... chcę.

Siedzieliśmy oparci o worek ziemniaków czy buraków i mogliśmy tak siedzieć jeszcze bardzo długo. Blaż gładził moje włosy, całował delikatnie policzki. Czułam, że mnie kocha. Jeżeli warto zachować w pamięci najpiękniejsze chwile życia, to właśnie to była taka chwila.

ANNA
LISTOPAD 1991

Kolejne dni mijały w podobnym rytmie: alarm przeciwlotniczy, schron, odwołanie alarmu, wyjście na ulicę, liczenie strat. Ludzie ustawiali się w kolejki po żywność, fotoreporterzy uwieczniali na kliszy poniszczone budynki, na chodnikach leżały wyrwane przez bomby fragmenty murów z białego wapienia, z którego zbudowano to miasto, właściciele sklepów usuwali szkło z witryn. Wszyscy zdążyli się przyzwyczaić do wyłączania prądu i czasowego braku wody.

– Wiesz, Blaż, teraz nie dałoby się tu spacerować w sandałach. Buty wojskowe są akurat – uśmiechnęłam się smutno.

Biegliśmy na Lapad zobaczyć zniszczony kompleks hotelowy Dubrovnik Palas, a przy okazji pstryknąć kilka fotek na Babin Kuk. Oba półwyspy były nieco oddalone od starówki.

– Skoro już masz te wojskowe buty, to chodź, zaprowadzę

cię na plażę, przydadzą się na skałach. Udajmy, że jesteśmy na wakacjach.

Gdy opuściliśmy Stari Grad, poczułam powiew Adriatyku. Wiatr był wyjątkowo chłodny. Musiałam zarzucić na głowę kaptur. Blaż prowadził mnie niewielkimi uliczkami wiodącymi w stronę plaży.

– Jak tu pięknie!

Mocno wzburzony Adriatyk bębnił falami o ląd, nie dając się powstrzymać pobliskim Wyspom Elafickim, chroniącym miasto od północnego zachodu, i zielonej Lokrum, zabezpieczającej je od południa. Gdyby nie detonacje, okręty na horyzoncie i ten chłód, poczułabym się jak na wczasach.

– Myślałaś o tym, co ci powiedziałem? – Blaż przerwał moje rozmyślania, okrywając mnie połacią swojej kurtki.

– Ciągle o tym myślę, Blaż. Niemal przestaję interesować się wojną. Żartuję. Nie żartuję. Jerzy jest moim mężem. To nie takie proste, znamy się już tyle lat...

– Ana. Jeżeli nic do mnie nie czujesz... Powinienem powiedzieć, że się usunę, ale nie mogę. Nigdy nie kochałem żadnej kobiety. Katerina jest matką Zorana, ale nigdy nie byliśmy razem – powiedział spokojnie, odwracając wzrok w stronę morza.

Siedzieliśmy na plaży oblężonego miasta, a wiatr hulał po wzgórzach, próbując wymieść mi z głowy niepoprawne myśli. Spojrzałam na Blaża. Po raz drugi w życiu pomyślałam „mój Chorwat". Co się stało i dlaczego? Los tak chciał czy ja jestem niezrównoważona? Czego nam z Jerzym brakuje? Namiętności? A może nie jesteśmy dla siebie stworzeni? I dlaczego mówię o nim „Jerzy", a nie „Jureczek", „Jerzyk", „kotek"? Co robi przy mnie ten facet, Chorwat, Blaż? Dlaczego nie mam ochoty iść „na temat", tylko zostać na tej dubrownickiej plaży do końca życia? I, do diabła, czemu mu jeszcze o tym nie powiedziałam?

– Blaż...

– Tak? – spojrzał mi swoim zwyczajem prosto w oczy.

– Chodźmy już na Lapad.

Wieczorem napisałam depeszę:

Serbowie zaatakowali wbrew zapewnieniom generała Raszeta starówkę Dubrownika. Wiele z ponad ośmiuset zabytków miasta ucierpiało. Na bilans strat przyjdzie poczekać, daje się jednak zauważyć, że nie są małe. Ucierpiały też inne dzielnice, skupione na półwyspach Lapad i Babin Kuk. Zniszczony został kompleks hotelowy Dubrovnik Palas i wiele prywatnych posesji. Mieszkańcy starają się likwidować skutki bombardowania, ulica ożywa w przerwach między alarmami. Miasto czeka na pomoc z zewnątrz, zaczyna poważnie brakować żywności.

Po kilku dniach sytuacja zaczęła się zagęszczać. Prezydent Chorwacji wezwał Stany Zjednoczone do interwencji zbrojnej na terenach byłej Jugosławii. Tudjman oświadczył: „Myślę, że VI Flota Amerykańska operująca na Morzu Śródziemnym powinna patrolować wybrzeże Chorwacji, a jej samoloty powinny uniemożliwić samolotom federalnym bombardowanie celów cywilnych". Następnego dnia oddziały federalne oblegające Dubrownik przekazały władzom miasta ultimatum. Zażądały, by Chorwaci złożyli broń do godziny osiemnastej. Burmistrz oświadczył, że go nie przyjmuje. Trzynastego listopada do portu wpłynął prom, na którego pokładzie Dubrownik miało opuścić sześciu obserwatorów EWG. Tego samego dnia zawarto kolejne zawieszenie broni, warte mniej więcej tyle co poprzednie.

Piętnastego listopada Blaž obudził mnie o szóstej rano.

– Wstawaj, Ana. Będzie niezła zadyma w porcie. Uciekinierzy szykują się na prom.

Na nabrzeżu kłębiły się setki ludzi – kobiety z dziećmi, starsi, młodzież, również mężczyźni z tobołkami i plecakami. Na Adriatyku sztorm, pogoda niepewna. Każdy chce wejść, szarpanina, błagania, płacze. Trudno było z kimkolwiek pogadać. Złapałam kilka wypowiedzi i skrzętnie zanotowałam je w kajeciku.

– Trzymajmy za nich kciuki – grupka dziennikarzy z brzegu komentowała desperacką próbę ucieczki z oblężonego miasta.

Czekaliśmy na relacje z istryjskiej Puli, dokąd udawał się prom.

– Dopłynęli. – Blaž odebrał wiadomość od kolegi, który czekał w porcie.

Opierając się sztormowi, falowali półtorej doby. Prom przystosowany do przewozu ośmiuset osób miał na pokładzie trzy tysiące uciekinierów.

– Wiesz, że w tym czasie urodziło się dwoje dzieci?

Szesnastego listopada zawarto kolejny rozejm. Armia federalna zgodziła się na wpuszczenie do Dubrownika włoskiego okrętu z żywnością i lekami. W porcie Brindis przygotowywano kolejny transport z pomocą dla Chorwatów. Byłam zmęczona codziennym ganianiem po mieście, polowaniem na ważne osoby ze świata polityki i przedstawicieli organizacji międzynarodowych, którzy łaskawie mogliby udzielić mi wywiadu. Chociaż chwili spokoju! – błagalnie spoglądałam do góry, szukając ratunku. I wymodliłam go. Bombardowanie ucichło, ludzie się ożywili. Walnęłam się do wyra bez kolacji, obudziło mnie pukanie do drzwi.

– Można?

Przetarłam zaspane oczy, odgarniając resztki snu.

– Nie chciałem cię budzić, ale już się za tobą stęskniłem. – W drzwiach stał Blaż.

– Przepraszam, nie poznałam cię. Jakoś inaczej wyglądasz.

Zamiast zielonej panterki miał na sobie czarną koszulę i sweter, w dłoni trzymał różę.

– Zapraszam na obiad, gdy wstaniesz.

– Dziękuję. A ta róża? Jakaś okazja?

Usiadł na brzegu łóżka, przyglądając mi się przenikliwie.

– Nie patrz tak, jestem nieumalowana i po śnie...

– Właśnie dlatego patrzę. Dla mnie możesz być zawsze nieumalowana i zawsze po śnie. A róża? Nie zaszkodzi. Chociaż rzeczywiście co tam ona.

– Blaż, jeśli chcesz, może pomieszkamy tu razem?

Zza drzwi przyniósł walizkę.

– Patrz, nawet wyszło słońce! – Biegłam obok niego, starając się dotrzymać mu kroku.

– Nie zimno ci? Musimy kupić ci czapkę. Mamy tu takie pletenice, może ci się spodobają.

– Blaż, czy nie ma w tym nic niestosownego, że jestem szczęśliwa? Nie powinnam.

– Niestosowne by było, gdybyś była nieszczęśliwa, Ana. Nawet o tym nie myśl. „Chwile szczęścia, którymi się cieszymy, przychodzą niespodziewanie. To nie my je chwytamy, ale one nas". Nie pamiętam, kto to powiedział, lecz miał rację. Zatem nie miej wyrzutów, po prostu chwila szczęścia złapała nas w sidła. Jesteś głodna?

– Jak cholera!

ANNA
GRUDZIEŃ 1991

Koniec listopada był wyjątkowo chłodny. Dałam się namówić na ich pletenicę. Zrobiona na drutach ludowa czapeczka z charakterystycznym wzorem wyglądała co prawda dość dziwnie w połączeniu z wdziankiem moro i żołnierskimi butami, ale co tam. Łeb już odpadał, a zapowiadały się solidne mrozy. Chory dziennikarz to żaden dziennikarz. Stary był zadowolony z moich relacji. To dobrze, przynajmniej na tym polu nie nawalałam. U rodziców wszystko w porządku oprócz oczywistych lamentów nad moim niepewnym losem. W ostatnich dniach nie był on zresztą taki zły. Przyzwyczailiśmy się do odgłosów wojny. Serie z karabinów maszynowych nie robiły większego wrażenia, szczególnie gdy dochodziły z daleka, a patrole armii chorwackiej, w którą przekształciła się ochotnicza gwardia, zapewniały poczucie bezpieczeństwa. Ulica żyła, a wraz z nią knajpki, restauracyjki serwujące mocno okrojone menu pod tytułem: damy, co mamy.

Włóczyliśmy się z Blażem po mieście, zapominając o wojnie, strachu, niepokojach. Blaż sprawiał, że czułam się jak królowa, i wyrzuty sumienia oddalały się coraz bardziej. Jeżeli los bywa nieprzewidywalny, to ja w tej chwili mogłam tego doświadczyć.

– Moja Ana – od jakiegoś czasu tak się do mnie zwracał – mam dla ciebie niespodziankę.

Znowu? – chciałam zapytać, ale spytałam:

– Jaką?

– Mam w Dubrowniku daleką rodzinę, kuzynostwo taty. Zdobyli ryby i przygotują kolację, powiedzmy, dalmatyńską. Może chciałabyś tam iść, zamiast spędzić ze mną wieczór w twoim pokoiku?

– Nie wiem, co powiedzieć w takiej sytuacji. Może najpierw kolacja?

– Jestem trochę zawiedziony – uśmiechnął się przekornie – ale wujostwo bardzo się ucieszą. Przyznam się bez bicia, że to ciotka zrobiła dla ciebie czapkę. Nie, żebyś musiała dziękować, ale wolałem ci to powiedzieć, bo może dopominać się pochwały.

– Blaż, czapka jest piękna. Pochwalę ją z pełnym przekonaniem.

Matko! W co się ubrać? Przerzucałam kilka swoich ciuchów w tę i z powrotem, szukając odpowiedniej kreacji. Ale ani spodnie, ani letnia sukienka się nie nadawały. Za zimno. No trudno, wdziałam czarne spodnie, czarny blezer, a wokół szyi zakręciłam zielono-brązową apaszkę. Nie, wyglądałam, jakbym chciała się powiesić. Święty

Franciszek! Wyjęłam wisiorek od Blaża na sweter. Całkiem ładnie. Teraz tylko umyć włosy, zrobić lekki makijaż i doskonale. Wujostwo docenią ten skromny strój.

Na miejsce dotarliśmy po zmroku. Od ogrodu rozciągał się zapach pieczonej jagnięciny i woń rozmarynu, którym, co wiedziałam już z doświadczenia, natarta była pieczona na *gradele* ryba. Poczułam ssanie w żołądku, witając się z parą Chorwatów, którzy wyszli nam naprzeciw.

– Jesteś Ana. – Ciemnowłosa dziewczyna objęła mnie serdecznie. – Cześć, Blaż.

– To jest moja ciotka, ta od czapek. – Blaż dokonał prezentacji.

– Bardzo mi miło – wydusiłam z siebie, starając się ukryć zaskoczenie.

Ciotka, młodsza ode mnie o kilka lat, ubrana była w kolorową tunikę ozdobioną sznurem korali. A ja? W czarny sweter z medalikiem. Super.

– Blaż, dlaczego mi nie powiedziałeś! – szepnęłam mu do ucha ze złością. – Wyszłam na idiotkę.

– Kochanie, co ty mówisz? Ktoś cię uraził? Chcesz wrócić?

– Może i bym chciała, ale te zapachy – uśmiechnęłam się zalotnie i pociągnęłam go za rękę do rusztu.

Jagnię pachniało na cały Dubrownik, a oblana oliwą z czosnkiem (teraz wiem, że jedzenie czosnku nie przeszkadza miłości) i posypana zieloną pietruszką ryba rozpływała się w ustach. *Fritule* z drożdżowego ciasta z dodatkiem rodzynków i likieru dopełniły dzieła.

– Mam jeszcze coś specjalnego na tę okazję. – Blaż wyjął butelkę. – Poproszę otwieracz.

Spojrzałam na etykietkę. *Sveta Ana*. Spokojnie rozlał wino do kieliszków, wstał i podniósł pucharek.

– Za ciebie, Ana, za nas, za wszystko, co się wydarzy.

Kiedy wróciliśmy do naszego pokoiku, było jeszcze ciemno. Nie na tyle jednak, bym nie widziała Blaża obok siebie.

ANNA
GRUDZIEŃ 1991

Córciu, nareszcie się do ciebie dodzwoniłam! – Mama tak krzyczała do telefonu, że słyszeli ją chyba wszyscy koledzy z redakcji „Dubrovačkiego Vjesnika". – Przyjedziesz na święta?! A w ogóle jak się czujesz?! Nic ci nie jest?!

– Mamo, też się cieszę, że mogę z tobą pogadać, ale niezbyt długo. Słuchaj, na święta na pewno nie przyjadę. Słyszałaś pewnie o ostatnich nalotach.

Przed oczami stanęła mi moja ostatnia depesza do Warszawy:

W piątek rano, szóstego grudnia mimo panującego rozejmu nastąpił kolejny, najcięższy do tej pory ostrzał Dubrownika. Według wstępnych szacunków całkowitemu zniszczeniu lub uszkodzeniu uległa ponad połowa budynków zabytkowej starówki. Ostrzał artyleryjski wspomagany bombardowaniem z powietrza podziurawił dachy i wzniecił szereg pożarów, zamieniając ponadtysiącletnie

budynki w sterty gruzu. Świadkiem tragedii był przebywa-
jący w Dubrowniku przedstawiciel UNICEF-u De Mistura,
który przekazał Agencji Reutera informacje o skali znisz-
czeń. Nad miastem długo utrzymywały się chmury dymu,
mieszkańcy wiele godzin spędzili w schronach i piwnicach.
Chorwaci walczą z armią federalną, czarnogórskimi od-
działami i skrajnie prawicową formacją HOS. Sytuacja
ponad pięćdziesięciu tysięcy dubrowniczan jest bardzo
trudna. Brakuje żywności, prądu, wody. Anna Jakubiec,
7 grudnia 1991

– Dziecko! Codziennie kupujemy gazetę i dlatego próbuję się do ciebie dodzwonić! Przecież to jest jakiś horror.
Jurek mi mówił, że nie chcesz przyjechać.

– Mamo, nie mogę! Jak to sobie wyobrażasz? Przede wszystkim tu się musi uspokoić, nie będę wyjeżdżać
w trakcie działań, mam robotę. A poza tym kto by mi
zapłacił za tę wycieczkę? Stary?

– Masz się w co ubrać? Słyszałam, że u was zimno.

– Fakt, jest poniżej minus dziesięciu stopni, a ma dojść
do dwudziestu. Ewenement na skalę kilkudziesięciu lat.
Nie martw się, mam czapkę, dostałam od znajomych,
a poza tym panterka jest bardzo ciepła.

Na szczęście różnojęzyczni koledzy z redakcji nie znali
polskiego, ale i bez tego uszy zaczerwieniły mi się ponad
miarę.

– Mamo, nie mogę dłużej. Ściskam was, pozdrów tatę
i daj znać Jerzemu, że jest okej. Zadzwonię do was bliżej
świąt. Nie martw się, będziemy razem w przyszłym roku.

– Tata też cię całuje.

– Całuję!!!... – usłyszałam głos taty w słuchawce.

– A, mamo! Zapomniałam ci powiedzieć. W Zadarze zrobiłam sobie zdjęcie przed kościołem świętej Anastazji.

– Przerwało, chyba nie usłyszała.

Usiadłam na krześle zmęczona wykręcaniem się od przyjazdu na święta. Niezależnie od tego, czy to było możliwe, chciałam te święta spędzić z Blażem, poprosił mnie o to. Czułam, że to jest, przynajmniej na razie, moje miejsce. Jerzy... Jerzy pójdzie na Wigilię do swoich rodziców.

– Słyszałaś?! – obudził mnie głos kolegi reportera. – Zabili Ivana!

– Jezu! – Ivan był młodocianym sztyftem, fotoreporterem w „Dubrovačkim Vjesniku".

Wieczorem nadałam depeszę. Trzy dni później marynarka jugosłowiańska odblokowała port. Można było mieć nadzieję, że walki chociaż stracą na sile. Po kilku dniach dowiedzieliśmy się, że do miasta zmierza statek wiozący sto ton żywności i opatrunków, a dwa kolejne są w drodze. Będzie co jeść w święta! – nadawaliśmy do swoich redakcji. Na dwa dni przed Wigilią zawarto piętnasty rozejm. Była nadzieja, że potrwa do siódmego stycznia. Koniec grudnia to czas świąt katolickich Chorwatów, szósty i siódmy stycznia zaś są ważnymi dniami dla prawosławnych Serbów. Wyskoczyliśmy z Blażem z redakcji.

– Chodź, wybierzesz sobie świąteczny prezent. Właściwie już go wybrałem, ale gdyby ci się nie podobał...

– Jutro wymiana waluty, słyszeliście? – Któryś z kolegów

wpadł do redakcji z rewelacją oczekiwaną przez nas od kilku tygodni.

– No nie, na dzień przed Wigilią!?

Zamiast do sklepu dorwałam się do depeszowania.

Od 23 grudnia Chorwacja wprowadza swoją walutę. Jugosłowiański dinar zostaje zastąpiony dinarem chorwackim jeden do jednego. Banknoty otrzymają nominały 25, 100, 500 i 1000 dinarów. Na awersie znajdzie się portret Rudjera Boškovicia, osiemnastowiecznego astronoma, fizyka, filozofa i podróżnika, na rewersie zaś zdjęcie zagrzebskiej katedry. Nie będzie monet. Chorwacki dinar jest fazą przejściową do kuny, która zostanie wprowadzona, gdy powstaną warunki do stworzenia stabilnej i wymienialnej waluty – spisywałam informacje przygotowane na odpowiedni moment.

– Ana, kochanie, zostawmy już to wszystko, bo nigdy stąd nie wyjdziemy. – Blaż odciągał mnie od maszyny do pisania. – Jutro Wigilia, musisz iść obejrzeć prezent.

– Blaż, cokolwiek mi kupisz, będzie mi się podobało. – Wspięłam się na palce, by dać mu całusa. – Nie stresuj się, bo ja też zacznę się martwić, że zawiodę cię moim prezentem.

– No dobrze, ale i tak kończ. Idziemy po *licitary*, zamówiłem dla Mirjany i Stjepana.

– A dla mnie, Blaż?

– Dla ciebie też, z napisem: „Szalona reporterka, która nigdy nie wychodzi z pracy, żeby z biednym Blażem zjeść obiad".

– Chodź, wariacie, robisz się marudny.

Piernikowe *licitary* odebraliśmy od cukiernika – skromny, ale serdeczny i tradycyjny prezent dla naszych gospodarzy. Ich imiona zdobiły ciastka, błyszcząc białym lukrem na czerwonym tle.

Mirjana przegnała mnie z kuchni, z której dochodziły zapachy duszonej wołowiny, *sarmy* i miodowych ciast z bakaliami. No cóż, nie widziałam nigdzie karpia – i dobrze, bo nigdy za nim nie przepadałam – i bigosu. Smażona fasola z kiszoną kapustą i cebulą też okazała się niezła, za to zupa z dorsza zdobytego przez Stjepana „z narażeniem życia" wprost znakomita. Siedząc przy wigilijnym stole, przy gałązkach ostrokrzewu, przyglądając się migającym światełkom i mieniącym się w ich blasku *licitarom*, przeniosłam się myślami do Jerzego, rodziców, do Polski.

– Wszystko w porządku? – Blaž zauważył moją zmianę nastroju.

– Przepraszam, to taka wyjątkowa chwila dla mnie. Pierwszy raz spędzam święta poza domem.

Przytulił mnie mocno.

– Rozumiem, Ana. Tak bym chciał, żebyś tu czuła się w domu. Nie mogę ci dać przeszłości, ofiarować wspomnień, weź chociaż ten wisiorek z adriatyckim koralem. Może ci się spodoba? Ana, życzę ci szczęścia, chciałbym, żeby to było nasze wspólne szczęście.

Był cudowny. Delikatny, mądry, nienachalny. Kochałam go. Nawet atmosfera świąt, najbardziej newralgiczny moment w roku popychający nas do rodziny, swojego grajdołu, tradycji, przyzwyczajeń, poczucia stabilizacji, ciągłości, niezmienności, nie pokonała tego, co czułam do Blaża.

– Przykro mi, Blaż...

Spojrzał na mnie niepewny.

– ...że jesteś świadkiem tych moich zmian nastrojów. Przepraszam, to te święta. Poczekaj!

Pobiegłam do pokoju się przebrać i wróciłam w tradycyjnej chorwackiej koszuli, prezencie od Mirjany i Stjepana, z szerokimi rękawami, wyszywanej koronką. Całość dopełniłam wisiorkiem z adriatyckim koralem.

– Oto jestem, Blaż.

– Witaj w domu, Ana. Boję się cokolwiek powiedzieć. Powiem tylko: kocham cię.

ANNA
STYCZEŃ–LUTY 1992

Kompletne wariactwo: miłość z Blażem, depesze do redakcji, kolacje na mieście, czasami przy akompaniamencie wystrzałów, do których zdążyliśmy się przyzwyczaić. Nowy Rok witaliśmy z nadzieją, odpalając fajerwerki, trochę, zważywszy na okoliczności, niestosowne. Pierwszego dnia nowego tysiąc dziewięćset dziewięćdziesiątego drugiego roku, który z góry przeznaczyliśmy na gnicie w wyrze po upojnej winnej nocy, okoliczności zagnały nas do redakcji.

– Wstawajcie! Armia atakuje Zadar! – Mirjana bez pukania weszła do naszego pokoju. – Dzwonił Sime – obwieściła jeszcze.

– Nieee! Mogliby chociaż dać wyleczyć kaca! Ja nie idę – naciągnęłam kołdrę na głowę.

– Ja pójdę, kochanie, przyniosę ci tekst. – Blaż już wskakiwał w spodnie.

– No co ty, idę z tobą.

78

– Zdecydowanie nie! – Przycisnął mnie tak swym ciężarem do łóżka, że nie mogłam się wydostać. – Leż tu i czekaj na mnie, moja ty kobieto, dziennikarko niesforna. Zaraz będę.

Pocałował mnie, więc postanowiłam jednak poczekać.

– Blaż...

– Tak?

– Tylko wracaj szybko.

– Nie zdążysz się za mną stęsknić.

– Już tęsknię.

– Ja też.

Leżałam w łóżku szczęśliwa, na swoim miejscu. Po co ta wojna? O co tym wszystkim ludziom chodzi? Życie jest takie piękne. Ale właściwie dzięki niej spotkaliśmy się z Blażem.

Powoli przestawałam odczuwać stres, myśląc o Jerzym i rodzicach dreptczących ulicami Warszawy. Tamto życie z biegiem czasu traciło wyraźne kontury, stając się zamazaną plamą. Wyrzuty sumienia przychodziły nagle, szczególnie po rozmowach telefonicznych z Jerzym. Wizja ostatecznego rozstania z nim przyprawiała mnie o mdłości. Pamięć wymazywała wszystkie gorsze chwile z nim, a te dobre wciskały się w najskrytsze zakamarki umysłu. Dziesięć lat razem, pierwsze wspólne kroki w dorosłe życie. Jestem potworem. Dobrze, że chociaż nie mamy dzieci, że Jerzy nigdy nie pałał pragnieniem ich posiadania, a na moje próby leczenia reagował z daleko idącą powściągliwością. Najprawdopodobniej jego namiętność też wygasła i nie mam się czym przejmować. Nigdy zresztą nie lubił zbytnio okazywać uczuć. Może nawet rozstanie będzie mu na rękę, łudziłam się. Ale o rozejściu nie zdecydujemy razem, lecz z mojego powodu. Stało się, mleko się wylało, jak nastolatka byłam zakochana w Blażu. Może małżeństwo z Jerzym i tak by się rozpadło, nawet gdybym nie skorzystała z szansy zbudowania związku z Blażem? Oswajałam się powoli z perspektywą rozstania. Przygotowywałam w myślach zdania, którymi obwieszczę Jerzemu swoją decyzję, wyszukiwałam powody, dla których musimy się rozstać.

– Nie martw się tak, Ana. – Blaż doskonale wyczuwał moje nastroje.

– Skąd wiesz, o czym myślę?

– Bo sam myślę o tym samym, tylko nie mogę ci w żaden sposób pomóc. Mogę tylko czekać.

Wtuliłam się w kołdrę, czekając na Blaża.

Przyniósł gotowy tekst, który nadałam wieczorem do swojej redakcji.

Od kilku dni Serbowie ostrzeliwują Zadar, wyspy Koloćep i Lopud. Po raz pierwszy w tej wojnie armia użyła rakiet ziemia-ziemia. Trwają zacięte walki w Karlovacu. Szkody spowodowane wojną domową od lipca 1991 wyniosły według belgradzkich finansistów trzydzieści miliardów dolarów. Zerwano czternaście rozejmów, zginęło około dziesięciu tysięcy osób.

Dwunastego stycznia armia zaatakowała znowu. Bombardowanie zniszczyło niemal siedemdziesiąt procent budynków w mieście. Trzy dni później dwanaście państw Wspólnoty Europejskiej uznało niepodległość Chorwacji. Polska i Niemcy zrobiły to już wcześniej. Do miasta zjechali eksperci z UNESCO, mający przygotować plan odbudowy Dubrownika. Dwudziestego stycznia depeszowaliśmy:

Premier Chorwacji Franjo Gregurić w liście do członków misji obserwacyjnej EWG w Zagrzebiu poinformował, że sześćdziesięciu czterech Chorwatów ze wsi Bruska i Popovic w okolicy Zadaru uciekło ze swoich domów, gdy serbscy autonomiści grozili im śmiercią. Radio Zagrzeb dodało, że Serbowie podpalili trzy opuszczone przez Chorwatów wsie w okolicy Zadaru.

– Wiesz, Ana, chyba powinniśmy się przenieść do Zadaru. Tutaj niebawem się uspokoi, a tam... cały czas coś się dzieje.

– Stęskniłeś się za swoim mieszkankiem?

– Chcę w nim trochę pomieszkać z tobą.

– Dobra, skontaktuję się ze Starym. Musi wyrazić zgodę. Chociaż myślę, że nie będzie problemu.

I nie było. Pożegnaliśmy się z Mirjaną i Stjepanem, cudownymi, wyrozumiałymi gospodarzami – ja ze łzami w oczach, Blaž się trzymał.

– Chyba się kiedyś zobaczymy. – Mirjana ocierała łzy.

– Na pewno, czuliśmy się u was jak w domu. – Rozryczałam się na dobre.

Dopiero jadąc w kierunku Splitu naszą małą zastawką, złapałam równowagę. Postawiłam kołnierz, ogrzewanie nie stanowiło mocnej strony jugo korala.

– Blaż, miałam pomysł na artykuł dla Starego, ale nie wiem, czy go pisać.

– Jaki? – zainteresował się.

– No wiesz, teraz mniej się dzieje... Nie mówię, że nic, ale chciałabym napisać o waszych mediach, o telewizji, o pewnym rozluźnieniu nastrojów, takie tam obyczajowe historie. Spokój w czasie rozejmu.

– Na czym polega problem? – Blaż jak zwykle był czujny.

– Bo myślę, że Stary może kazać mi wracać. Przestanę mu być potrzebna tutaj.

– Ana, w Zadarze coś wymyślimy. Pojedziesz do Polski, gdy będziesz gotowa. W końcu ten twój Stary tu nie siedzi. Trochę możemy go jeszcze ponaciągać „na bardzo ważne wydarzenia".

Siedzieliśmy bez słowa.

– Blaż, boję się spotkania z Jerzym.

– Wiem.

– Będzie dobrze?

– Będzie dobrze.

Mieszkanie na drugim piętrze przy Libumskiej obali z zielonymi okiennicami, z których lewa nie do końca się otwierała, niezliczone zdjęcia przy, przed i obok katedry świętej Anastazji, na forum, z kolumną rzymską w objęciach, na jej tle, z ręką opartą o nią, w okolicy kościoła świętego Donata, na Narodnim trgu, w porcie, na łódce, na ulicy, przed fajną knajpką... Codzienne depesze – żer dla Starego – wieczorne kolacyjki, Blaż... Boże, jak bardzo nie miałam ochoty wracać.

Po zimie i wyjątkowym w tym roku mrozie nie było śladu. I mimo lutowych dni wiosna zaczęła zaglądać do miasta. Restauratorzy powystawiali stoliki do ogródków, pary znów prowadzały się za ręce. Jerzy ostatnio pytał, kiedy przyjadę. Tata, wyraźnie wydelegowany przez mamę, próbował zaszantażować mnie jej złym samopoczuciem: „Jakoś gorzej się czuje. Była w szpitalu pod kroplówką. Serce nie pracuje miarowo".

Zdecydowałam się na napisanie artykułu, który miał pomóc podjąć Staremu decyzję o moim powrocie:

W Chorwacji panuje spokój, nie licząc dywersji na tyłach i działalności snajperów. Dziennikarze przywykli do przekazywania doniesień z frontu nie mogą znaleźć się w nowej sytuacji. Przeszkoleni w wojskowej terminologii gubią się w nowej roli, nie potrafiąc znaleźć słów opisujących normalną rzeczywistość. Do telewizji wróciła muzyka, kabaret, na ulice – spacerowicze, amatorzy piwno-winnych ogródków. Jakkolwiek wszyscy zdają sobie sprawę z kruchości życia w pokoju, korzystają z tego od dawna nieistniejącego luksusu z całych sił. Rada Bezpieczeństwa ONZ zdecydowała o rozmieszczeniu swoich sił na Bałkanach. To może oznaczać koniec wojny domowej.
Anna Jakubiec, 27 lutego 1992

– Wysłałam, Błaż.
– Kiedy wracasz do Warszawy?
Oboje zdawaliśmy sobie sprawę z wagi tej depeszy.
– Pewnie jutro się dowiem. Stary jest skąpy. Sądzę, że za dwa, trzy dni.

Stał nieruchomo, nie patrząc na mnie. Przez chwilę bałam się, że się zdenerwuje.

– Kochanie, kiedyś to musiało nastąpić – próbowałam niczym tonący chwycić się brzytwy. – U nas jest takie powiedzenie: „raz kozie śmierć".

– A u nas jest takie: „co z oczu, to z serca".

Gdyby wzrok mógł zabić, leżałabym martwa.

– Blaż, muszę to załatwić. Nie chodzi tylko o Jerzego, ale też o rodziców...

– Kocham cię, Ana, kocham cię. I po raz pierwszy w życiu odczuwam strach.

– Nic się nie martw. – To tylko kilka dni, może dwa tygodnie i będziemy razem.

Po dwóch dniach kupiłam bilet na samolot do Warszawy. Blaż odprowadził mnie na lotnisko. Zapakowałam wygrzebaną spod łóżka czerwoną torbę. Włożyłam do niej panterkę, żołnierskie buty i *licitara* z imieniem Ana. Na szyi zawiesiłam łańcuszek z adriatyckim koralem.

ANNA
MARZEC 1992

Samolot z Zagrzebia wylądował na Okęciu około wpół do szóstej po południu. Marcowe muldy zdobiły krawężniki niczym niestaranne szlaczki pierwszoklasistów. Słońcu nie udało się przebić przez chmury, wiosenna szarość ogarniała brunatne, dawno nieremontowane ulice, kładąc na oskubanych kamienicach i zasłanych psimi odchodami skwerach cień pozimowego brudu. Poczułam lekkie wstrząsy. Może się zwali – przeszło mi przez myśl. Ogarnęła mnie obojętność. Niespodziewane marzenie rozlało się po świadomości, kojąc nerwy przed spotkaniem z moim mężem, Jerzym. Moje obie nogi jeszcze tkwiły na drugim pięterku zadarskiego domu z zielonymi okiennicami – lewa nie do końca się otwierała, wpuszczając rankiem nieproszone po nieprzespanej nocy promienie słońca. Wyglądam za okno. Blaż czeka w terenówce, ospały, jakby nie pamiętał, że ma mi pomóc wynieść bagaże. Wychodzę więc z torbiszczem rzeczy, ciągnąc je do samochodu, a on opuszcza go powoli, otwiera bagażnik i podrywa moje bambetle, jak gdyby właśnie przypomniał sobie o zasadach savoir-vivre'u. Wrzuca do środka walizy nieobecny, wskazując mi miejsce z przodu auta. Jedziemy szybko, cicho, w skupieniu. Skromne chorwackie lotnisko oferuje niewielki parking, na którym ledwie znajdujemy miejsce. Szukam słów, jakimi pożegnam Blaża. Nie będę go żegnać! Przecież zobaczymy się niebawem. Postaram się o to. Przyjadę, nie przeżyję, gdyby miało się stać inaczej. Przed oczami przemyka mi obraz Jerzego na warszawskim lotnisku. Matko, on o niczym nie wie. Czeka na mnie, wymalował mieszkanie.

Blaż spogląda na mnie z miną zbitego psa. Cudnie prezentuje się w cywilnej wersji munduru moro, spod którego wystaje kołnierzyk czarnej barchanowej koszuli. Nic nie jest w stanie pozbawić go męskości i wyglądu chorwackiego macho. Czekam na gest z jego strony. Mam nadzieję, że mnie szybko pożegna, odepchnie, zostawi na płycie lotniska, odejdzie, nie odwracając się za siebie. A ja popatrzę na jego oddalające się plecy, dźwignę torbę i powoli, oglądając się za siebie, pójdę w kierunku autobusu podwożącego pasażerów do samolotu. Marzę o takiej scenie, marzę, by wyzwolił mnie z odpowiedzialności decydowania o naszym losie. Marzę, by się na mnie wściekł, wzgardził mną za upór, sentymenty, poczucie odpowiedzialności za małżeństwo z Jerzym, za moją decyzję powrotu do Warszawy.

– Powiedz coś. – Nie wytrzymuję milczenia.

– Coś – mimo woli wymyka mu się żart, rozładowując atmosferę.

– Teraz lepiej – złapałam oddech.

Nie dołuj mnie, ledwie się trzymam. Napiszę zaraz po przyjeździe. Pisz do mnie na redakcję. Uważaj na siebie. Pamiętaj, że cię kocham.

– Ana. – Przytulił mnie mocno. – Ana. Wracaj.

– Witamy na pokładzie samolotu Polskich Linii Lotniczych LOT. – Stewardesa informowała o parametrach lotu, sącząc do uszu pasażerów wszystkie „niezbędne" dane.

Ludzie zapinali pasy, wiercąc się na swoich siedzeniach, poprawiając bagaż, łykając tabletki, uspokajając dzieci. Patrzyłam w przestrzeń, nie znajdując siły, by sięgnąć po pasy.

– Proszę zapiąć pasy.

– Tak – zdobyłam się na wysiłek.

– Czy dobrze się pani czuje? – Stewardesa pochyliła się w moją stronę.

– Oczywiście. – Dajcie mi wszyscy święty spokój! – przeleciało mi przez głowę, ale usta grzecznie odpowiedziały: – Dziękuję, wszystko w porządku.

W najlepszym, kurwa! Właśnie zostawiam miłość swego życia, mojego Blaża, jadę do domu, do mojego męża Jerzego, i nie rozumiem dlaczego, ale czuję, że to jest błąd, i nie mogę temu zapobiec. Co ja robię? Matko, muszę wytrzeć oczy, bo Jerzy zobaczy, że ryczałam. Po mnie zawsze widać. Dlaczego wlazłam do tego głupiego samolotu? Dlaczego wracam do starego i wiadomo jakiego. Dlaczego będę jadła z Jerzym kolację, a potem pójdziemy do łóżka? Dlaczego w sobotnie popołudnie przyrządzę kolacyjkę i zaprosimy naszych rodziców, którym będę opowiadać, co się działo w Chorwacji? Nie chcę wylądować. Mam nadzieję, że będziemy latać w przestworzach w nieskończoność, nie dając rzeczywistości zgarnąć nas w swoje objęcia. Niestety, nie jest to możliwe. Kobieta, która jest w ciąży, musi w końcu urodzić, samolot musi osiąść na lotnisku.

Płyta lotniska w zasięgu ręki, lusterko też. Wklepuję krem nivea w policzki, próbuję przypudrować twarz, kręcę oczami, by wyglądały świeżo, przeczesuję włosy dłońmi. Wystarczy jeszcze obciągnąć bluzkę, by ułożyła się wzdłuż linii spodni, zarzucić torbę na ramię i z podciągniętym krawatem wyjść z samolotu.

Widzę go z daleka. Stoi z wiechciem tulipanów. Żółte, moje ulubione. Niech to! Pamiętał. A nie chciałam, żeby pamiętał. Mógłby przynieść garść różowych goździków.

– Nareszcie, Anuś. – Jego słowa sprowadzają mnie na ziemię.

– Cześć, Jurek – próbuję udawać radość. – Długo czekałeś?

– Dobrze, że jesteś. Daj torbę, poniosę. Dobrze, że jesteś.

Nie wiem, Jerzy, czy dobrze, że jestem. Poczułam kamień w sercu. Moje ciało lata w przestworzach, nogi kroczą po Okęciu, plecy podparte przez Błaża lekko opadają na miękkie poduszki, zapadając w nasz wspólny sen.

Matko jedyna, pomyślałam z przerażeniem, pokrywając zmieszanie nadmiernym zainteresowaniem wszystkim dokoła. Jerzy naprawdę się cieszył z mojego powrotu. Nasz nieco już zdezelowany polonez ruszył Krakowską, by za pół godziny stanąć przed domem. Mimo najszczerszych chęci, których zresztą nie miałam zbyt wiele, z trudem opanowywałam przygnębienie. Czułam, że muszę usprawiedliwić przed Jerzym widoczny, jak sądziłam, zły nastrój.

– Marcowe roztopy. Smutno tu jakoś. – Spojrzałam niepewnie w jego stronę.

– Jesteś zmęczona po locie? Miałaś stracha? – zaśmiał się. W przeżyciach związanych z lotem upatrywał mojego braku entuzjazmu.

– Tak – chwyciłam się jak tonący brzytwy jego tłumaczenia.

– Nie martw się, jesteś już w domu. Nigdzie więcej cię nie puszczę. Mam niespodziankę! – emocjonował się, z trudem powstrzymując zadowolenie z własnych starań.

Uświadomiłam sobie, że jego słowa mogą się sprawdzić. Nigdzie już nie pojadę. Do końca życia pozostanę w Warszawie, przez wiele lat będę myć łazienkę w naszym mieszkaniu na Puławskiej, chodzić do redakcji, oglądać oskubane domy i żyć z Jerzym. Jeśli uda mi się zajść w ciążę, dochowamy się gromadki dzieci, za którymi dziadkowie będą przepadać. Latem wypuścimy się nad morze albo w góry, a jak odłożymy trochę pieniędzy, przeznaczymy je na własny dom lub większe mieszkanie w lepszej dzielnicy.

Myślałam schematycznie, kpiłam w duchu z wizji przyszłości – nudnej, przewidywalnej, bez radości, emocji, nadziei. Wyobraziłam sobie siebie przy boku Blaża, w zadarskim blokowisku. Za jakiś czas udaje mi się zajść w ciążę, po kilku latach jesteśmy rodzicami gromadki dzieci, za którymi przepadają dziadkowie mieszkający, co prawda, trochę daleko, ale co tam, wszystko się da załatwić. Od czego jest komunikacja? Latem wyjeżdżamy nad morze, gdziekolwiek, byle z nim. O dziwo, ta przyszłość nie wydawała mi się nudna, przewidywalna, bez radości, emocji czy nadziei.

Spojrzałam na Jerzego przepełnionego pewnością, spokojem, radością ze spotkania. Z zakamarków wspomnień wygrzebałam obrazy pary nastolatków wyjeżdżających razem na obóz, wiersze, ślub jeszcze na studiach... Odgarnęłam grzywkę z czoła, by odegnać męczące myśli. Nie, mimo to nie byłam w stanie racjonalnie rozumować. To prawda, że mamy z Jerzym swoją historię, ale niestety wszystko się zmieniło – wyprostowałam się na siedzeniu – i to nie jest moja wina. Widać tak musiało być. W końcu nie napraszałam się Staremu, to mój redaktor naczelny, żeby mnie wysłał do Chorwacji. Do głosu doszło przeznaczenie. Ogarnęła mnie tęsknota za Blażem tak wielka, że z trudnością opanowałam łzy.

– Nie płacz, nie płacz. – Jerzy nie wydawał się zdziwiony moim nastrojem. – Tak ci tęskno za Chorwacją?

Opanowałam się.

– Wiesz, jak to jest po tak długim wyjeździe. Jedną nogą jestem jeszcze tam. Powiedz mi lepiej, co u ciebie słychać, zanim cię zanudzę historiami z innego świata. – Z nadmiernym ożywieniem przerzuciłam piłeczkę na jego boisko.

– Co u mnie? Mam trzy grupy ćwiczeniowe, opublikowali mi artykuł, a i najważniejsze – może wyjadę na postdoka do Francji. Pamiętasz tego profesora, z którym mieszkałem na konferencji w Rzymie? Stasiuka? Odezwałem się do niego niedawno z prośbą o recenzję jednej mojej pracy i wyobraź sobie zaprosił mnie do Krakowa. Zresztą mówiłem ci o tym przez telefon. Kojarzysz?

– Pamiętam.

– No, jakoś wyjątkowo mnie potraktował, a to wielka sława. Zaproponował, że poprze mnie u swoich znajomych profesorów w Paryżu, gdybym chciał wybrać się na stypendium.

– A chcesz jechać? – zapytałam, przerywając mu wywód.

– Omówimy to razem. Myślę, że dobrze by było. O naukowych korzyściach nie wspomnę, a kasa też się przyda. Musimy spłacić mieszkanie. A teraz z czego? Nie było cię trochę, a tu inflacja szaleje. Niedługo chałupa będzie już taka droga, że nigdy jej nie wykupimy.

Jakoś mnie nie przekonywały argumenty Jerzego w kwestii mieszkania, co nie oznacza, że mu nie wierzyłam. Jerzy kwitł, a ja poznałam powód. Chciał jechać, to było widać. Poczułam się oszukana, zawiedziona, że mój powrót nie jest jedyną przyczyną jego dobrego nastroju. Natychmiast jednak przegoniłam te niedorzeczne pretensje. Świetnie się składa, los mi sprzyja. Łatwiej mi będzie przeprowadzić własny plan. Jemu też łatwiej będzie pogodzić się z naszym rozstaniem. Porzuciłam myśl, by podjąć temat Blaża jeszcze dziś, na świeżo. Będzie na to czas, i to niedługo, jak tylko załatwi sobie ten wyjazd. Ale mam szczęście!

– Jedź szybciej – pogoniłam męża żwawo. – Co się tak wleczesz? Ciekawa jestem tej niespodzianki.

Sobotnie przedpołudnie zastało mnie w łóżku.

Do domu wkradało się słońce, denerwujące swoją błyszczącą radością. Obok mnie spał jeszcze Jerzy, bezpieczny jak zawsze. Wczorajszy wieczór, rozpoczęty przy stole obfitującym w rybę z folii przygotowaną przez mojego męża i sałatkę – o, nieba! – z oliwą i ziemniaczkami, które własnoręcznie obierał, zakończył się w łóżku. Tyle miesięcy rozłąki budzi namiętność. Tyle miesięcy rozłąki budzi wyrzuty sumienia. Trochę wina, dużo do opowiadania, zrobiło się miło. Jerzy zadbał o muzykę, skutecznie odganiającą moje sentymentalne nastroje. Nie było źle. Skąd zatem ten poranny kac?

Wpatrywałam się w ramy okienne. Zauważyłam, że szyby są brudne. Trzeba umyć. Umyć okna? Po co myć jakieś okna? Czy będąc z Blażem, myślałabym o oknach? Starałam się nie poruszyć, jakby wszelki gest tego sobotniego przedpołudnia miał wywołać lawinę, spod której nigdy nie udałoby mi się wydostać. Samo skojarzenie z lawiną wiało mrozem. Za oknem zaś czaiła się wiosna, próbując podejść od tyłu zimową zastałość. Wkradała się do domu, wciskając się słonecznym promieniem w szczeliny niedokładnie zaciągniętych zasłon.

Leżałam, żeby nie powiedzieć: tkwiłam, pod Bogu ducha winną kołdrą nieruchomo, bojąc się zbudzić Jerzego i sprowokować jego poranne namiętności. Już miałam dość wieczornych przeżyć. Wrzucona na warszawskie głębokie wody nie mogłam tego marcowego ranka złapać oddechu. Nie mogłam spać, nie mogłam się obudzić, nie wyobrażałam sobie wstania. Co robić? Leżałam nieruchomo, próbując zastygnąć w sobie. Zasnąć i może nigdy się nie obudzić? Łzy pociekły mi po obrzeżach policzków. Muszę wstać, leżenie osłabia, trzeba coś zrobić, coś przedsięwziąć – postanowiłam, mobilizując się do walki.

Zadzwonię do Blaża. Dzisiaj. Wstaję. Idę do kuchni, zadzwonię do Blaża, zrobię śniadanie. Polecę do sklepu, Staszki mają wpaść, będzie fajnie. Jerzy nadal śpi, spokojny, wyluzowany. Idę do kuchni, po cichutku, żeby się nie obudził. Zadzwonię do Blaża. Tęsknię za nim. Tęsknię za tym wszystkim, co zostawiłam tam. Robiło mi się słabo na myśl o kolejnym dniu.

Dzwonek telefonu wyrwał mnie z bezruchu. Wyskoczyłam z łóżka, chcąc jak najszybciej chwycić słuchawkę i uciszyć hałasujący dowód mojej zdrady. Rozrzucone ubranie nieomal stało się powodem salto mortale. Komódka uratowała mnie od upadku, dając punkt zaczepienia dla dłoni. Utrzymałam się w pozycji wertykalnej. Po trzecim sygnale dorwałam telefon.

– Halo! – krzyknęłam trochę zbyt głośno, skuliwszy się na myśl, że Jerzy mógł się obudzić.

– To ty, Anka? – Głos Doroty po drugiej stronie przywrócił mnie do rzeczywistości. – Coś się stało?

– Cześć, Dorotko. Co się miało stać? Wróciłam wczoraj.

– Wydawało mi się, że jesteś zdenerwowana.

– Coś ty! Potknęłam się w drodze do telefonu i trochę się spociłam. Tyle. Nie ma o czym gadać. Słyszałam, że umówiliście się z Jerzym na wieczór. Wpadajcie na brydżyka! Tyle mam do opowiadania...

– Mam nadzieję. – Dorota obniżyła głos, dając mi

sygnał, że spodziewa się pikantnych opowieści. – Szykuj się na zwierzenia. Słyszałam, że Chorwaci są bardzo przystojni. Nie próżnowałaś chyba?

Jeszcze jak nie próżnowałam, koleżanko, pomyślałam. Żebyś wiedziała.

– No pewnie, że są przystojni. Ale co ty myślisz, że pojechałam tam na podryw? – próbowałam zachować wesołość. – Przychodźcie szybko, stęskniłam się za wami. A małe jak tam?

– Idą na służbę do babci. A tak w ogóle to zaczynają rozrabiać i ogólnie są upierdliwe. Chętnie odpocznę od nich.

– Z kim rozmawiasz? – Jerzy wysunął się z pokoju, przecierając oczy po śnie. Musnął mnie ustami w szyję. – Będzie coś na śniadanie?

– Dorotko, muszę kończyć. Mój mąż właśnie wstał i dopomina się żarcia. Do siódmej?

– Będziemy za dziesięć! – Dorota zakończyła rozmowę w szampańskim nastroju z nadzieją na fajny wieczór bez bachorów, za to z brydżykiem.

Perspektywa domówki była bardzo miła – całe to oczekiwanie na gości w drzwiach poprzedzone przygotowaniami, zakupami, pichceniem. Zdałam sobie sprawę, że też stęskniłam się za nimi. I nagle uświadomiłam sobie, że to nie jest jedyny powód radości z wieczornego spotkania. Wprost nie mogłam się doczekać, kiedy powiem Dorocie o Błażu. Powiem? Zawsze gadałyśmy o naszych „dodatkowych" chłopakach, ale to zwykle były niewinne zabawy. Ten na mnie patrzy, tamten mi się podoba, inny był niezły, ale się skiepścił. Nic ważnego. Z Blażem jednak to co innego. Nie powiem. Muszę wszystko zorganizować sama, bez wysłuchiwania mądrości innych. Dorocie na pewno się nie spodoba, że za miesiąc wyjadę na stałe do Zadaru, i będzie mnie do tego zniechęcać. Poza tym ona tak lubi Jerzego. W końcu razem pracują. Nie do pomyślenia, żebym zrobiła mu takie kuku. Staszek jak zwykle stanie po jej stronie i koło się zamyka. Czarny lud ze mnie, bez wątpienia. Poczułam się sama i samotna, nie mogłam liczyć na rodziców, przyjaciół. Stary, mój naczelny, też by się nie zachwycił moją decyzją. Co robić? W obliczu braku rozwiązania najlepiej popaść w rutynę, zająć czymś ręce.

– Jerzy! – Robię listę zakupów. – Pojedziesz do sklepu. Gdzie jesteś? Zjadłeś już jajecznicę, to zmyj talerze. Jurek, nie udawaj, że nie słyszysz.

– Już lecę, kochanie, ale zrobiłabyś mi jeszcze jedną kawkę? – Mój mąż uśmiechnął się z miną niewiniątka. – Zaraz pojadę.

Robię tę kawkę z podziwu godną rutyną, odpędzając myśl: dlaczego ty to znowu robisz? Kładę na stole listę zakupów i nie dając się namówić do wspólnego zalegania z Jerzym na kanapie, wracam do kuchni. Radio sączy nieinwazyjne przedpołudniowe przeboje, jajka na sałatkę bulgocą w garnku, ryż na risotto dochodzi, obieram buraki. Pogrążona w myślach, nie słyszę dzwonka telefonu.

Jezu! Telefon! Biegnę do pokoju. Jerzego nie widać. Spoglądam na półkę z butami w przedpokoju. Z ulgą zauważam, że jego brązowe półbuty nie stoją na swoim miejscu. Chwała Bogu.

– No, nasza sława wróciła! – Piotr, na którego wpadłam, wchodząc do redakcji, chwycił mnie w ramiona. – Uważaj, żebyś nie pękła z dumy, jak Stary zacznie cię podrzucać.

– Piotr, masz tekst na rozkładówkę? – Alicja, posuwając się korytarzem z plikiem gazet, wymownie spojrzała na kolegę.

– Anka wróciła, muszę się z nią przywitać – wykorzystał moje entrée, by zakamuflować fakt swojego opóźnienia.

– Za jakąś godzinkę go dostaniesz.

– A, cześć, Anka. – Alicja zdobyła się na dzień dobry, uśmiechając się półgębkiem, co miało oznaczać: „Nareszcie skończyłaś te swoje wywczasy i weźmiesz się do konkretnej roboty”.

– No, widzisz, nic się nie zmieniło. – Piotr wprowadził mnie w przykrą rzeczywistość redakcyjnej ryry po półrocznej przerwie. – Ale nie przejmuj się tym. Wyglądasz kwitnąco!

– Stary u siebie? – zapytałam pro forma.

– A gdzie miałby być?

Harry przywitał mnie nadzwyczaj miło. W jego gabinecie poczułam się wygodnie, zagłębiając się w przytulnym fotelu. Aśka nawet przyniosła kawę, a szef znalazł czas na pogawędkę. Wypytywał o Zadar, Dubrownik, chwalił za teksty. Czułam się niemal nieswojo, jak nieboszczyk, którego po śmierci wynosi się pod niebiosa. Na szczęście ten nastrój nie trwał długo.

– Mam dla ciebie zadanie. – Stary nie byłby sobą.

Zaniepokoiłam się. Kolejny wyjazd? Co on kombinuje?

– Co się tak przestraszyłaś? – roześmiał się jowialnie.

– To nic takiego. Nie mamy dziennikarzy gospodarczych, a teraz tyle się narobiło tych upadłości, prywatyzacji, spraw w sądach pracy, więc pomyślałem, że się tym zajmiesz.

– A moje hity?

– No wiesz, kiedy ciebie nie było, przystosowaliśmy młodego, Mirka. Anka, nie dasz rady?

Nowe zadanie, nowe wyzwanie.

– Zastanowię się. – Odpowiedź sama wypłynęła mi z ust.

Stary nie ustępował. Przyglądał mi się wyczekująco.

– No dobra, już się zastanowiłam.

– Tego się spodziewałem. – Wydawało mi się, że odetchnął z ulgą. – A tak w ogóle, to jak ci tam było? Mówiłem już, że wyglądasz świetnie?

Nagle przypomniał mi się Blaż. Jezus Maria, zupełnie o nim zapomniałam! Przecież... Spokojnie, nie rzucę pracy, zajmę się tą gospodarką, a gdy Jerzy wyjedzie, powiem Staremu o mojej decyzji emigracji do Zadaru. Tak, to wydaje się rozsądne. To dla naszego dobra. Ale poczułam się tak, jakbym go zdradziła. Nagła tęsknota pozbawiła mnie czucia.

– Może kieliszek koniaczku na przywitanie? – Stary odebrał moją niemoc za sygnał godzenia się z nową sytuacją.

– Może. Chętnie.

– Wiedziałem. Nie martw się, poradzisz sobie, Anka. Zawsze sobie radzisz.

– Tak, zawsze sobie radzę.

– Wiesz – mój sarkazm w głosie wziął za dobrą monetę – mamy tu kilku takich popaprańców, którymi warto się zająć. Coś wokół nich śmierdzi, ale nie wiemy co. Gazetowa konkurencja próbuje, lecz na razie bez skutku. A gdybyś ty z pierwszej linii frontu się za nich wzięła? Co ty na to?

Roześmiałam się mimo woli. Harry! Za miesiąc już mnie tu nie będzie! W dupie mam twoich popaprańców – przemknęło mi przez myśl.

– Nalej mi jeszcze trochę koniaku. – Ciekawość jednak wzięła górę nad rozumem.

– Wreszcie zaczynasz mądrze gadać. Aśka! Dawaj Mirka! – wrzasnął Stary, aż mi kieliszek z bryndką podskoczył w dłoni.

– Tak, szefie?

Do pokoju wtoczył się zwalisty młodzieniec w spodniach opuszczonych na biodra. Oponka próbowała znaleźć sobie ujście ponad paskiem, a jej właściciel wygładził grzywkę, przesuwając ją na prawą stronę twarzy. I to ma być nasz nowy nabytek? – pomyślałam z niesmakiem. Z nim będę musiała się męczyć przez miesiąc?

– Kacper, nie ciebie wołałem. Mirka dawaj.

– Miro jest na temacie. – Kacper tłumaczył kolegę. – Kaśce się dziecko rozchorowało i poleciał za nią na briefing do magistratu.

Odetchnęłam z ulgą, że oponiasty nie okazał się sztyftem. Swoją drogą coraz młodszych przyjmują. Grubas był duży, ale buźka jak u niemowlaka. Ciekawe, czy ten cały Miro już skończył studia. Poczułam się ze swoimi trzydziestoma dwoma laty, w tym dziesięcioma przepracowanymi w prasie, jak weteranka. Dobrze, że chociaż Staremu mleko pod wąsami wyschło. Jak świat światem, a gazeta gazetą doświadczenie nigdy specjalnie się nie liczyło. Tyle jesteś wart, ile hitów przyniesiesz. Byle się nie podłożyć, nie narazić tytułu na proces nie-odpowiedzialnym tekstem.

Obudził się we mnie duch walki. Co! Ja sobie nie pora-dzę? Takiego hita przed wyjazdem im jeszcze przywlokę, że im szczena opadnie. Poczułam się młoda i pewna siebie. To mnie Stary wysłał do Chorwacji i sprostałam zadaniom. Dostał, co chciał. O moje relacje dopominały się inne media, cytowali nas wszyscy dokoła. Nawet Jerzy, który na początku z dużym, jak zwykle u niego, sceptycyzmem podszedł do pomysłu mojego „wyjazdu na wojnę", widząc jego efekty, złożył broń.

Miałam tylko nadzieję, że wykorzysta ten wolny ode mnie czas na habilitację. Ale gdy po powrocie dopytywałam się o efekty, zareagował zniecierpliwieniem.

– U nas to nie to samo co w gazecie! – zdenerwował się zupełnie poważnie, a przecież nie chciałam tego. – Muszę zrobić szereg doświadczeń, zebrać dane, opublikować kilka artykułów, dojść do jakiejś teorii i ją udowodnić. To nie takie rach-ciach.

– Jerzy, pytam z troski o ciebie. Nie ma powodu się unosić.

– Jak mam się nie unosić, kiedy na mnie napadasz!

Ręce mi opadły. Napadam na niego. Niszczę. Czepiam się. Nie mówię nic – źle. Mówię – też źle. Moja robota za to to bułka z masłem.

Ni z tego, ni z owego ciemne włosy Blaża dotknęły mojej twarzy. Silnie poczułam jego obecność. Zatęskniłam tak namacalnie, że zakręciło mi się w głowie.

– Anka, ale cię wzięło. – Głos Starego wybudził mnie z odrętwienia. – Co ty? Nic tam nie przyjmowałaś, że masz taką słabą głowę? Żadnej śliwowiczki? Nie wierzę!

Spojrzałam już trzeźwo na szefa, zdając sobie sprawę z chwilowej nieobecności.

– Dobra, biorę tę gospodarkę i tych popaprańców. I dawaj mi tego Mira, może coś z tego będzie. A poza tym co się dzieje w firmie?

– No, nareszcie gadasz jak człowiek. Chodźmy się czegoś napić. – Stary podniósł się z fotela.

– Pozwól, że zadzwonię do Jerzego.

– Za dziesięć minut na dole, Ana.

Ana? Słyszałam „Ana"? Nie, to przypadek, tak mu się powiedziało.

ANNA
MARZEC 1992

Harry, Jerzy mnie zabije.

Wsparłam się na ramieniu Starego, broniąc się przed upadkiem. Ach, te zepsute chodniki, jakkolwiek postawisz nogę, obcas i tak ci wpadnie.

– Hi, hi. – Zadowolona dałam się porwać głupawce, odsuwając od siebie obraz żony marnotrawnej wracającej do domu o czwartej nad ranem. – Oj, Harry, wyprowadziłeś mnie na manowce, żeby wziąć mnie pod włos! – darłam się chyba za głośno, odprowadzana przez szefa z taksówki do domu. – Zapowiadam ci, że wezmę się za tych twoich chuliganów, ale uważaj, bo mam niewiele czasu.

– Dobranoc pięknej pani. – Stary nie dał się podpuścić. – Czekam jutro w redakcji o dziesiątej. Odtajaj trochę, wariatko. Naciśnij dwunastkę. Co ty robisz?! Dwunastkę! Przepraszam panią, to pomyłka – usprawiedliwiał mój niefart. – Niech się pani nie denerwuje. Dobrej nocy miłej pani.

Jakoś dostałam się do chałupy. Jerzy coś tam się brą-chał, ale na szczęście byłam zbyt zmęczona, by zwracać na to uwagę.

Poranek, o dziwo, nie był najgorszy. Mój mąż wspania-łomyślnie podał mi szklankę z alka-primem, co uznałam za akt wybaczenia i troski.

– Lecę do redakcji – rzuciłam z nadmiernym ożywie-niem, zachowując pozory doskonałej formy po wczoraj-szym. – Wrócę wieczorem, zjedz coś na mieście.

Do pracy dotarłam o ósmej. Poranne korki jeszcze nie wstały po ciężkiej nocy, dając przemknąć ulicami War-szawy bez konieczności zapuszczania korzeni.

– Pani Aniu, dawno pani nie widziałam. Co tak wcześ-nie? – Pani Krysia, nieoceniona strażniczka redakcyjnego ogniska na godnym stanowisku recepcjonistki, zaczepiła mnie przy wejściu.

– Jestem dopiero od kilku dni w Warszawie. Wróciłam z Chorwacji.

– Kto rano wstaje… – zaczęła, nie zwracając uwagi na moje rewelacje.

– Jest coś dla mnie? – zapytałam.

– Ja tam nic nie wiem, ale Władek mówił, że do pani „redachtor" ktoś dzwonił. To przełączył na pana naczel-nego.

– Kiedy?

– No będzie ze dwa dni temu. Władek przedwczoraj poszedł na chorobę, znaczy się, ja tu dwa dni siedzę.

Blaż. Harry nic mi nie wspomniał. Zapewne celowo.

– Redaktorze naczelny, czy masz mi coś do powiedzenia?

Stary spojrzał na mnie z zaciekawieniem, przez które przebijała niepewność pomieszana z poczuciem winy. Powściągnął chęć odpowiedzi, mając nadzieję, że dowie się ode mnie czegoś więcej. I tak przez chwilę patrzyliśmy sobie prosto w oczy, a Harry z sekundy na sekundę coraz bardziej się odprężał, widząc w moich oczach zniecierpliwienie, którego zaspokojenie zależało od jego widzimisię.

– To chyba ty raczej masz mi coś do powiedzenia. – Nie rezygnował z zabawy w kotka i myszkę. – Pytam ciebie na trzeźwo: wysmażysz nam kilka hitów? Wołać Mirka?

– Harry, już ci mówiłam, że masz mi dać tego Mirka, ale teraz nie udawaj, że nie wiesz, o co mi chodzi. Dzwonił ktoś do mnie z Chorwacji?

– Blaż jakiś tam. – Wydobył kartkę spod stosu papierów na biurku. – Batelić. Pytał o ciebie.

– I dopiero teraz mi to mówisz?!

– Jakoś wypadło mi z głowy.

– Harry, masz mnie za idiotkę? – odpowiedziałam trochę za szybko.

A zresztą co mnie obchodzi Stary i jego głupia podejrzliwość. Myśli, że zyskał nade mną przewagę, bo przechwycił nitki do kłębka jakiejś historii. I teraz patrzy na mnie z wyrazem twarzy znawcy ludzkich dusz i uśmieszkiem pląsającym w kąciku ust. Już dobrze, wybaczam mu w myślach. Koniec tej komedii niedopowiedzeń.

– To ja idę do siebie.

– Gdy już zadzwonisz, dogadaj się z Mirkiem. On już

wie, że będziecie pracowali razem. Pod twoim nadzorem oczywiście.

– Dzięki, Harry. Za wszystko.

– Od czego się ma szefa – rozłożył ręce z wyrazem twarzy wybaczającego ojca.

ANNA
MARZEC 1992

Odczekałam, aż Stary pójdzie do domu, a pani Krysia zbierze bambetle do torebki, narzekając na to, że tak długo tu siedzimy, bo kto to słyszał, żeby tyle pracować, odebrałam ze trzy telefony od Jerzego i jeden od mamy z zaproszeniem na niedzielny obiad, pogadałam z Mirkiem – skądinąd nie najgorszy z niego facet – i wreszcie znalazłam się w pokoju sama. Co za ulga!

Wybrałam numer międzymiastowej. A, pieprzę! Będzie to nieco redakcję kosztowało, ale Stary dał mi niemal przyzwolenie. Zrewanżuję mu się, zarobię na tę rozrzutność.

– Ana? – doszedł do mnie głos w słuchawce, realny, spodziewany, mimo to jakby nierzeczywisty.

W samochodzie słuchałam muzyki bałkańskiej, skrzętnie ukrywając to przed Jerzym, w domu na jego przytulanki reagowałam „brudnymi rękami" – „Daj spokój, robię sałatkę", „Nakryj stół" – wieczorem udawałam zmęczenie, bo Stary mnie gonił po tak długiej nieobecności, życie było do dupy. Odsuwam żaluzje, na dworze syf. Wychodzę do sklepu, pada śnieg z deszczem. Baba za ladą ma brudny fartuch, ochlapał mnie samochód, wóz nie chce zapalić, książka jest nudna, brud nadmiernie się zbiera, Jerzy ma za dobry humor i tak jakoś głupio się śmieje. Co mu się stało? Nigdy się tak nie śmiał. Gada, że chce kupić działkę pod Warszawą, i jeszcze coś truka o dziecku. Boże, łeb mi pęka. No i nie ma dłoni Blaża, głosu Blaża, delikatności Blaża... Odetchnąć trudno, myśleć trudno, płakać mi się chce. W końcu jestem babą, to i popłakać można. No to sobie płaczę, jadąc samochodem, bo wtedy mnie nikt nie widzi. Ocieram mokre powieki w redakcyjnym kibelku, by je za chwilę przypudrować. Trę czoło i kąciki oczu, wygładzając rodzące się zmarszczki, *corpus delicti* moich zmartwień. „Trzymaj się, Anka, jesteś silna" – gadam do siebie bezgłośnie, wsłuchując się w kołaczące się w głowie myśli. Wszystko mnie swędzi, denerwuje, sukienka nie układa się na biodrach, włosy sterczą każdy w inną stronę, nogi niosą jak koń pijanego furmana prosto do żłoba. Staję przed nim, przed drzwiami, biurkiem, ekspresem do kawy, Starym, Jerzym, Mirkiem, sprawą, tematem. Na baczność, z powagą, w końcu po to się kształcisz, wychodzisz z dobrego domu, z dobrym wychowaniem, w końcu poznajesz porządnego faceta, z porządnej rodziny, by porządnie urządzić sobie życie. I sobie je urządzasz, i sobie żyjesz do czasu, gdy poczujesz, że już nie żyjesz zgodnie z przewidywaniami. Wróć! Żyjesz, tylko w twojej głowie się poprzewracało, twój mąż nadal ma dobre samopoczucie, twoi rodzice zapraszają was na niedzielne obiadki, twoi teściowie spodziewają się wnuka, jesteś jeszcze za młoda na dzieci, jesteś za stara na dzieci, bo dziadkowie mają inne standardy i dzieci już powinny być, a w Chorwacji jest Blaż, rodzice, teściowie, halo! Ana nie ma ochoty, Any tu właściwie nie ma.

– Ana, jesteś tam? – Głos stał się nagle rzeczywisty i dziwnie bliski, jakby dochodził z sąsiedniego pokoju.

– Blaż, jak dobrze cię słyszeć – wykrztusiłam, odchrząkując wzruszenie zalegające gardło.

– Nie dałaś znać po przyjeździe, pewnie o mnie zapomniałaś. – Czekał, aż zacznę zaprzeczać, i się doczekał:

– Nie mów tak. Nie wiesz, jak mi trudno z Jerzym i w ogóle ze wszystkimi i wszystkim. Mam chwalić za remonty, opowiadać, cieszyć się z powrotu. Co mam mówić, Blaż? Że spotkałam ciebie i tęsknię jak diabli?

– A tęsknisz?

– A ty?

– Mogę jutro po ciebie przyjechać? – spytał.

Zastanowiłam się chwilę, czy to żart, ale miałam dziwną obawę, że niekoniecznie.

– Przyjedź, przyjedź – wróciłam do konwencji żartobliwo-niemożliwej, w głębi duszy czując blef.

W słuchawce na chwilę zapanowała cisza. Poczułam, że rzeczywiście stara się znaleźć sposób na realizację tego planu. Stwierdziłam, że się tego boję, jakby pragnienie ujrzenia go zostało pokonane przez strach przed lawiną przyszłych zdarzeń. Spotkają się z Jerzym, dojdzie do konfrontacji, w której będę musiała się zdeklarować, będę musiała powiedzieć Jerzemu, że opuszczam go, wyjeżdżam do Chorwacji na zawsze, proszę go o rozwód. Nie byłam na to gotowa, jeśli w ogóle można kiedykolwiek być gotowym na przekazanie drugiemu złych wiadomości, jeżeli można, będąc przyzwoitym człowiekiem, powiedzieć drugiemu przyzwoitemu człowiekowi, z którym żyło się kilkanaście lat, że to koniec. Ale co zrobić, gdy cała jesteś już gdzie indziej?

– Posłuchaj mnie przez chwilę – słowa Blaża zabrzmiały w słuchawce. – Ana, przyjadę, załatwię to w kilka dni. Mogę być za kilka dni. Słyszysz mnie?

– Tak. Zadzwoń wcześniej, zarezerwuję ci hotel.

Pożegnaliśmy się. Do zobaczenia w Warszawie, wreszcie wszystko się wyjaśni. Czas do domu. Do domu? Do Jerzego? Muszę coś kupić na kolację.

ANNA
MARZEC 1992

Po kilku dniach dostałam list od Blaża. Na szczęście przyszłam do domu przed Jerzym i wyjęłam przesyłkę ze skrzynki. Wbiegłam na drugie piętro, rozrywając pospiesznie kopertę. Złe przeczucie targało mną jak jesienny poryw wiatru. Po chwili mocowania się z zamkiem otworzyłam drzwi wejściowe i w płaszczu opadłam na fotel, trzymając w ręce papier zapełniony starannym równym pismem.

Draga Ana!

Piszę, bo rozmowy przez telefon są zbyt krótkie, by wyrazić to, co chcę powiedzieć. Od chwili, gdy wyjechałaś, trudno mi myśleć i działać w tej pustce, jaką widzę wokół siebie. Wiosna, która zawsze budziła mnie do życia, teraz wydaje się brudna i smutna. Ptaki skrzeczą, wiatr szarpie drzewa. Przypominam sobie, że ptaki zazwyczaj śpiewały na powitanie wiosny, a wiatr kołysał gałęziami drzew, pobudzając zalążki liści do rozkwitu. Ana, to przez Ciebie przyroda zwariowała, a ja razem z nią. Chciałbym zatrzymać koniec zimy w kadrze, a w jej tle Twoją postać w jasnym kożuszku z czapeczką w paski. Brakuje mi Ciebie, czuję to wprost fizycznie. I jeszcze ten brak kontaktu. Nie dzwonisz. Nie wiem: nie możesz czy nie chcesz? Chcesz, ale masz wątpliwości? Jeśli mogę Cię wesprzeć, to powiem Ci, ja ich nie mam. Katerina była kiedyś przy mnie, nasz Zoran zawsze będzie moim synem, ale moim życiem jesteś Ty, Ana. W czasie naszej ostatniej rozmowy usłyszałem ton rezerwy w Twoim głosie, strach przed decyzją. Rozumiem wagę problemu, ale ja Cię kocham! I Ty też mnie kochasz, przypominam, gdybyś zapomniała (żartuję, nie gniewaj się, Kochana). Jeśli nie możesz przyjechać do mnie, ja przyjadę do ciebie albo spotkamy się w pół drogi. Co ty na to? Może w Budapeszcie? Już widzę twoją reakcję: „Jak zwykle żartujesz?". Chcesz, żebym żartował, będę. Nie chcesz, zachowam powagę. Ana, nie wiem, ile można napisać, by zapełnić kartkę przed zadaniem zasadniczego pytania: kiedy mam po Ciebie przyjechać, Moja Draga?

Czekam i będę zaglądał do skrzynki na listy kilka razy dziennie. Pamiętasz, to ta pomarańczowa, pomazana graffiti. Od dzisiaj pomarańczowy jest dla mnie kolorem nadziei.

Do liściku, Aniko! Kocham Cię jak zawsze, tęsknię jak nigdy.

– Ja też – odpowiedziałam na głos, rozglądając się dokoła jak zbudzony ze snu człowiek, który nie wie, czyich oczu nad swoją głową może się spodziewać.

Na szczęście Jerzy nie wślizgnął się cichaczem, by zaskoczyć mnie nad listem Blaża. Odłożyłam kopertę i głowa sama opadła mi na dłonie. Próbowałam ratować się, masując mięśnie karku, które spięły się, powodując ból szyi. Termin podjęcia życiowych decyzji zbliżał się nieubłaganie. Czułam, że nie mogę dłużej zwodzić siebie ani innych.

ANNA
MARZEC 1992

Zachodzę w głowę, jak to możliwe, by pisząc lekko trzy tysiące sześćset znaków dziennie do największej krajowej gazety, nie móc zdobyć się na przesłanie Błażowi choćby kilku słów. Aż mnie skręcało z potrzeby dorwania się do maszyny. Wyrzuty sumienia wyżerały mózg, trawiąc go niczym kwas siarkowy (od razu widać, że jestem żoną chemika), i nic. Położyłam przed sobą pustą kartkę, a po półgodzinie nadal była w takim stanie. Dwie wypite w tym czasie kawy i nieskończona liczba głębokich westchnięć pompujących powietrze do samej głębi płuc nie pomogły pokonać zatoru. Próbowałam przemawiać do siebie racjonalnie: Kiedy piszesz? Gdy masz o czym, gdy znasz temat, gdy masz pogląd na sprawę. Czego ci brakuje? Znam temat, ale nie wiem, co o tym sądzić. Na tym polegał kłopot. Znalazłam brakujący element układanki.

Olałam maszynę, łudząc się, że łatwiej mi będzie naskrobać kilka słów na papierze ręcznie.

Cześć, Blaż!

Długo nie pisałam do Ciebie i nie jest mi z tym dobrze. Trudno opisać, co się ze mną tutaj dzieje. Zaczynałam kolejne listy, ale żadnego nie udało mi się skończyć. Wydawały się płaskie, patetyczne, głupie. Próbowałam wyjaśniać rzeczy nie do wytłumaczenia, rozwikłać zagadkę naszej sytuacji, znaleźć rozwiązanie dla siebie, Ciebie i Jerzego. Blaż, wierz mi, tak bym chciała nie mieć wątpliwości, rzucić wszystko i przyjechać do Ciebie. Ale Jerzy stara się jak nigdy, a rodzina, znajomi, koledzy z gazety uwzięli się, żeby mnie osaczyć, wytworzyć wokół mnie gęsty kokon nie do przejścia, złotą klatkę, z której nie wymknie się najzręczniejszy kanarek. Pozostaje mi jedynie stroszyć piórka i rozglądać się, czekając na sposobność, by wyfrunąć na wolność. Przeraża mnie jednak ich zawód, jeśli mi się uda!

Cały czas myślę, jak ułożyć sobie życie z Tobą. I nie chodzi tu o Jerzego. To trudny temat, ale do przejścia. Przynajmniej tak mi się wydaje. Uświadomiłam jednak sobie, że nie jestem gotowa przenieść się do Chorwacji, chociaż Ty tam jesteś. Zostawić wszystko to dla mnie za dużo. Nie gniewaj się, nie jest to oznaką braku miłości, raczej asekuranctwa, największego wroga pielęgnowanej przez lata postawy: do przodu. I teraz, gdy życie dało mi okazję pokonania tych granic, ja przez trzy tygodnie się zastanawiam, co odpisać kochanemu mężczyźnie, gnieżdżąc się w ciepełku starych śmieci jak żółw w skorupie, opierając się fali, która czeka, by mnie ponieść ku ledwo poznanym lądom. Jestem patetyczna, jestem żałosna. Wybacz mi.

Pomóż mi, powiedz, co mam robić. Stary przydzielił mnie do gospodarki, spodziewa się, że wysmażę mu jakiś hit, jak gdyby wiedział, co się wydarzyło w Chorwacji. Może daj mi trochę czasu na ogarnięcie wszystkich trudnych układów? Zapewniam Cię, że nic się między nami nie zmieniło, wręcz każdy dzień wydaje się trudniejszy do przeżycia bez Ciebie. Staram się zapełnić go pracą i nadzieją na spotkanie. Kocham Cię. Pisz. Czekam.

Twoja Ana

ANNA
MARZEC 1992

Taksówka! – wydzieram się. – Jurek! Ach, jesteś, pardon. No o co ci chodzi? Przecież wołam taksę. Patrz, ta głupia taksówka nie chce się zatrzymać! Ooo, jest! Na Puławską, proszę, 31.

– Puławska – Jerzy powtarza po mnie.

Wracaliśmy po brydżu od Staszków. Karta szła jak cholera, rober za robrem. Ugrałyśmy z Dorotą ze dwa szlemiki. Nic tylko siedzieć przy stoliku, a Dorota aż się paliła, żeby pogadać w kuchni o moich chorwackich wojażach.

– Baby – panowie byli niepocieszeni – macie takie szczęście w kartach, że chyba w miłości go wam brakuje.

– Pewnie tak – przyznałam zgodnie, oglądając karty z kolejnego rozdania, które już pachniały co najmniej piątką kier z ręki! Będzie kolejny szlemik?! Ja nie mogę!

Jedziemy, jedziemy, jedziemy. Zatrzymujemy się pod blokiem. Idziemy do domu. Wjeżdżamy windą na czwarte piętro.

– Zrobisz mi herbatę? – pytam i Jerzy kieruje się do kuchni.

– Nie kładź się jeszcze.

Poduszeczka sama układa się pod głową, zasypiam.

– Herbata. Śpisz?

Czuję, że Jerzy spogląda na mnie z góry.

– Yhm.

Budzę się w środku nocy. Mój małżonek zepchnął mnie na skraj łóżka, zrzucając kołdrę na podłogę. Podciągam przykrycie, opatulając zziębnięte ciało. Jak się nachucha pod kołdrą, zaraz robi się cieplej. Muszę mieć wyjątkowo skuteczny chuch, skoro po minucie wysuwam głowę na powierzchnię.

Jerzy zaczyna się poruszać, jakby wyczuł moją aktywność. Zamieram z obawy przed jego obudzeniem. Nie mogę zamknąć oczu, które nagle buntują się przed przyjęciem snu. Nocne balety u Staszków jedynie na chwilę pozwoliły zapomnieć o rzeczywistości, która wyszła teraz zza zasłony, wgniatając mnie w materac. Poczułam mdłości. Boże! Ile ja wypiłam? Pięć, sześć piw? Matko, Staszek kupuje zawsze taki miks, że szkoda gadać: niepasteryzowane, pszeniczne i inne, można się porzygać. Sama myśl o zawartości żołądka powoduje niebezpieczne perturbacje. Gnam do łazienki ulżyć torturom. Koszmar. Jeszcze ze dwa razy zmagam się ze słabością i w końcu wyczerpana opieram głowę na klapie sedesu.

– Dobrze się czujesz? – Odgłosy z łazienki zbudziły Jerzego.

– Nic mi nie jest – odpowiadam, starając się zachować normalny tembr głosu. – Już wracam.

Dobrze, że jutro niedziela, przynajmniej pośpię. O, nie! Zaprosiłam na obiad rodziców. Tragedia. No i muszę odpowiedzieć Błażowi.

– Anuś, wracaj do łóżka. – Jerzy podnosi mnie z podłogi. – Zaparzyłem ci miętę.

Piję tę miętę, spoglądając na męża. Patrzy ufnie i życzliwie zaspanym wzrokiem.

– Śpijmy już – przyciąga mnie do siebie w półśnie. – Jutro poczujesz się lepiej.

Nie chcę, żeby nadeszło jutro. Mogę tak leżeć w nieskończoność, tym bardziej że mdłości już przeszły. Nie chcę podejmować decyzji, nie chcę ranić ludzi, tęsknię za Błażem, widzę Chorwację, widzę nas, oszukuję Jerzego, zawodzę Błaża, nie wiem, czego chcę, kręci mi się w głowie, nie wiem, co robić z nadmiarem miłości, mam dwóch facetów, którym na mnie zależy, los nas trojga jest w moich rękach. Idiotka, idiotka, idiotka, karcę się w myślach. Po co sobie życie skomplikowałaś? Trzeźwieję z prędkością światła. Kocham Błaża, nie mogę bez niego normalnie żyć, myślę o nim bez przerwy. Jerzy śpi tak spokojnie, nasza przeszłość budzi same miłe wspomnienia... Matko jedyna, znowu mi niedobrze!

Tym razem szarpnęło mnie nieźle. Po kolejnej wizycie w łazience rzucam się na łóżko nieżywa. Sen pozwala mi zapomnieć.

ANNA
MARZEC 1992

Dwie godziny siedzieliśmy z Mirkiem nad tematem. Gościu nazywał się Edmund Raukuć i miał sporo na sumieniu. Zetknęłam się z pogłoskami na jego temat przed wyjazdem i już zacierałam rączki, by się do tego zabrać. Schedę po mnie przejął Mirek, na szczęście jednak nie rozwikłał przekrętów Raukucia. Przeczytałam kilka jego artykułów na ten temat i uspokoiłam się. No, młody, mistrzostwo świata to to nie jest. Zwykłe przyczynkarstwo. Facet, co było tajemnicą poliszynela, zlecił kilka zabójstw, w tym swojego prawnika, spowodował pożar hurtowni sprzętu RTV w celu wyłudzenia odszkodowania. Nie wspomnę, że towar zniknął przed pożarem, a portier się spalił, co mu definitywnie zamknęło usta. Gość śmieje się dziennikarzom w twarz i ma rację. Durne pismaki nic na niego nie mają, a on panoszy się w kupionych za bezcen od miasta kamienicach i wozi swój tyłek luksusowym porsche.

– Mirek, to wszystko, co masz?

Chłopak próbuje robić nadąsaną minę, ale widząc, że to na mnie nie działa, wraca tam, gdzie jego miejsce.

– Słuchaj – zdradzam to, co zrodziło mi się właśnie w głowie. – Ty sprawdź, co konkurencja napisała na temat Raukucia w ciągu ostatniego pół roku, a ja polecę do sądu popytać co nieco.

– Okej. – Młody przyjął rozkaz jak grzeczną prośbę, choć widząc jego zrezygnowaną minę, prawie zaczęłam go pocieszać. Gdy jednak uświadomiłam sobie własne problemy, olałam jego ego. Niech sobie radzi z dominacją kobiety. Im szybciej nauczy się stawiać czoło przeciwnościom, tym lepiej.

Poczułam przypływ adrenaliny znany psom myśliwskim, które szukają tropu. Harry, chciałeś hit, postaram się o niego. Nie wiedziałam jeszcze, jak to zrobię, ale silne postanowienie osiągnięcia sukcesu poruszyło już moje szare komórki. Panie R., pani J. się za ciebie zabiera.

– Anka? – Stary wsadził głowę w drzwi, przerywając mi mobilizację myśli. – Masz jutro czas o dziesiątej?

– A co chcesz?

– W BudMecie mają jakąś oficjałkę. Otworzyli nową linię produkcyjną, chcą się pochwalić.

– Wyślij kogoś, ja lecę węszyć do sądu.

– A nie możesz po BudMecie? Nie mam kogo wysłać – nie odpuszczał Harry.

– Czy ty zawsze musisz przeszkadzać mi w pracy?

– wkurzyłam się. – Dobra, pójdę, ale z BudMetu masz tylko pizdryka, na więcej nie licz.

– Tak jest, pani redaktor. Już mnie nie ma. A jak młody?

– Daj spokój, szefie, sam wiesz, jak niestosowne jest to pytanie. Ale postaram się z nim wytrzymać. Okej?

ANNA
MARZEC 1992

Tydzień miałam nieciekawy. Robota redakcyjna wciągnęła mnie niczym bagno człowieka w kaloszach. Nie wiem dlaczego, ale przyjazd do Polski kojarzyłam z relaksem. Spodziewałam się zlec na jakiś czas w glorii i chwale, odpocząć w poczuciu dobrze spełnionego zawodowego obowiązku, oddając się jedynie swoim szarpiącym duszę problemom osobistym. Ale nasze oczekiwania nie zawsze, a właściwie prawie nigdy, nie chcą się spełniać. Widząc młode głodne wilczki z determinacją rzucające się na tematy, szybko uświadomiłam sobie nonsensowność walki o własną wygodę. Mirek się trochę ucywilizował, więc przebrnęliśmy przez okopy zachowawczego milczenia, by stanąć na polu, miałam nadzieję, wspólnej bitwy z panem R., a nie walki pomiędzy sobą.

Jerzy dał się ponieść staraniom o postdoka w Paryżu. Zdecydowaliśmy oczywiście, że pojedzie, na co miał szanse w semestrze zimowym w następnym roku akademickim.

Termin ten wydawał mi się na tyle odległy, że nierealny. Tak wiele mogło się jeszcze zdarzyć. Patrząc na jego entuzjazm, nie mogłam w pełni go dzielić. Czułam się fatalnie. Trudno było odwzajemnić uściski, pogrążyć się we wspólnych planach, o których wiedziałam, że niebawem będą jedynie jego planami.

– ...zostało wysłane.

Patrząc na Jerzego, zorientowałam się, że coś do mnie mówi.

– Wysłane? – powtórzyłam z nadzieją, że powtórzy ostatnie zdanie.

– Czy ty mnie słuchasz? – zniecierpliwił się nie na żarty. – Źle się czujesz czy co?

– Nie najlepiej.

Faktycznie ostatnio nie mogłam znaleźć sił, wszystko przychodziło mi z większym trudem, a poza tym stale odczuwałam mdłości.

– Przepraszam cię, Jurek, pójdę się położyć. Trochę mnie nudzi w żołądku. Może warszawska woda mi nie służy?

– To aklimatyzacja. Pani przyzwyczaiła się żyć w wielkim świecie! – żartował. – Zrobię ci łóżko.

Zostałam w sypialni sama. Światło nocnej lampki otulało pokój przytulnym półmrokiem. Po przeczytaniu kilku stron książki musiałam wrócić do początku. Już półtora tygodnia temu odpisałam Błażowi, do tej pory nie dostałam odpowiedzi. Czyżby zniechęciły go moje wątpliwości? Nie zrozumiał, że musimy poczekać, aż Jerzy załatwi stypendium, a ja napiszę staremu hita? Odrzuciłam złe myśli.

Blaż jest zdecydowany i czasami porywczy, ale zawsze dużo rozmawialiśmy, zgadzając się, że porządni ludzie muszą swoje sprawy załatwiać honorowo. Mieliśmy ten sam punkt widzenia. No nic, może jutro nadejdzie list.

I nadszedł. Przeczytałam go jeszcze na klatce schodowej. Przyduszona jego treścią miałam ochotę wrócić pod kołdrę i usnąć niedźwiedzim snem.

Draga Ana!

Wiem, że długo Ci nie odpisywałem, zbyt długo, by łatwo to mi było znieść. Tłumaczyć się nawałem roboty to banał, którym usprawiedliwiają się ludzie niezdecydowani i pełni obaw. Sam się zastanawiam, czy nie należę do ich grona, mam jednak nadzieję, że nie. Być może próba zatopienia się w pracy uwalnia od konieczności poczynienia kolejnego kroku, aresztuje myśli, skrytego mordercę pozytywnego działania.

Pamiętasz moje biurko przy oknie. Siedzę teraz przy nim, patrząc na Adriatyk, którego zmieniające się barwy lubiliśmy razem oglądać. Nie jest już taki pocztówkowy, wyspę spowija obłok mgły, woda przybrała szary odcień. Może to wczesna wiosna nie przygotowała się jeszcze na dopieszczenie nas bajkowym widokiem. Twój list, piękny prezent, wart otwarcia przy kieliszku dobrego wina, sprawił mi tyle radości, ile troski. Rozumiem doskonale to, co zastało Cię w Warszawie, czuję Twoje rozterki i dylematy. Ciężko mi to wyznać, bo serce podpowiada inne rozwiązania, ale trudno. Rób, co musisz, załatw sprawy z Jurajem, poukładaj sobie w gazecie. Nawet dobrze się składa, Ani! Wreszcie

wyduszę to z siebie. Za kilka dni wyjeżdżam do Sarajewa,
mój Stary wysyła mnie do pracy. Mam nadzieję, że długo
to nie potrwa. Będzie dobrze, musi być. Chciałbym jeszcze
dużo Ci napisać, ale chyba muszę się pakować. Wybacz.
Pamiętaj o mnie.

Twój Chorwat

Blażu mój, Chorwacie narwany! – złapałam za długopis.
– Dość tego użalania się. Musi znaleźć się jakieś wyjście.
Wyjeżdżasz do Sarajewa, co mnie martwi w obliczu wieści,
jakie stamtąd dochodzą. Uważaj na siebie, to najważniej-
sze, a poza tym myśl o mnie i o nas. Walki w Sarajewie
się skończą i wrócisz do Zadaru, a ja pozamiatam w tym
czasie swoje podwórko i razem wymyślimy, co dalej robić.
Może sprowadzisz się do mnie? W końcu przy mnie liznąłeś
trochę polskiego, dasz radę. Już Cię widzę. Nie strosz się
tak! Przemyśl, nie odpowiadaj.

Teraz proszę Cię o jedno: dbaj o siebie i nie daj się do-
sięgnąć zbłąkanej kuli. Nie bierz ze mnie przykładu i nie
zwlekaj z odpowiedzią. Proszę, proszę.

Twoja asekurancka Polka Ana

Chciałam wrócić do domu. Pieprzyć sąd, Starego i jego
hity! Złość, która wyrywa z niemocy, nie mogła mnie uratować, oddała pole samotności, odkręcając kurek ze łzami.
Siedziałam w samochodzie, który odstąpił mi na dziś Jerzy,
patrząc tępo w widok za oknem. Przedstawiał wysokie
i niższe bloki przybrane w szarość marcowego poranka,
oczekujące deszczu z nabrzmiałych chmur. Gdyby nawet

przez tę szarość przedarło się słońce, i tak potraktowałabym je jak kpinę. Nie ono mogło mnie uzdrowić, zbyt blado świeciło. Jego dobre chęci wkurzały, choć intencje nie budziły wątpliwości. Zrobiło mi się niedobrze, obudziłam się z zimna na siedzeniu samochodu. Jezu! Ja chyba zemdlałam!

Owinęłam się szczelniej kurtką, ścierając pot pokrywający czoło. Która to godzina? Na szczęście minęło zaledwie kilka sekund od chwili, kiedy straciłam kontakt z otoczeniem. Trzeba jechać, trzeba się ruszyć. Należy iść do przodu – podpowiadał rozum. To chwila, by coś zmienić – oponowało serce. Jestem bezsilna. Oczy nie wytrzymywały parcia łez. Jest mi niedobrze! – wołał żołądek.

Fizjologia zwyciężyła. Pognałam do domu, by oddać kibelkowi, co jego. Przyjął poranną kawę i trochę żółci... Po kilku minutach, spóźniona, rozdygotana, pojechałam do sądu. Niestety, sprawa pana R. czekała. Z niedźwiedzia przyszło zamienić się w psa gończego.

ANNA
KWIECIEŃ 1992

Pager darł się wniebogłosy.
    – Harry, daj mi spokój – mruknęłam pod nosem. – Skąd ci wezmę telefon, żeby oddzwonić? Chcesz tekst, muszę mieć trochę czasu.

Dojeżdżałam na Czerniakowską. Znajomy budynek sądu wojewódzkiego pojawił się na horyzoncie. Jeszcze tylko znaleźć miejsce do parkowania i idę. Przed wyjazdem do Chorwacji przetarłam na szczęście ścieżki do sędziów i, co ważniejsze, sekretarka XV Wydziału Gospodarczego Sądu Wojewódzkiego w Warszawie mnie znała. Obeszło się bez pokazywania legitymacji dziennikarskiej. Pani Lodzia, tleniona na biało z żółtawym odcieniem i fryzurą w stylu Marilyn Monroe, przywitała mnie łaskawym uśmiechem osoby zajętej, ale pełnej życzliwości dla pismaków stale przeszkadzających jej w wykonywaniu codziennych, jakże odpowiedzialnych obowiązków starszej specjalistki, nie pamiętam już w jakiej dziedzinie. Ale to nie było istotne. Liczył się kontakt. Brak wątpliwości z jej strony, gdy poprosiłam o akta. Pani Lodzia z poświęceniem wchodziła na krzesło, by otworzyć drzwiczki sądowej szafy i wydobyć dla mnie dokumenty bez pytania sędziego o pozwolenie. Jakżeż to ułatwiało sprawę.

– Proszę usiąść. – Pani Lodzia, nie przerywając rozmowy telefonicznej, ruchem warg zaprosiła mnie do zajęcia krzesła, a uśmiech zdradził jej dobry nastrój. – Zadzwonię do ciebie później – odpowiedziała rozmówcy. – No, no. Nie, tylko tego nie rób. Słuchaj, teraz nie mogę. No to pa. Witam, pani Aniu – rozpromieniła się po odłożeniu słuchawki. – Dawno pani nie widziałam.

– Tułałam się tu i ówdzie.

Nie wyraziła zainteresowania moimi przeżyciami, przechodząc od razu do spraw bliższych jej ciału. Wysłuchałam o Marcinie, jej synu, który przygotowuje się do matury, i Konradzie, jej mężu, mającym widoki na lepszą pracę w Przedsiębiorstwie Handlowo-Usługowym Hurt-Detal Eksport-Import. Słuchałam ze zrozumieniem, czekając, by wreszcie wlazła na krzesło i wydobyła z przepastnej szafy akta Edmunda R.

– A może kawy się pani napije? – spytała nagle jakby nieco skonsternowana swoim brakiem uprzejmości utopionym w potoku opowieści o rodzinie.

– Chętnie – wykorzystałam jej chwilowe wyrzuty sumienia. – I, pani Lodziu – ciągnęłam, będąc przy głosie – chodzi mi o jakąś sprawę pana R. Gdybyśmy mogły czegoś poszukać.

– To ja zrobię kawę, a pani, o, tu jest kluczyk, pani sobie poszuka. – Uśmiechnęła się z gracją i wyszła po wodę.

Dopadłam do akt. Numery, nazwiska, numery. Jest!

Pamiętałam gościa. Na moim celowniku znalazł się jako handlarz walutą, po prostu cinkciarz, w czasach gdy handlowanie dolarami było przestępstwem. Facet miał głowę na karku i w tej głowie po osiemdziesiątym dziewiątym roku zalęgła się myśl o zrobieniu biznesowej kariery. Dorobił się firmy, w której zatrudniał ponad sto osób. Nikt nie złapał gościa za rękę, bo podobno miał układy z wymiarem sprawiedliwości. Gdzie więc szukać hita, jak nie w jego „przedsiębiorczości"? Niezadowoleni pracownicy, wspólnicy mogą być dobrym źródłem informacji.

Szczęście mi dopisało i znalazłam akta firmy Poster, której właścicielem był nie kto inny jak Edmund R., a teraz zgłosił do sądu wniosek o upadłość.

Pani Lodzia zostawiła mnie w pokoju przywołana przez sędziego. Na szczęście nie zapomniała zostawić kawy. Przeglądałam akta strona po stronie. Zwykła sprawa: firma kupiła towar, nie schodził, musiała sprzedać po cenie niższej od ceny zakupu, splajtowała, sąd ma uzasadnione powody, by ogłosić jej upadłość. Nie ma kasy, nie ma majątku, wierzyciele muszą obejść się smakiem. Nawet ZUS i urząd skarbowy, co im niewątpliwie przyjdzie z trudem. Nuda, sprawa, jakich wiele.

Wyszłam na fajkę. Przy oknie popalał starszy mężczyzna, w którego drżących rękach zauważyłam pismo „Wniosek o upadłość", a kątem oka dostrzegłam nazwisko R.

– Pochmurno dzisiaj – zagadałam, zaciągając się papierosem.

– Taak – spojrzał w moją stronę wyraźnie zdenerwowany.

– I zimno w sądzie. Okna chyba mają nieszczelne. A pan na długo?

– Mam papiery do złożenia – odpowiedział.

Poczułam, że muszę przypuścić szturm. Facecik wydawał się sfrustrowany, z czego wywiodłam naprędce, że albo będzie łatwy, albo nie da się nic z niego wyciągnąć. Poszłam na całość:

– Nie przedstawiłam się. Nazywam się Anna Jakubiec, pracuję dla „Gazety”.

– Jan Wieczorkowski. – Kindersztuba wzięła górę nad ostrożnością.

– Przepraszam, że zajrzałam panu przez ramię, ale od dawna interesuję się R. Czy moglibyśmy porozmawiać?

Byłam pewna, że się spłoszy, lecz w jego oczach wyczytałam przyzwolenie.

– Wie pani, tak tu chodzę z tym pismem i nie wiem, co zrobić. Jest tu też mój podpis. Może porozmawiamy w moim mieszkaniu?

– Oczywiście – zgodziłam się bez wahania. – Ale proszę mi powiedzieć, kim pan jest dla R.?

– Prezesem jego spółek.

ANNA
KWIECIEŃ 1992

Harry, proszę o kawę. – Rozpostarłam się dumnie na krześle przed jego biurkiem, opierając nogi na blacie. – Coś mam!

– Podłóż sobie gazetę, bo mi pobrudzisz biurko. – Stary udawał, że zachowuje powagę.

– Chcesz mieć hita czy czyste biurko? – pokpiwałam z jego ciekawości, którą usiłował ukryć. – A co tam! Powiem ci. Spotkałam prezesa spółek R. i mi wszystko wyśpiewał. Znam system.

– No to gadaj.

Harry, nie angażując sekretarki, nalał mi kawy z dzbanka. Rekord świata, nie wiedziałam, że umie.

– Byłam w sądzie wojewódzkim trochę powęszyć i spotkałam faceta, jak się okazało, prezesa spółek R. Trzęsie się przed naszym Mundziem jak osika. Jego mocodawca robi przekręty i sygnuje je podpisem prezesa, wyobraź sobie emerytowanego wieloletniego dyrektora dużego banku za czasów komuny. Dasz wiarę? Nasz informator boi się go sypnąć, bo może za to zapłacić głową, ale nie chce już ciągnąć tego wózka, bo beknie przed sądem. Był w takim strachu, że zaprosił mnie na wywiadzik do własnej chałupy. Z tych nerwów sypnął cały system przekrętów Edmunda z firmami.

– No to pisz! – Harry już poderwał się zza biurka, żeby zarezerwować miejsce na jutrzejszej jedynce.

– Spokojnie, dzisiaj nic z tego nie będzie. Ochłoń – powstrzymałam go. – Musimy się zastanowić, jak to ugryźć, żeby staruszka nie narazić. R. ma wojsko, a stary jest w stanie przedzawałowym i wystarczy go postraszyć, a kipnie na serce. Poza tym obiecałam, że napiszę to w sposób niewskazujący na informatora.

– Wołać Mirka?

– A na co mi Mirek? Daj się zastanowić do jutra. Temat jest perspektywiczny i delikatny, a akurat tych cech Mirkowi brakuje.

Pomyślałam, że mnie też na jednej z nich nie zbywa, ale nie uznałam za stosowne wypowiadać tego głośno.

– Dobrze, Anka, rozpracowuj interesy Edzia, a Bartek z Darkiem będą badali jego działalność kryminalną. Trochę się zajmowaliśmy tym pod twoją nieobecność i wychodzi na to, że facet ma przyjaciół wśród sędziów i prokuratorów, nie mówiąc o zgrai bandziorów, których nazywa ochroniarzami.

– Nie, żebym tego nie lubiła, ale chwilowo mam dość wojny i na drugą z wojskiem Raukucia się nie wybieram – wyrecytowałam deklarację jak z kartki. Całkiem nieźle mi poszło. – Lecz tym, co nadziergał w biznesie, chętnie się zajmę.

– Okej, Anka, zgadzam się. – Harry zmierzał do konkretów. – Jutro czekam na tekst. Rezerwuję jedynkę, pamiętaj!

– Masz jak w banku.

– Wolałbym na biurku.

– À propos biurka, przydałoby mi się, bo moje jest zajęte. I czy nie mógłbyś pomyśleć o komputerach?

Do domu dotarłam około siódmej po odbyciu kolędy po sklepach i wizycie w aptece. Po ostatnich kłopotach z żołądkiem, ukoronowanych chwilowym zasłabnięciem w samochodzie, czułam, że muszę poradzić się siły fachowej. Znajoma farmaceutka z osiedlowej apteki przyjrzała mi się dokładnie zza okularów, próbując trafić wzrokiem w mikroskopijne okienko oddzielające ją od klientów.

– Rzeczywiście wygląda pani blado – oceniła, kiwając głową ze znawstwem po wysłuchaniu mojej relacji. – I to omdlenie. Czy nie byłoby lepiej zgłosić się na badania?

– Zrobię to, ale na razie nie mam czasu – odparłam szybko, nie oczekując dobrych rad, jedynie jakiejś tabletki. – Wie pani, wróciłam niedawno z Chorwacji, gdzie spędziłam pół roku. Może po prostu nie mogę się zaaklimatyzować? – pociągnęłam zwierzenia wbrew sobie.

Niechęć do dalszej konwersacji odmalowała się widocznie na mojej twarzy, bo aptekarka skończyła przesłuchanie, podając mi pudełko z medykamentami.

– To na wzmocnienie. Łyknie sobie pani po jednej kapsułce trzy razy dziennie, a gdyby mdłości wracały, proszę rano rozpuścić tę tabletkę w letniej wodzie. Po kilku dniach powinno przejść. Ale radzę iść do lekarza.

Zapłaciłam. Na dworze było mokro i rześko. Aż chciało się głębiej odetchnąć, posmakować wieczornego chłodu, wchłonąć wilgotne powietrze spływające do wnętrza już nie tak gwałtownie jak zimą. Fakt posiadania środków w torebce uleczył mnie całkowicie. Odczuwałam jedynie znużenie całym dniem tułaczki po mieście. Odezwał się też głód, niezaspokojony w porach posiłków. Co ja dzisiaj jadłam? – usiłowałam sobie przypomnieć. Dwie zimne parówki, paczkę ciasteczek i... to chyba wszystko. W domu były jajka, kawałek żółtego sera; nie pamiętałam, czy nadawał się do użytku.

– Co tak długo dzisiaj? – Jerzy przywitał mnie w drzwiach, odbierając płaszcz.

– Daj mi spokój, jestem zmęczona i głodna. Chyba złapałam temat i musiałam popracować, bo Stary ma zamiar puścić go jutro na jedynkę.

Z kuchni dochodziły podejrzanie miłe zapachy. Mama coś przyniosła do odgrzania? Jerzy wprowadził mnie do pokoju.

– Siadaj, podam rybę. Myślałem, że już nigdy nie przyjdziesz. O mało się nie udusiła w tej folii.

Nie mogłam uwierzyć własnym oczom. Na stole leżały talerze i sztućce. Jednym słowem, zapowiadał się regularny obiad, jak się później okazało – pstrąg zapieczony w folii z ziemniakami i surówką. Niesłychane przeżycie.

– Jurek, sam to zrobiłeś? – niemal krzyknęłam, pierwszy raz w życiu widząc mojego męża krzątającego się po kuchni.

– A jak myślisz? Oczywiście. Czekaj, przyniosę ziemniaki i surówkę z kapusty. Znalazło się też wino.

– Czy jest jakaś okazja, o której zapomniałam?

– Jest okazja. Dzisiaj rozstrzygnęła się sprawa mojego wyjazdu do Paryża. Jadę w przyszłym roku w styczniu, na rok.

Nie pamiętam, kiedy ostatnio Jerzy był w tak dobrym nastroju. Szczegółowo wyłożył mi całą historię załatwiania stażu, poznałam wszystkie zaangażowane w ten proceder osoby i zyski, jakie spłyną na nas z tytułu wyjazdu. Słuchałam, słuchałam, kiwałam głową ze zrozumieniem, potakiwałam w odpowiednich momentach, by nie zauważył kłębowiska myśli, które powinny pozostać pod moją czaszką. Jerzy, Blaż, gazeta... Nikt nie twierdził, że będzie łatwo, ale nikt nie mówił, że będzie tak trudno.

– Czy ty mnie słuchasz? – Jerzy sprowadził moją duszę do ciała.

– Jurek, słucham cię z uwagą, ale wyjazd na rok to nie bułka z masłem – próbowałam się ratować przed oskarżeniami o brak zainteresowania. – Rozumiem cię doskonale, w końcu dopiero wróciłam z Chorwacji.

Uspokoił się. Chwilowe zniecierpliwienie ustąpiło miejsca dobremu humorowi. Sprężyłam się, nastawiając całą swoją duszę i ciało, by dzielić jego radość.

ANNA
KWIECIEŃ 1992

*E*dmund R., *ksywka Ojciec, znany w kręgach warszaw-skich cinkciarzy, po dorobieniu się zalążka majątku założył firmę polonijną Raubex, do której udało mu się pozyskać wspólnika z Irlandii. Gdy wykorzystał wszystkie środki z ministerstwa, przeznaczone na rozwój polsko-polonijnego biznesu, firma Raubex zgłosiła wniosek o upadłość, a jej ponad sto pracowniczek zostało pozbawionych odpraw z tytułu zwolnień grupowych i w konsekwencji złożyło pozwy o ich wypłatę do sądu pracy.*

Edmund R. postanowił więc wejść w interes nieobarczony koniecznością zatrudniania pracowników – założył spółkę skupującą na przedłużony termin płatności węgiel, zboże, cukier i inne towary, by sprzedawać je po cenach niższych od kosztów zakupu, a następnie zlikwidował ją, zgłaszając do sądu jej upadłość. Ojciec powtarzał ten proceder kilkakrotnie, za każdym razem z jednakowym powodzeniem. Kopalnie i cukrownie wysyłały pociągi towaru, nie otrzymując za niego zapłaty. Interes się kręcił, a sąd gospodarczy przyjmował kolejne wnioski o upadłość spółek pana R. lub osób przez niego podstawionych. Pieniądze uzyskane w ten sposób R. przeznaczał na zakup kamienic wystawianych przez urząd miejski na sprzedaż w formie przetargu. Na uwagę zasługuje fakt, że ceny kamienic nie były wygórowane, zważywszy na ich lokalizację i wiek, w związku z czym sposób organizacji przetargów budzi wiele wątpliwości. „Gazeta" zetknęła się w Sądzie Gospodarczym w Warszawie z wnioskami o upadłość firm Poster, Bokero i Kopan należących do Edmunda R. lub będących w jego częściowym posiadaniu (A.J.).

Harry dostał artykuł na biurko, zanim jeszcze pojawił się w biurze. Taka wena mnie wczoraj naszła po napisaniu listu do Blaża, że i R. się załapał na tekst.

– Stary cię woła! – Bartek krzyknął z miną osoby poinformowanej w temacie intencji Harry'ego.

– No i co, podoba ci się?

Nie czekałam na głaskanie po główce, ale muszę przyznać, że spodziewałam się pochwały ze strony Starego – niepoprawna optymistka, ze szklanką zawsze do połowy pełną.

– Jest w porządku, ale moim zdaniem...

Spojrzałam na Harry'ego z lekkim zniecierpliwieniem, gotowa walczyć o swoje racje jak o niepodległość.

– Moim zdaniem warto by dołożyć materiały Bartka i Darka i dowalić z grubej rury.

– Daj spokój, szefie! Cykajmy informacje, kąsajmy go,

a potem – gdy nam się wszystko złoży do kupy – wywalimy artykuł do „krajówki" albo do magazynu. Pójdziemy na całość. Uważam, że jeszcze nie przyszedł na to czas.

– Taki krótki kawałek na jedynkę? – Harry nie dawał za wygraną. – Kto to zauważy?

– Mundziu to zauważy...

– Że też ja zawsze muszę tobie ulegać, kobieto. – Harry się poddał. – Fajeczkę?

Zakurzyliśmy przy otwartym oknie. Mdłości mnie chwyciły jak diabli. I chyba w końcu wiedziałam dlaczego. W innych okolicznościach ucieszyłabym się z mojego odkrycia. W obecnych musiałam sprawę przemyśleć w spokoju.

ANNA
KWIECIEŃ 1992

Anka, ktoś chce z tobą gadać. – Bartek oddał mi słuchawkę.

– Anna Jakubiec, słucham.

– Edmund R., chciałbym panią prosić o spotkanie.

Poczułam się, jakbym usłyszała głos z zaświatów albo coś równie dziwnego. Zadzwonił do mnie materiał na hit, osobnik równie medialny, jak nierzeczywisty. I ni z tego, ni z owego prosi o spotkanie. Jak każdy dziennikarz poczułam podniecenie. Świetnie, dowiem się czegoś więcej! Chce się spotkać? Re-we-la-cja.

– O czym będziemy rozmawiali?

– O pani ostatnim artykule.

– Chciałby pan coś dodać?

– Raczej wyjaśnić, ale wolałbym u mnie.

– Zgoda. Gdzie się spotkamy?

– Zapraszam do mojego biura.

– A zatem gdzie?

Oczywiście znałam adres, ale nie chciałam, by odniósł wrażenie, że polecę na pierwsze jego skinienie. Choć wkładałam już kurtkę.

– Smulska 26. Sekretarka wprowadzi panią do mnie. Czekam na panią redaktor. – Odłożył słuchawkę.

Cham. Niewiele się zastanawiając, rzuciłam chłopakom:

– Idę do Mundka. Jakbym zbyt długo nie wracała, to poszłam na Smulską 26, dobra?

– Uważaj na siebie.

Sekretarki nie było. R. wprowadził mnie na zaplecze elegancko urządzonego biura. Przy dębowym stole siedziało dwóch dżentelmenów w garniturach, w tle widniało olbrzymie akwarium. Edmund R. z kurtuazją wstał i zbliżył się do mnie, czekając, aż podam mu rękę. Wyciągnęłam dłoń, którą pewnie uścisnął, spoglądając mi wnikliwie w oczy.

– Zapraszam. Kawę?

– Jeśli to nie sprawi kłopotu... – Czemu nie, pomyślałam, kawa może być.

R. rozpostarł się wygodnie na krześle, przeczesując ręką gęste, naturalnie falujące włosy, których kosmyki wymykały się czasami spod kontroli, prowokując dłoń do ich odgarniania. Muszę przyznać, że był przystojny. Sportowa marynarka i czarne dżinsy idealnie podkreślające figurę sprawiały, że wyglądał na pewnego swoich walorów faceta, zawsze osiągającego zamierzone cele. Jeżeli wykreował taki wizerunek na potrzeby biznesu, to *chapeau bas!*, jeżeli zaś wyssał go z mlekiem matki, to jeszcze większy szacun.

– Dlaczego się pani mną interesuje? – przybrał aktorską pozę.

– Dlatego że robi pan przekręty. – Wyczekałam jego spojrzenie. – A ja jestem dziennikarką, którą takie rzeczy interesują.

– No to ja powiem pani coś. Nie lubię takich artykułów. Zawód dziennikarza jest niebezpieczny. Proszę przypomnieć sobie tego ciekawskiego pismaka z Poznania, który zniknął nagle i się nie odnalazł. – Poczekał na moją reakcję. – Droga pani redaktor, powtórzę jeszcze raz: nie lubię takich artykułów. Niech pani przestanie za mną chodzić, oczywiście jako dziennikarka. – Rzucił mi lodowate spojrzenie stalowych oczu. – Bo nie miałbym nic przeciwko inwigilowaniu mnie jako mężczyzny.

Kolesie uśmiechnęli się pod nosem, doceniając dowcip bossa.

– Powiem jeszcze jedno. Jestem człowiekiem zamożnym, biznesmenem. Grożą mi różni źli ludzie i muszę się dobrze zabezpieczyć. Zawsze więc noszę to. – Odchylił poły marynarki i zobaczyłam jakąś broń. – Czy się rozumiemy? Proponuję układ: pani nie będzie pisała o mnie przez trzy miesiące, a ja nie wytoczę „Gazecie" procesu o ujawnienie mojego imienia i nazwiska w pani artykule.

Ja pierniczę! On ma na nas haka. Przecież mówiłam Staremu: żadnych nazwisk. A ten oczywiście swoje.

– Przekażę pana warunki redaktorowi – próbowałam wycofać się z godnością, łykając wstyd za wpadówkę z nazwiskiem, i ratować własny tyłek przed „nagłym zniknięciem dziennikarza".

Odprowadził mnie do drzwi.

Ulica, na której postawiłam stopę, otoczyła mnie niczym kokon jedwabnika. Poczułam się tak, jakbym właśnie uniknęła niebezpieczeństwa. Poleciałam do redakcji przekazać wrażenia, po drodze zastanawiając się, jak ugryźć gościa bez szwanku na ciele i duszy.

Stary się zestrachał. Wiadomo, proces dla gazety to nic dobrego. Zawsze można przegrać, szczególnie gdy się samemu podłożyło, jak – nie chwaląc się – my z podaniem danych osobowych Edmunda R.

– Przeczekamy te trzy miesiące, Anka – obwieścił Harry po zapoznaniu się z moją relacją – tym bardziej że on ma koneksje w wymiarze sprawiedliwości. – Puścił oko. – Na razie niech chłopaki pracują i węszą, potem się zobaczy. A ty leć do domu. Coś lichutka jesteś.

– Dzięki za uznanie – próbowałam zakpić, siląc się na rześki ton, ale wyszło niemrawo.

Faktycznie brała mnie jakaś grypa żołądkowa, tłumaczyłam sobie, odpędzając myśli, że ta grypa może mieć imię i być spełnieniem moich wieloletnich marzeń, które przyszło w zupełnie nieoczekiwanym momencie. Muszę umówić sobie wizytę u ginekologa.

ANNA
KWIECIEŃ 1992

Jest pani w ciąży – obwieścił mi nowinę doktor Jacuński głosem poważnym, wprawionym przez dziesięciolecia praktyki w przekazywaniu pacjentkom dobrych wieści. – Proszę – podał mi rękę, by pomóc mi zejść z fotela ginekologicznego, jak gdybym już nosiła przed sobą ogromny brzuch przeszkadzający w zachowaniu gracji.

Zrozumiałam powagę sytuacji. Czy wolno mi się nadal zachowywać tak jak do tej pory?

– Czy to pewne, panie doktorze?

Jacuński dyskretnie się uśmiechnął.

– Absolutnie. Nie ma żadnych wątpliwości. Ale będzie pani musiała na siebie uważać. Zapiszę witaminy i do końca czwartego miesiąca traktujemy ciążę bardzo poważnie, zważywszy na pani wcześniejsze problemy. Żadnych nerwów, dużo wypoczynku. Wszelkie odstępstwa od normy proszę mi zgłaszać – wygłosił.

– Czy mogę pracować?

– Oczywiście, ale z umiarem. Proszę się oszczędzać.

– A co mi się może stać?

– Jeżeli pojawią się plamienia, omdlenia, bardzo intensywne torsje, proszę się kontaktować. Mam nadzieję, że ciąża przebiegnie pomyślnie, ale na wszelki wypadek spotkajmy się za miesiąc. Zrobimy USG.

Jestem w ciąży! Z tego wszystkiego zapomniałam zapytać o płeć dziecka i o wiele innych rzeczy. Tyle lat staraliśmy się z Jerzym o dziecko, że kiedy wiadomość o ciąży dotarła do mojej świadomości, nie wiedziałam, co myśleć. Czy ja umiem urodzić dziecko? Jak sobie poradzę? Przecież pracuję. Przecież zamierzam wyjechać do Chorwacji! A Jerzy wyjeżdża na staż.

Siedziałam w aucie, aż poczułam chłód. Boże! Co teraz będzie? Zadzwonię do Błaża. Nie, nie zadzwonię. Bo co mu powiem? Jadę do domu, Jerzy pewnie się denerwuje, że mnie tak długo nie ma. Nie zrobiłam zakupów, nic nie ma na kolację. Jadę. Nie jadę. Może wpadnę do rodziców? Nie, muszę najpierw powiedzieć Jerzemu, bo się obrazi, że najpierw poleciałam do nich. Co mnie obchodzi, że się obrazi? W końcu to ja jestem w ciąży! Ale on będzie ojcem. Tak, on będzie ojcem. Widać tak musiało być i tak jest. Jerzy będzie ojcem. Będziemy mieli dziecko, o które staraliśmy się tyle lat. Czy Jerzy chciał mieć dziecko? Na pewno, w końcu znamy się od piętnastego roku życia i musiał je chcieć, bo ja chciałam. Tak było i tak jest.

Skostniałam już w samochodzie. Ręce i nogi mi zlodowaciały, tylko głowa pracowała na najwyższych obrotach.

Wyglądałam jak kłębek wątpliwości na przednim siedzeniu. Życiowe decyzje podejmowane w samotności... Kobieta z dzieckiem, która za chwilę włączy rozrusznik i pojedzie. Ania, Ana, Anka. A może „mama"? Nie powiem jeszcze Jerzemu. Nie jestem gotowa.

ANNA
KWIECIEŃ 1992

To ty? – usłyszałam głos Jerzego dochodzący z pokoju. A kto inny wchodzi do naszego domu, otwierając drzwi kluczem? Co za nonsensowne pytanie, przeszło mi przez myśl.

– Jestem! – krzyknęłam może zbyt głośno. – To my, Jurek!

Jerzy spojrzał na mnie podejrzliwie, podrywając się z fotela.

– Jesteś sama? – zdziwił się, omiatając wzrokiem przedpokój w poszukiwaniu nieoczekiwanego gościa.

– Jurek, jestem w ciąży. Będziemy mieli dziecko.

Przestraszyłam się tego, co powiedziałam, zdając sobie nagle sprawę, że słowa zadecydowały za mnie. A może nie wymknęły mi się przypadkowo? Może po prostu nie potrafiłam ich powstrzymać, dać im czasu, by wyartykułowały (fuj! co za brzydkie słowo) przemyślaną decyzję, godną doświadczonej trzydziestodwuletniej kobiety, która świadomie kieruje swoim życiem. Dokonałam wyboru.

– Mówisz poważnie? To prawda? – Jurek z radością podniósł mnie i za chwilę delikatnie opuścił. – Usiądź, nie męcz się. Może podam ci herbatę?

– Nic mi nie jest, po prostu jestem w ciąży. Jacuński nie ma wątpliwości. Za herbatę dziękuję, ale kawę możesz zrobić.

– Już lecę!

Jurek pobiegł do kuchni w podskokach, gotów zaparzyć kawę z herbatą w jednym kubku i doprawić je cytryną ze śmietanką.

Powiedziałam to. Głupia kobieta, która nie umie utrzymać języka za zębami. Stało się i nie byłam pewna, czy tak miało być. Czy obwieściłam nowinę odpowiedniemu mężczyźnie? Jerzy krzątał się wokół mnie, podstawiając puf pod nogi, żeby mi było wygodnie, podkładając poduszkę, na której mogłam oprzeć głowę, okrywając kocem. Nie miałam pojęcia, że jego reakcja będzie aż tak wyrazista, że się ucieszy. W głębi duszy czekałam na dystans, spodziewałam się rezerwy z jego strony. Miałam nadzieję na stek wątpliwości, który pomoże mi się wkurzyć, pobudzi do... podjęcia innej decyzji.

Blaż pracował w Sarajewie. Nieliczne wiadomości z frontu słane do Polski przez naszych dziennikarzy nie były optymistyczne. Zżerał mnie niepokój wprost proporcjonalny do odległości i nieprzewidywalności losu i tym większy, że nie miałam się nim z kim podzielić. Poczekam na list albo telefon. I co mu wtedy powiem?

– Tylko umocz usta – Jerzy podał mi kieliszek szampana – bo dziecko będzie nietrzeźwe.

Wychyliłam spumante do końca, wsłuchując się w potok słów wypływający z ust Jurka, że muszę o siebie dbać i zostawić Edmunda R. w spokoju, że on wyjedzie do Francji, ale dopiero gdy się urodzi dziecko, a dziadkowie na pewno mi pomogą, że mnie kocha i bardzo się cieszy.

Odpłynęłam w ciszę. Słowa docierały zanikającą falą, a półsen wprowadził w nastrój sprzed kilkunastu lat, gdy oboje z Jurkiem wracaliśmy ze szkoły.

– Ciotki klotki już gadają – skomentowała mama, gdy odebrałam telefon w przedpokoju.

Spojrzałam na nią z wyrzutem, bezradna wobec faktu, że nie mogę zabrać aparatu do pokoju i ukryć się przed błąkającą się w pobliżu rodziną.

– Mamo, rozmawiam – zakomunikowałam, dając jej do zrozumienia, że pragnę pozostać sama.

– Dobrze, dobrze, byle nie za długo. Obiad na stole. Przecież dopiero co się rozstaliście. On zdążył już dojść do domu? – z przekąsem rzuciła celną uwagę.

Odwróciłam się zniesmaczona. Zawsze to samo.

– Jestem – powiedziałam do Jurka, który wisiał na drucie z drugiej strony. – Co u ciebie? Idziesz z psem? Ja teraz nie mogę wyjść, ale... – zawiesiłam głos, intensywnie myśląc – ...może za jakąś godzinkę wyjdziemy z kundlami do lasku? Dobra, wpadnij o piątej.

– Aniu! Telefon do ciebie – wołał tato z przedpokoju.
– Już idę. Kto dzwoni?

– A jak myślisz? Przecież rozstaliście się już pół godziny temu. – Tato wszedł do pokoju, przymykając drzwi.

Zamknęłam je starannie, sprawdzając, czy szpara nie jest za duża.

– No, czeeeść – mój głos przyjął aksamitne brzmienie. – Jestem już. Rodzina leży na kanapach i czyta, możemy pogadać.

I gadaliśmy, przedłużając czas rozmowy, jakby od tego miało zależeć nasze życie. O szkole, o znajomych, o wypracowaniu na jutro. Piętnastoletnie dzieciaki trafione strzałą Amora. Jutrzejszy lutowy poranek miał towarzyszyć nam na przystanku tramwajowym, z którego jedynką jechaliśmy do szkoły. Po lekcjach tramwaj był niepotrzebny. Przejście przez miasto, spacer Wiosenną, ozdobioną szpalerem kasztanowców, stanowił nasz codzienny rytuał. Niestety, droga do domu kończyła się szybko. Po godzinie docieraliśmy do celu. A do jutra tyle czasu...

– Ty już dzwonisz? – Mama nie dawała za wygraną. – Przecież jego jeszcze nie ma w domu!

– Mamo!

Zawsze mnie denerwowała, chociaż wiedziała, że Jurek mieszka ulicę dalej i szybko idzie, by odebrać telefon. Zazdrości. Wiadomo, starzy są starzy i tego nie rozumieją.

– Jest mi zimno, Jurek. – Koc nagle przestał działać. – Chyba się położę.

Ocknęłam się, odsuwając natrętne wspomnienia. Zapaść w sen, przespać noc, nie mieć rano mdłości. Wykąpię się rano, teraz tylko się rozmalować i łóżko.

ANNA
GRUDZIEŃ 1992

Ciąża szczęśliwie dobiegała końca. Minęły czteromie-sięczne traumy, że ją utracę, wstrząsana codziennymi wizytami w łazience z sedesem w objęciach. Poranne nud-ności pozbawiały radości życia, a serek homogenizowany z dżemem z czarnej porzeczki stał się moim najgorszym wrogiem. Szesnaście tygodni, co chwila przerywanych wizytami u ginekologa, przetrwaliśmy lub przetrwałyśmy z powodzeniem, nie ruszając się niemal z łóżka ku wiel-kiemu niezadowoleniu Starego, który musiał pogodzić się z chwilową utratą roboczego wołu. A dobrze ci tak! – konstatowałam z satysfakcją. I tak miałam Edmunda R. zostawić w spokoju, oddając pałeczkę moim redakcyjnym kolegom prowadzącym dyskretne śledztwo. I chociaż potem poczułam się lepiej, lekarz prowadzący pozostał bezlitosny w kwestii L-4: „Pani Aniu, wypisuję zwolnienie. Jeśli chce pani donosić ciążę, proszę leżeć i to nie na redakcyjnej kanapie, ale w domu".

Zaległam zatem na domowej kanapie, urozmaicając sobie dzień studiowaniem poradnika „Młoda mama" i dbaniem o siebie.

Blaż się nie odzywał. Korciło mnie, by chwycić za pióro i przerwać ten maraton milczenia, ale za każdym razem, gdy przekonywałam się o słuszności swojego postanowienia, jakaś niewidzialna siła nie pozwalała mi pisać. Co za człowiek! Fale złości zalewały pielęgnowane we wspomnieniach obrazy naszej chorwackiej przygody. Właśnie, najgorsze jest to, że zaczęłam traktować miłość z Blażem jak zamykający się, bałam się powiedzieć „zamknięty", rozdział. Co z oczu, to z serca. Świetnie, nowa kochanka o pięknym imieniu Sarajewo zawładnęła jego życiem. A jeżeli coś mu się stało i nie może odpisać, bo leży ciężko ranny w szpitalu polowym? No, już, na pewno, popija pewnie rakiję z kolegami dziennikarzami i rozgląda się za nową miłością, a ja tu próbuję znaleźć wytłumaczenie dla ciszy w eterze. Jakie życie, taka śmierć. Jaką bronią walczysz, od takiej zginiesz. Jak Kuba Bogu, tak Bóg Kubie. Bliższa koszula ciału... Obiegowe powiedzonka wbijały się do głowy klinem, powodując wyrzuty sumienia. Kobieto, zasłużyłaś sobie na to. Na co liczyłaś? Że znalazłaś miłość, że to było ci przeznaczone? Facet miał ochotę poromansować i to zrobił, a tobie się wydawało, że mu na tobie zależy?

Spróbuj się teraz odezwać, gadzie – wkurzałam się w szóstym miesiącu, myśląc o Blażu. Nienawidzę cię – dołożyłam mu w myślach w ósmym, ciągle mając nadzieję, że się jednak odezwie. W dziewiątym oczekiwałam na poród. Obudziłam Jurka o czwartej rano.

– Chyba już czas.

Wyskoczył z łóżka nieprzytomny. Grudniowy poranek spowił okna naszego malucha lodową powłoką. Trzęsąc się w nieogrzanym jeszcze aucie, próbowałam przetrwać nadchodzące co pięć minut bóle. Jurek puścił w ruch drapaczkę do szyb, uwalniając je od zamarzniętej wody ze śniegiem. Nie urodziłam w samochodzie, na co się zanosiło. Dojechaliśmy do szpitala, zostałam zbadana na izbie przyjęć, a potem skierowana na porodówkę, gdzie domagałam się lekarza – przecież rodzę! – by już po siedemnastu godzinach usłyszeć od lekarza: „Rodzimy". Człowiek w białym kitlu włożył rękawiczki, poinstruował mnie, co mam robić, i powiedział, że wszystko jest w porządku, a ja się mam postarać.

Po kilkunastu godzinach bólu, obawy o własne życie i życie dziecka byłam już w takim strachu, że nawet nie reagowałam na telefon, który dzwonił na korytarzu, a domyślałam się, że to mój mąż z pytaniem, czy żona urodziła.

– A jak się nazywa?

Anna Jakubiec.

– Jeszcze nie – usłyszałam głos pielęgniarki. – Niech pan zadzwoni rano, do rana urodzi.

I za piętnaście minut to samo.

– Przeć! – usłyszałam głos lekarza.

Zacisnęłam dłonie na oparciu żelaznego łóżka, wykonując polecenie. Zabolało.

– Jeszcze raz przeć!!! – Facet podniósł głos.

Zebrałam wszystkie siły, by wypchnąć dziecko.

– Proszę nacisnąć!

Położna rzuciła się na mój brzuch, wykonując polecenie szefa.

– Jeszcze raz! – Lekarz spojrzał na mnie stanowczo. – Widzę główkę dziecka. Jeszcze raz...

Zrobiłam to jeszcze raz, sama nie wiem jak. Po chwili usłyszałam płacz.

– Ma pani córkę.

Lekarz podniósł wrzeszczące maleństwo i zanim zdołałam przetrzeć mgłę, która przesłoniła mi oczy, przeciął pępowinę.

Moja malutka trafiła pod kran z wodą, by odbyć pierwszą na świecie kąpiel i ukazać się bez śladów płodowego życia, ja zaś z uczuciem ulgi i bez bólu poddawałam się poporodowym ablucjom. Jaka radość, jakie szczęście! Żyję i mam dziecko! Mam córkę! Zachciało mi się jeść. Matko, nie jadłam całe wieki.

– Panie doktorze, czy mogę dostać coś do jedzenia?

– Za chwilę, gdy panią zaszyję.

Gdy leżałam na korytarzu, patrząc z niedowierzaniem na spłaszczony brzuch i jedząc stertę zimnej kaszanki, usłyszałam telefon.

– Anna Jakubiec? Urodziła. Córka, 4200, 57 centymetrów. Może pan dzwonić jutro po ósmej.

Spać. Jezu, jak mi się chce spać.

ANNA
GRUDZIEŃ 1992

Wyciągnęłam się na szpitalnym łóżku po karmieniu małej. Pielęgniarka zabrała okutane w pieluchy maleństwo w bliżej nieokreśloną przestrzeń za szklanymi drzwiami z napisem „Sala noworodków", do której żadna mama nie miała dostępu z powodu możliwości wniesienia zarazków, bakterii i innych potworów zagrażających życiu dzieci. Grudniowe słońce wpadało przez niczym nieosłonięte okna, nie dając zasnąć. Ale wyczerpany po porodzie organizm domagał się wypoczynku. Odwróciłam się od okna na drugi bok, powoli zapadając w senne marzenia. Kilka miesięcy temu byłam jeszcze w Chorwacji, w marcu czy w kwietniu Blaž odpowiedział mi po raz ostatni. I treść jego listu – wbrew mojej woli – znalazła sobie miejsce w mojej pamięci, nie dając się z niej wyrzucić. *Twój list, piękny prezent, wart otwarcia przy kieliszku dobrego wina, sprawił mi tyle radości, ile troski. Załatw sprawy z Jurajem. Rób, co musisz, kocham*

Cię jak zawsze, tęsknię jak nigdy. Czekam i będę zaglądał do skrzynki na listy kilka razy dziennie. Pamiętasz, to ta pomarańczowa, pomazana graffiti. Od dzisiaj pomarańczowy jest dla mnie kolorem nadziei. Moim życiem jesteś ty, Ana – słowa te pulsowały mi w głowie, nie dając się odpędzić. *Cały czas myślę, jak ułożyć sobie życie z Tobą. Przez trzy tygodnie się zastanawiam, co odpisać kochanemu mężczyźnie, gnieżdżąc się w ciepełku starych śmieci jak żółw w skorupie. Jestem patetyczna, jestem żałosna. Wybacz mi. Nie daj się dosięgnąć zbłąkanej kuli. Twoja asekurancka Polka Ana* – fragmenty moich listów do Blaża nie dawały o sobie zapomnieć.

Przez kilka tygodni nie miałam od niego wiadomości. Codziennie biegałam do skrzynki, która nie chciała obdarować mnie prezentem nadziei. Wyrywałam się z łóżka do redakcji, licząc na malutką, naprawdę niedużą białą kopertę z obcym znaczkiem pocztowym. Nic. Może i dobrze, myślałam – czasami ze złością, reagując alergicznie na zawód. Co mu odpowiem? „Kochany Blażu, jestem w ciąży i nici z naszych planów"? Albo: „Blaż, będziemy mieli dziecko"? Aż się wzdrygnęłam na tę ewentualność. „Chwilowo jestem w niedyspozycji. Może spotkamy się za kilka miesięcy"? To już niewybredna kpina z poważnych spraw.

Gdybym miała pewność, że to było dziecko Blaża... Żebym miała chociaż cień wątpliwości... Żadnych, urodzę potomka Jerzemu. Kanarek w klatce, stało się. Los zdecydował, zero możliwości manewru. Czekałam na list z trwogą i nadzieją. Nadzieja spodziewała się krzepiących słów – przyjeżdżaj, kocham cię; trwoga obawiała się kwestii: poczekajmy, wojna, niebezpieczeństwo, później. Nie nakarmiłam ani jednej, ani drugiej. List nie dotarł w kwietniu ani w lipcu, nie doczekałam się go też w listopadzie, gdy trudno mi było poznać się w lustrze.

W dziewiątym miesiącu byłam już pewna, że dziecku nic się nie stanie, że donoszę ciążę i nie muszę martwić się o sprawy życia i śmierci. Bo wcześniej jak każda kobieta w ciąży przejmowałam się demonami, złym losem, który może odebrać mi szczęście, do jakiego zdążyłam się już przyzwyczaić, palcem bożym, karzącym niewierne żony...

– Proszę pani, mąż do pani. – Pielęgniarka weszła do sześcioosobowego pokoju młodych mam, które właśnie urodziły.

Ze mnie młoda mama, że ho, ho! Jedna z pań ma siedemnaście lat, druga – dziewiętnaście, trzecia – dwadzieścia trzy i już trzecie dziecko oddaje do domu dziecka. Szok! Zwlekam się powoli, uważając na ranę po porodzie. Kieruję się do szklanych drzwi, za którymi stoi Jerzy z woreczkiem pomarańczy.

– Cześć, kochanie. Mała jest piękna. Jak się czujesz?

– No, wiesz, jeszcze trochę boli...

Posiedzieliśmy, pogadaliśmy, pełna rodzina, wreszcie się udało. Czułam się taka spełniona, dzielna, wszechmocna. Urodziłam córkę, dałam nowe życie, mam to za sobą. Pierś po ordery. Jerzy był wspaniały. Chwalił, głaskał po głowie, troszczył się, kochał. Po jego wizycie, trochę zmęczona, położyłam się rozprostować kości. Sjestę przerwał mi głos pielęgniarki.

– Pani Jakubiec? Ktoś do pani. – Pielęgniarka westchnęła ze zniecierpliwieniem, zobowiązana przedstawiać mi kolejnego – z jej punktu widzenia zupełnie niepotrzebnego i zakłócającego spokój oddziału – gościa.

– Harry! Nigdy bym się ciebie nie spodziewała!

Mój szef, spojrzawszy na leżące w połogu panie, dał znak, że gdybym jednak mogła wyjść...

– Witamy na świecie nowy narybek do gazety. – Przytulił mnie niezgrabnie, ale serdecznie. – Jak się czujesz?

– Dobrze. Podejrzewam, że chcesz mnie zapytać, kiedy wrócę do pracy. – Uśmiechnęłam się znacząco.

– To też, ale nie tylko. Chciałem ci pogratulować i coś dać. Tylko się nie denerwuj.

– Matko, Edmund pozwał nas do sądu? – zdenerwowałam się nie na żarty.

– Nic z tych rzeczy. Mam kilka listów do ciebie, które przyszły na adres redakcji ze trzy dni temu. Proszę. I jeszcze raz pozdrawiam od wszystkich panią redaktor. – Ścisnął mnie tak mocno, żeeee...

Listy miały chorwackie znaczki.

– Harry, dlaczego mam się nie denerwować? – uruchomiłam mózg.

– Powiem prawdę. – Harry w obliczu tajemnicy narodzin stał się bezbronny. – Kilka z nich dotarło już wcześniej. Anka, nie dawałem ci ich. Przepraszam, nie gniewaj się. No to ja już pójdę. Trzymaj się. Przepraszam.

Pielęgniarki zabrały Weronikę po karmieniu około pierwszej w nocy. Otworzyłam pierwszy list.

Sarajewo, 8 kwietnia 1992

Draga Ana! Przyjechałem do Sarajewa późno. Zasnąłem niemal natychmiast, niosąc pod powiekami Twój obraz. Rankiem wyrwał mnie z łóżka Tomislav, który gnał na marsz pokoju. Przeczuwamy, że coś się tu zacznie dziać. Wojska serbskie opanowują góry wokół Sarajewa. Ciągną czołgi, moździerze, wyrzutnie rakiet. Znając zwyczaje Serbów, spodziewamy się snajperów. Paramilitarne oddziały zaatakowały posterunki policji i bośniackie Ministerstwo Spraw Zagranicznych (pamiętasz, że Bośnia i Hercegowina ogłosiły niepodległość?). Trzy osoby zginęły.

Pognałem na marsz pokoju. Snajper ulokowany w Holiday Inn ustrzelił sześć osób z pierwszych rzędów. Serbowie nie odpuszczą. Ale ludzie są gotowi walczyć o swoje. Czuję, że jeszcze tu trochę posiedzę.

Przepraszam za tę reporterską relację, zboczenie zawodowe. Ale wiesz, się dzieje! Gdybyś potrzebowała informacji z frontu, służę. Z tego, co widzę, za wielu polskich dziennikarzy tu nie ma.

Ana, cierpliwości, ja wiem, że dałem się w to wrobić, zamiast czekać na Ciebie w naszym pokoiku. Liczę, że zrozumiesz mnie jako fantastyczna kobieta i niestrudzona dziennikarka. W pewnym sensie jestem wdzięczny losowi za skierowanie na wojnę. Czas pokoju skłania do myślenia, a na to nie mam teraz ochoty. Czekam na działania, czekam na Ciebie i na to, co się nam wydarzy. Jestem Twoim żołnierzem na polu walki. Noszę Twoje zdjęcie w lewej wewnętrznej kieszeni moro. Jestem sentymentalny? A niech tam, nie pozbywaj się tej swojej spódnicy bananowy i białej przezroczystej bluzeczki z wiązadełkami z przodu i pamiętaj, opaska hippisowska też musi zostać. Przepraszam za nieskładną treść, ale ciągle mi ktoś przeszkadza. Z oddali dochodzą odgłosy wystrzałów, miasto nie kładzie się spać, wszyscy czekają na kolejne wydarzenia. Mam nadzieję, że list dojdzie do Ciebie bez przeszkód, czekam na rewanż. Rozmawiałaś z Jurijem? Pisz szybko i dużo. Nie zapomnij o mnie.

Twój Chorwat w Sarajewie

Sarajewo, czerwiec 1992

Moja Ana! To już dwa miesiące banicji w Sarajewie i sto dni od Twojego wyjazdu. Sto dni bez Ciebie i niemal tyle samo bez wieści z dalekiej Polski. Gdy patrzę i opisuję tragedię tego miasta, w którym kilka lat temu spędzałem zimowe wczasy, jeżdżąc na nartach, nie mogę pogodzić się z tym, co się tutaj dzieje. Żeby to zrozumieć, nie wystarczy obserwować. Z jednej strony widzę spadające granaty i pociski, z drugiej słyszę prezydenta Bośni i Hercegowiny Alii Izetbegovicia, który nakazuje likwidować dzielnice miasta kontrolowane przez siły serbskie. A przecież tam też mieszkają jego ziomkowie Bośniacy! Nie przysparza mi to glorii u szefa, który chce innych tekstów: Serbowie źródłem całego zła. Ale jak bośniaccy snajperzy mają poznać, do kogo strzelają, z takiej odległości?

Poznałem dwudziestotrzyletniego studenta, którego los uczynił zabójcą. Przez dwa i pół miesiąca robił to z przekonania. Potem nigdy już nie doszedł do siebie. Zgłosił się na ochotnika do bośniackiej obrony terytorialnej, po dziesięciu dniach dyżurów na ulicach jako strażak dostał karabin. Był najlepszym strzelcem w jednostce, przekonanym, że dokonuje bohaterskich czynów. Stał się mścicielem. Rodzice nie wiedzieli, co robił. Okłamywał ich, że pracuje w kontroli policyjnej. Sypiał w domu, niczego się nie domyślali. Dlaczego im nie mówił? Podświadomie czuł, że to, co robi, nie jest słuszne. „Nie pamiętam", powiedział mi kiedyś, „jak zaczęło się moje przebudzenie". Pewnej nocy po prostu zaczęły stawać mu przed oczami obrazy jego ofiar. Matka zauważyła, że nie sypia, że traci rozum. Potem próbował popełnić samobójstwo, otruć się lekami. Pociesza się, że nie zabijał dla pieniędzy tak jak Serbowie, ale może im wcale nie płacili?

Trudne sprawy, trudna spowiedź. Tak teraz żyję, miotając się między kulami. Żart, tylko czasami przy akompaniamencie ostrzałów. Miasto próbuje żyć, radzić sobie. Serbowie zablokowali główne drogi dojazdowe, nie dociera żywność i leki, ale na razie jestem zdrowy. Pod koniec maja trafiłem po raz pierwszy do schronu w piwnicy. Było duszno i przede wszystkim nie pozwalali palić, to się trochę wyszło na zewnątrz. Jak w sylwestra. Dziesiątki pożarów oświetlały miasto, detonacje, smugacze, dym, trzaskają szyby. Ale lepsze to od płaczu dzieci i lamentów kobiet. Nie martw się jednak. Żyję, piszę, robię notatki i... czekam na list od Ciebie.

Blaż,
Twój pamiętający Chorwat
zaplątany w serbsko-bośniacką wojnę

Sarajewo, listopad 1992

Draga Ana! Wysyłam do Ciebie trzeci list z Sarajewa, który będzie już chyba ostatnim, bo muszę wracać do Zadaru. Nie doczekałem się nawet kilku słów od Ciebie. Myślę, że to poczta zawaliła sprawę. Niemożliwe, byś spuszczenie kurtyny milczenia uznała za najlepszy sposób zakończenia naszej znajomości, tego, co między nami było. Nie wierzę i nie uwierzę, dopóki nie usłyszę tego wprost od Ciebie. Wiesz, że jestem uparty i nadal nie mogę zapomnieć. Podejmę jeszcze jedną próbę kontaktu z Tobą, o czym myślę codziennie, siedząc w Sarajewie, zdany na łaskę losu i przedsiębiorczość jego mieszkańców.

W czerwcu zabrakło prądu. W ciągu kilku dni zjedliśmy wszystkie zapasy z zamrażarek i lodówek. Obżarliśmy się do bólu brzuchów. Lepiej odchorować, niżby się miało zmarnować. Znasz to. Pozostała mąka, ryż, makarony. Czasami jedynym pożywieniem stawał się chleb posypany solą. Ale od lipca i jego zabrakło z powodu braku mąki i prądu. Od października piekarnia pracowała już tylko dla wojska, policji i osób zatrudnionych w służbie państwowej. Mieszkańcy dostawali resztki i stali po nie godzinami. Wszyscy wydatnie schudli.

Kobiety robiły z ryżu chleb, placki, zupy, a nawet słodycze. Podam Ci przepis na taki chleb: pół kilo ryżu rozgotowujemy i rozrabiamy z niego ciasto z dodatkiem mąki pszennej. To musi postać przez noc. Pieczemy. Jako dodatek do ryżu i makaronu można zastosować „zieleninę": pokrzywę, babkę, podbiał, koniczynę. Gorzki smak „zieleniny" niknie, gdy się ją ugotuje i drobno posieka. Wątpię, by tego rodzaju wiadomości docierały do świata.

Po wielodniowym pobycie w piwnicach mieszkańcy Sarajewa niemal masowo wylegli na ulice w poszukiwaniu chleba. Na ulicy Wasy Miskina jak zwykle był największy tłum. Za dziesięć dziesiąta pada pierwszy granat. Czworo lekko rannych. Trzy minuty później pada drugi, między miejską halą targową a sklepem Alhos. Na szczęście nie ma ofiar w ludziach. Osiem po dziesiątej trzecia eksplozja. Dwadzieścia siedem osób zabitych i osiemdziesiąt pięć rannych, głównie starców, kobiet i dzieci. Stali w kolejce po chleb. Ulica była prawie cała we krwi... Która ze stron była animatorem masakry? Zaczynam się czuć zmęczony unikaniem pocisków snajperów i tą bezsensowną wojną. Mam wrażenie, że moja obecność i relacje nie wnoszą już nic nowego poza opisem ludzkich tragedii.

Wracam do siebie i zobaczę, co się dzieje na moim podwórku. Mam ochotę zobaczyć się z Zoranem i napić się swojskiej rakii. Zima przed nami, ale po zimie przychodzi wiosna. Na razie liczę na przedwiośnie, na list od Ciebie. Daj mi chociaż nadzieję, tę pierwszą jaskółkę, która wiosny nie czyni, ale ją zapowiada. Kocham Cię, Moja Ana.

Twój Chorwat

ANNA
GRUDZIEŃ 1992

Nie wiem, jak to ująć, nie wiem, jak to opisać, nie mam pojęcia, jak to przeżyć. Jestem chodzącą tragedią. Co ja zrobiłam! Po przeczytaniu listów Blaża mogłam już tylko leżeć na wznak na szpitalnym łóżku i się nie ruszać.

Zachciało mi się spać. Przyłożyłam głowę do poduszki, pragnąc powierzyć jej kilka godzin snu. Babki na sali przewracały się z boku na bok, noworodki przyjeżdżały do karmienia. Czekałam na moją Weronikę patrzącą ciemnymi ślepkami w twarz swojej matki, ufnie, na wpół niewidząco, oddanie. Listy Blaża kompletnie mnie rozstroiły. Czy jednak, gdybym dostała je w odpowiednim czasie, coś by to zmieniło? Może tak, może nie. Ale miałabym szansę na inną decyzję. A tak los zdecydował za nas. Jak mogłam zwątpić w Blaża? Brak listów od niego wziąć za celowe działanie? Niczego nie zmieniać. Asekurantka niepotrafiąca stawić czoła życiu.

– Czy pani się dobrze czuje? – Pielęgniarka wkroczyła w moje rozmyślania. – Podać dziecko do karmienia?

– Tak, jestem gotowa. Proszę podać.

Musiałam długo nie reagować, bo spytała zaniepokojona:

– Zawołać lekarza?

– Nie trzeba – ocknęłam się.

Weronika łapczywie przyssała się do mlekopoju. Spojrzałam na jej usteczka, pogłaskałam ciemny meszek na główce i gdy poczułam przytulony do mnie kokonik, spod którego wystawały delikatne łapki z papierowymi długimi paznokietkami (trzeba je będzie obciąć; ale jak?!), rozpłakałam się, a łzy zmieniły obraz pokoju w różnobarwną plamę.

– Proszę pani. – Zza mokrej zasłony wyłonił się obraz dyżurującego lekarza. – Pani Jakubiec, słyszy mnie pani?

– Tak.

– Czy czuje się pani na siłach, by karmić dziecko?

– Wszystko w porządku, panie doktorze.

– Gdyby miała pani jakieś problemy...

– Tak, zgłoszę się do pana – przerwałam mu, domyślając się jego intencji.

Pewnie myśli, że mam depresję poporodową. Może i mam depresję, ale nie ma ona związku z urodzeniem dziecka. Nie wariuję, poradzę sobie. To niedobrze, że mój stan aż tak rzuca się w oczy.

– To dobrze. Urodziła pani zdrową, dużą córeczkę. Proszę o tym pamiętać – odchodząc, lekarz uświadomił mi oczywisty fakt.

Łzy natychmiast obeschły. Weronika ziewnęła przeciągle, witając sen po sytym posiłku.

– Smakowało mleczko, kochana?

Z obawą pocałowałam ją w skroń, na co zareagowała kichnięciem, połaskotana przez kosmyk maminych włosów. Kichnęła! Ziewnęła! I oczka otwiera. Zajęła moje myśli i odegnała demony.

Nie wiem, co zrobię z Blażem. Jak mu to powiem. Jak się wytłumaczę. Jak zmażę winy zawinione i niezawinione. Podjęłam jednak decyzję. Zostajemy z Weroniką tu, gdzie się urodziła, z Jurkiem, który nigdy się nie dowie, co dane mi było przeżyć.

ANNA
MARZEC 1993

Długo zwlekałam z listem do Blaża. W koncentracji przeszkadzało mi wszystko: karmienie małej, usypianie, kłopoty z piersiami, częste wizyty rodziców, a przede wszystkim wyjazd Jerzego, który czekał nas w marcu. I choć udało mu się przesunąć termin o miesiąc, to bilet na czwartego był już zabukowany i klamka zapadła.

Jerzy załatwiał ostatnie sprawy przed opuszczeniem uczelni na rok, a ja zajmowałam się kompletowaniem wyjazdowego ekwipunku, urywając się na miasto dzięki uprzejmości mamy opiekującej się w tym czasie Iką. Zresztą Jerzy zaczął przebąkiwać nawet o możliwości przedłużenia stypendium.

– Półtora roku?!– wkurzyłam się, gdy mi to obwieścił kilka dni przed wyjazdem.

– Posłuchaj i nie denerwuj się. – Jak zwykle metodycznie tłumaczył mi swoje plany. – Mieszkanie jest obciążone kredytem, odsetki w związku z inflacją rosną lawinowo. Co ci będę klarował, w końcu sama wiesz najlepiej. Musimy je spłacić, skoro zaczęliśmy, żeby móc później je sprzedać i postawić dom. Nie zarobię tutaj takiej kasy, a tam mogę wziąć kredyt, przesłać ci pieniądze i pozbędziemy się problemu. Ale muszę tam zostać na tyle, by go spłacić.

Racja. Kredyt, raty, dom, Weronika, świeże powietrze dla dziecka, piaskownica w ogródku. Ale co ze mną?

– Jerzy, a co ze mną?

– Kochanie, wszystko się ułoży. Przykro mi, że nie mogę z wami zostać. Kocham was obie i nie myśl, że łatwo mi wyjeżdżać. Rodzice ci pomogą, ja będę co kilka miesięcy was odwiedzał, przecież Paryż to nie koniec świata, a ostatnio nawet cieszyłaś się na tę przerwę w pracy. I mam nadzieję, że przyjedziesz do mnie. Nie szarp się, najlepiej zdecyduj się na dłuższy urlop wychowawczy, to cię uspokoi i pozwoli dopieścić naszą córeczkę.

Nieprawdopodobne, jak on potrafi człowieka przekonać. A może omotać. Trudno nie przyznać mu racji. Faktycznie popracuje naukowo, podciągnie habilitację, spłacimy mieszkanie, pojadę do Paryża... A ja? W końcu co takiego mam na głowie? Jedną małą córeczkę i urlop wychowawczy, który mogę sobie zaserwować nawet na trzy lata. Myśl o odsunięciu się od gazety wcale nie okazała się przykra. Stara już jestem czy co? Nie chce mi się pracować, nie mam ochoty na ganianie w poszukiwaniu tematów, użeranie się z informatorami, szefem, kolegami z pracy... No, patrzcie, państwo, jak to Jerzy zgrabnie wymyślił. Mogę trochę nie-pra-co-wać.

– Masz rację, wezmę urlop – decyzja zapadła. – Jedź, niczym się nie martw.

Odprowadziłam go do autobusu. O samolocie nie myśleliśmy, bo koszt biletu trzeba było pokryć z własnej kieszeni. Pożegnałam się szybko, nie chcąc przedłużać sceny rozstania.

– Muszę lecieć do Iki, zanim postawi pierwsze kroki – zażartowałam, przytupując z zimna w marcowej plusze.

Pokiwał mi przez okno.

Jedna sprawa załatwiona, ta łatwiejsza. Okazałam się dobrą żoną, wysyłając męża do Paryża, pozwalając mu się realizować i z dumą zarobić pieniądze na rodzinę. Druga sprawa ciągle czekała. Dzisiaj napiszę do Błaża. I napisałam. Weronika po karmieniu zasnęła, jak gdyby przeczuwając, że potrzebuję trochę spokoju. Gdy usiadłam nad kartką papieru... Gdy drugi raz usiadłam... Koniec, do trzech razy sztuka. Matko, znowu te powiedzonka. Męczą mnie niczym natręctwa. Trudno, piszesz! Pisz!

Dragi Błażu!

Nie pisałam do Ciebie tak długo, że teraz nie wiem, od czego zacząć. Jest mi wstyd, czuję się niezręcznie, mam wyrzuty sumienia. Dużo by o tym opowiadać, ale żeby nie przedłużać męki, muszę przejść do rzeczywistości. Błaż... trzy miesiące temu urodziłam dziecko Jerzego.

Znając twój temperament, spodziewam się, że masz teraz ochotę wyrzucić ten list na śmietnik, ale proszę Cię, wytrwaj do końca, pozwól sobie coś wytłumaczyć. Pamiętasz naszą rozmowę telefoniczną po moim powrocie do Warszawy?

Dlaczego musiało się tak ułożyć, że nie mogłeś przyjechać. Ten wyjazd do Sarajewa był w pewnym sensie zrządzeniem losu, ale czekałam na Ciebie, pewna swojej decyzji. A potem czekałam na wiadomość od Ciebie, która nie nadeszła. Byłam pełna obaw o Ciebie, ale wkrótce przyszła złość i rozgoryczenie. Tak się zacietrzewiłam, że sama nie napisałam. Nie wystarczyło mi przyzwoitości, by powiedzieć Ci, Blaż, że będę miała dziecko z Jerzym. Nie wiem, co z tym zrobić, ale stało się. Może gdybym nie uniosła się dumą, nie zwątpiła w Ciebie, inaczej ułożyłoby się nasze życie. Ale się stało. Przepraszam, bardzo Cię przepraszam. Jak mogę Ci teraz proponować, byśmy zostali przyjaciółmi?

Moja córka ma na imię Weronika. Jest duża i zdrowa. I dla niej żyję, Blaż. Niech będzie wolno mi się jeszcze tylko usprawiedliwić, że twoje listy z Sarajewa dotarły do mnie już po jej urodzeniu. Tak mi przykro. Ale przynajmniej jej w życiu nie chcę zawieść.

Nigdy nie zapomnę Ciebie, mój Chorwacie.

ANNA
KWIECIEŃ 1993

A może przespać się z tym listem i w razie czego napisać jutro go od nowa? Dzisiejszy wieczór nie był chyba najlepszy na branie rozbratu z przeszłością. Nie opuściły mnie jeszcze emocje po wyjeździe Jurka i targały mną wątpliwości, jak sobie poradzę sama z dzieckiem. Co zrobię, gdy zachoruje, dostanie gorączki – wymyślałam kolejne czarne scenariusze.

– Córeczko, Jurek wyjechał? Miałaś zadzwonić zaraz, jak pojedzie. – Telefon od mamy przywrócił mnie do rzeczywistości.

– Przepraszam, mamo, właśnie miałam dzwonić. Weronika dopiero niedawno usnęła – skłamałam. – Jerzy od trzech godzin jest w drodze.

– Słyszę po głosie, że jesteś zmęczona.

Dobrze, że mama nie widziała mojej nietęgiej miny.

– Korzystaj, że dziecko śpi, i też się połóż. A jutro przyjedź do nas na obiad, robię bitki wołowe. I nie martw się,

Jurek będzie dzwonił. Pod koniec czerwca przyjedzie. Zobaczysz, jak to zleci. Masz małą, nie będziesz się nudzić.

Stwierdzenie mamy, że cierpię z tego powodu, uświadomiło mi, że może coś w tym jest. Ruszyłam z kanapy posprzątać po kąpieli Iki. Zgarnęłam brudne rzeczy do prania, między innymi przewieszony przez poręcz krzesła sweter Jurka przesiąknięty zapachem jego wody kolońskiej... „Jurek! Postaw buty na swoim miejscu, w końcu kiedyś się przez nie przewrócę" – miałam ochotę podziabotać. A tu taka pustka. Nie ma na kogo się wydrzeć, od kogo dostać po łbie.

– Słucham? – dopadłam do telefonu. Kto dzwoni o dwudziestej trzeciej? Chyba coś się stało! Może autobus miał wypadek? – Mama? Co się stało? – podniosłam głos.

– Wszystko w porządku, chciałam tylko zapytać, czy do bitek wolisz buraczki czy smażoną kapustę.

Najchętniej święty spokój, odpowiedziałam w myślach.

– Mogą być buraczki.

– Mam nadzieję, że cię nie obudziłam.

– Właśnie się kładę.

– Dobrej nocy, kochanie.

– Dobranoc, mamo.

Dobrej pierwszej nocy bez męża, za to z niewysłanym listem i dzieckiem. Weronika się obudziła – pognałam szczęśliwa, że ktoś przerwał ciszę.

ANNA
MARZEC 1994

Lucynę poznałam w piaskownicy.

– Ja panią pamiętam – odezwała się pierwsza. – Razem rodziłyśmy.

– Przepraszam – zawstydziłam się. – Leżałyśmy na jednej sali?

– Nie, byłyśmy w tym samym czasie na porodówce, ale mnie potem zabrali na OIOM. Miałam trochę komplikacji. Na szczęście szybko wszystko wróciło do normy i leżałam na sali poporodowej. Widywałam panią na korytarzu.

– Jest pani z dzieckiem? – zapytałam oględnie, oczywiście nie pamiętając, czy ma córkę, czy syna.

– Ten blondynek w zielonej kurtce to Wiktor, mój synek. Pani też samotna? – spytała.

Spojrzałam na nią ze zdziwieniem.

– Nie, mąż wyjechał na staż na ponad rok – wyjaśniłam wścibskiej babie, sama nie wiem dlaczego.

– Bardzo panią przepraszam za tę bezpośredniość, po prostu nigdy nie widziałam małej z tatą i tak mi się niefortunnie powiedziało. Jeszcze raz przepraszam. – Zaczęła się zbierać.

– Nic się nie stało. Faktycznie teraz jestem samotną matką. Anna – przedstawiłam się, wyciągając rękę na zgodę.

– Lucyna, bardzo mi miło. – Spojrzała na mnie badawczo. – Miejmy to już za sobą, żebyś nie musiała pytać. Ja jestem sama. Mój mąż zginął, gdy byłam w ciąży – wyrzuciła z siebie szybko.

– To bardzo smutne. Radzisz sobie? – zapytałam, czując, że muszę coś powiedzieć.

– Źle, ale staram się. Na szczęście Wiktorek dobrze się chowa i jest tak cudowny jak jego tata. Wiktor byłby szczęśliwy – zamyśliła się.

– A czym się zajmujesz?

– Na razie żyję z oszczędności. Mieliśmy wydawnictwo książek dla dzieci. Teraz... próbuję sama pisać książki dla maluchów. Może ktoś mi je wyda?

Historia Lucyny wytrąciła mnie z równowagi i nie miałam za bardzo ochoty kontynuować tej znajomości, ale stało się inaczej. Zbliżyłyśmy się do siebie, a codzienne spotkania w piaskownicy objęły też nasze domy. „Wiktor płakał całą noc, ząbek mu się wyrzyna", „Weronika wczoraj mi kupkowała. Nie wiem, czy nie od tych pryskanych warzyw", „Napisałam wczoraj dwa rozdziały, babcia wzięła Wiktorka na spacer", „Upchnęłam Weronikę do mamy i też napisałam z osiem stron" – relacjonowałyśmy sobie najnowsze wydarzenia i osiągnięcia twórcze, bo razem pisałyśmy książeczkę dla dzieci.

– Słyszę po głosie, że jesteś bardzo radosna. – Jerzy zauważył podejrzliwie przez telefon. Właśnie mijał rok od jego wyjazdu. – Pewnie dobrze ci beze mnie?

– Nie o to chodzi. Robię coś ciekawego, złośliwcze – roześmiałam się. – Ponad rok bezczynności twórczej wystarczy. Dobrze nam się pracuje z Lucyną – dodałam i opowiedziałam mu o nowej koleżance.

– Profesor zaproponował mi dzisiaj przedłużenie stażu o sześć miesięcy. Myślisz, że mam się zgodzić? – Jerzy najwyraźniej przechodził właśnie kryzys samotności.

– A ile mamy jeszcze kredytu do spłacenia?

– Cztery raty. Lecz mam trochę oszczędności, mógłbym oddać całość jednorazowo – głośno myślał. – Tylko wtedy prawie nic bym nie przywiózł.

– A profesor byłby zadowolony, gdybyś nie skorzystał z propozycji?

– Z całą pewnością nie. W końcu robi mi grzeczność. No i wiesz, dobrze nam się pracuje.

– Oj, Jurek, pytasz mnie o zdanie, a już i tak zdecydowałeś. Co ci mam powiedzieć? Przyjeżdżaj bez kasy i nie wykorzystaj swojej szansy? No dobra, nie robię ci wyrzutów. Sam zauważyłeś, że mam dobry nastrój i z małą wszystko gra. Rodzice są obok, w razie potrzeby mogę na nich liczyć. I wymieniamy się z Lucyną przy dzieciakach. I piszę, Jerzy, piszę! Nie o jakichś przestępcach i przekrętach, ale o parze gołąbków, które latają po całej Europie w poszukiwaniu zaginionych rodziców.

– Cieszę się, Anuś, że ci dobrze idzie. W takim razie

powiem profesorowi, że zostaję. I zacznij się przygotowywać na paryską wyprawę. Pod koniec maja czekam
na ciebie. Poszalejemy!

Co do tych szaleństw miałam pewne wątpliwości, ale
perspektywa wyjazdu do Francji nęciła.

– Mama zgodziła się zająć Weroniką. Jest tylko jedno
ale. Musimy skończyć książeczkę.

– Szukasz wymówki. – Jerzy nie poznał się na żartach.

– Głuptasie, wkręcam cię. Przecież bajka może poczekać
tydzień. Drażnię się z tobą.

– Już myślałem...

– Słuchaj, kończmy, bo zbankrutujesz – przerwałam
rozmowę. – Całuję, trzymaj się ciepło. Do usłyszenia.

– Całuję cię mocno i uważaj na małą. Odbijemy sobie
wszystko po moim powrocie. Tęsknię za wami.

– My też, Jerzy. Pa.

ANNA
MAJ 1994

Obudziłam się w Słubicach, gdzie autobus miał dłuższy postój. Zbieraliśmy pasażerów z różnych części Polski mających bilety do serca Francji. Można było rozprostować kości i zjeść w tutejszym barze kiepską jajecznicę. W miarę oddalania się od Warszawy zacierała się troska o pozostawione po raz pierwszy na tak długo dziecko. Będzie tęsknić, pomyślałam. Ale zabieranie jej z sobą byłoby nonsensem. I tak niczego by nie pamiętała, a my byśmy się tylko umęczyli, zamiast skorzystać z uroków Paryża. Nie ma o czym mówić, klamka zapadła. Na szczęście autobus ruszył i chwilę później byliśmy na terenie Niemiec, które pokonaliśmy nocą. Wjechaliśmy do jakiegoś miasta, była siódma trzydzieści.

– Wie pani, gdzie jesteśmy? – zapytałam pasażerkę, zajmującą siedzenie obok.

– Gandawa, mamy cztery godziny do Paryża.

Przyjrzałam się kobiecie. Korpulentna, skromnie ubrana, między pięćdziesiątką a sześćdziesiątką, niezainteresowana krajobrazem. Prawdopodobnie pokonywała tę trasę już wiele razy.

– To moja pierwsza wizyta w Paryżu – odezwałam się.

– O, to czeka panią dużo wrażeń. Ja pracuję w siedemnastej dzielnicy, opiekuję się starszą panią. Wracam z urlopu. W końcu raz na pół roku muszę zobaczyć wnuczkę – rozgadała się, jakby w ostatnich godzinach drogi chciała nadrobić dobę milczenia.

Miała zamężną córkę Barbarę i wnuczkę Sylwię. Mąż nie żył, zięć Marcin rozbudowywał dom, w którym razem mieszkali. Potrzebne były pieniądze, więc postanowiła dzieciom pomóc. Wiadomo, teraz o robotę w Polsce niełatwo, a zarobić to już w ogóle trudno.

– Marcin pracuje w warsztacie, po godzinach reperuje samochody. Ale, wie pani, jak się nie ma własnego warsztatu, zarabia się grosze.

Sama zdecydowała, że pojedzie na saksy. Koleżanka, która już tam była, dała jej adres pani Catherine i się udało. I tak już jeździ od trzech lat, a zresztą do czego ma teraz wracać? Gdy dom będzie większy, znajdzie się i dla niej pokój na piętrze.

– Na pewno się znajdzie – przytaknęłam grzecznie, nie mając ochoty na kolejne wynurzenia.

Otworzyłam przewodnik po Paryżu, dając do zrozumienia, że chcę zakończyć rozmowę. Dziennikarskie nawyki pod tytułem „może historia kobiety to temat na reportaż" ustąpiły miejsca zainteresowaniom turystki. Do licha, o saksach też pewnie kiedyś napiszę, ale na pewno nie teraz.

Wjechaliśmy na place de la Concorde. Wypatrywałam Jerzego. Podbiegł do autobusu. Matko, w oddali zauważyłam Łuk Triumfalny! Jestem przy Polach Elizejskich.

– O, Champs-Élysées – zanuciłam pod nosem.

Jestem w Paryżu!

– Cześć, Anuś! Jak droga?

– Super! Nie mogę uwierzyć, że tu jestem!

– Daj torbę, idziemy do metra.

Prowadzona przez Jerzego, zaczęłam zwiedzanie stolicy Europy od podziemi. Dojechaliśmy do stacji Châtelet, by przesiąść się na linię jedenastą, która prowadziła do place des Fêtes. Stamtąd dzieliło nas kilkaset metrów do mansardy Jerzego, wynajmowanej przy rue Janssen. Wspięliśmy się na siódme piętro oficyny bez windy. Jerzy przekręcił klucz w zamku i... znaleźliśmy się w paryskim maciupeńkim mieszkanku w dziewiętnastej dzielnicy.

– Ale tu pięknie! – wpadłam w zachwyt nad dwudziestopięciometrowym gniazdkiem.

Małe, ale całe, a przede wszystkim w Paryżu! W lodówce czekała jakaś ciągnąca surowa szynka, śmierdzący ser, pomidory i sałata. Na stole stała butelka czerwonego wina, jak się domyśliłam, wytrawnego.

– A gdzie piwo, Jerzy?

– Chyba nie będziesz profanować?

– Nie będę profanować, będę pić, Jurek.

– No dobra, kupimy w M-ku. A teraz może chcesz się odświeżyć?

Po południu słońce nie opuszczało Paryża. Jedziemy na Trocadero. Murzyni wyczyniają wygibasy, tańcząc,

177

śpiewając i sprzedając nikomu do niczego niepotrzebne gadżety. Tłumy turystów pstrykają zdjęcia. Dochodzimy do Sekwany na lampkę białego wina przy nabrzeżu z widokiem na wieżę Eiffla. Nie jest zbyt późno, podążamy do stacji École Militaire, oglądając z zewnątrz szkołę, w której kształcił się Napoleon.

– Jerzy, jestem zmęczona – zaczynam marudzić, na wypadek gdyby zaplanował jeszcze jakieś atrakcje.

– Idziemy do metra, kupimy w M-ku to piwo dla ciebie i na dziś, proszę wycieczki, to koniec.

– To moja żona Ania. – Jerzy przedstawił mnie swojemu koledze i jego żonie.

– Pierre, Florence – usłyszałam.

– Pracuję z Pierre'em. Zaproponowali, że możemy spędzić dzisiejszy dzień razem. Nie odmówiłem. – Jerzy odezwał się do mnie po polsku z wymownym spojrzeniem, oczekując akceptacji.

– Będzie nam bardzo miło. To gdzie się wybierzemy? – wykrzesałam z siebie odpowiedni entuzjazm.

– Trochę sztuki starej i nowej. Może być? – Pierre miał plan.

– Jasne, prowadźcie!

Wysiedliśmy na stacji Gare du Nord i ostro w górę w kierunku bazyliki Sacré-Cœur. Myślałam, że czeka nas tylko zwiedzanie świątyni, ale na szczęście niespodzianek było więcej. Widok na miasto sprzed bazyliki był piękny, ale placyk za kościołem, pamiętający paryską cyganerię, pełen knajpek i ulicznych portreciarzy, galeryjek i kataryniarzy, przygarnął nas na dłużej. Byliśmy na Montmartrze, jedliśmy lunch przy dźwiękach katarynki. Może być. Potem Pierre'ostwo zabrali nas na spacer po Boulevard de Rochechouart, żebym zobaczyła Moulin Rouge i plac Pigalle. Muzeum erotyzmu sobie odpuściliśmy, spiesząc się do Centrum Pompidou, by podziwiać nowoczesną sztukę.

Szczerze powiem, miałam dosyć. Na szczęście Francuziki pożegnały się po wizycie w Centrum i za godzinę byliśmy w naszym bocianim gniazdku, a za półtorej siedzieliśmy wygodnie przy francuskiej kolacji.

Jeżeli myślałam, że kolejne dni będą lightowe, to się myliłam. Paryż dysponował wystarczającą liczbą znakomitych miejsc, że mógł zająć nie tylko siedem dni, ale może i siedem miesięcy. Pomiędzy wizytami w Luwrze, Muzeum d'Orsay czy Wersalu znajdowaliśmy chwile na espresso, nie skąpiliśmy też na posiłek w knajpie. Łapałam klimaty, zagłębiałam się w tym mieście, w jego różnobarwnym i różnojęzycznym tłumie, swobodzie, luzie, starociach na każdym kroku, sztuce na ulicy, no i tym języku wpadającym w ucho.

– Dzisiaj zabieram cię na uczelnię.

Jerzy podał poranną kawę. Podniosłam się z wyrka.

Już na tyle się zorientowałam, że gdziekolwiek bym wsiadła, muszę się przesiąść na stacji Châtelet. I tym razem nie było inaczej. Z linii jedenastej wskoczyliśmy do siódemki i pojechaliśmy dwa przystanki, na Jussieu. Uczelnia była położona bosko: z jednej strony Sekwana, z drugiej – ogrody des Plantes. Jurek poprowadził mnie w stronę Panteonu, a stamtąd do Ogrodów Luksemburskich, przy których mieści się gmach Senatu. Upał trochę dokuczał, ale na szczęście mieliśmy do dyspozycji dwadzieścia pięć hektarów zieleni, siedemnastowieczne rzeźby ogrodowe, baseniki dla dzieci i rozłożyste drzewa dające cień paryżanom grającym w szachy.

– Wiesz, Jurek, musimy zadzwonić do domu. Wczoraj zapomniałam – poczułam wyrzuty sumienia.

– Zrobimy to wieczorem, będzie taniej. Ale nie martw się, na pewno wszystko w porządku. Mama by się kontaktowała, gdyby coś się działo.

– Ja jestem trochę zmęczona i chce mi się jeść i pić.

– Chodźmy na St-Michel albo na plac Sorbony, tam gdzie byliśmy przedwczoraj. Było fajnie, nie?

– Ale to tak daleko.

– Blisko, kilkaset metrów. Idziemy.

Zwlokłam się z ławeczki i popędziliśmy... w żółwim tempie. Wieczorem codzienna wizyta w M-ku i do dziupli.

– Cześć, mamo. – Włożyłam kartę do automatu telefonicznego. – Co z Weroniką, wszystko gra?

– Tak, malutka czuje się świetnie. Dzisiaj ładnie zjadła obiadek. Byłyśmy na spacerku, spotkała Wiktorka, zrobiła dużą babkę. Nic się nie martw. A co u was?

– Super. Zwiedzamy, jemy, pijemy i, wiesz, jutro ostatni dzień. Mam autobus o ósmej wieczorem. Będę pojutrze około dziewiętnastej.

– To dobrze, córuś. Przyszło kilka rachunków i jakiś list z Chorwacji. Nie otwierałam, ale jest z jakiejś redakcji, chyba. Czekaj, wezmę do ręki. „Slobodna Dalmacija". Polecony. Przepraszam, ale odebrałam.

– Boże! – wyrwało mi się niechcący.

– Miałam otworzyć?

– Nie, mamo, wszystko dobrze. Otworzę sama.

Dobrze, że Jerzy przygotowywał w domu kolację, gdy poszłam do telefonu. Jezus Maria, to z redakcji Blaża. Myślałam tylko o tym, że zostawił swój adres, żeby mnie zawiadomili w razie najgorszego. Musiałam pooddychać głęboko. Nie, to nie może być prawda. Tylko nie rycz, bo będzie widać. Nie rycz.

– Wszystko w porządku? – Jakiś przechodzień chwycił mnie za łokieć.

– Tak, wyszłam zadzwonić – tłumaczyłam bezładnie. – Już wracam.

Odszedł z dziwną miną. Pewnie pomyślał, że jestem wstawiona.

– Co masz taką niepewną minę? – Jerzy biegał po mikroskopijnej kuchence w fartuszku. – Stało się coś?

– Zawodowe sprawy, nic ważnego – próbowałam zachować spokój. – Jak ci idzie z kolacją?

– Kanapeczki gotowe dla szanownej pani. Winko otwarte, piwko zamknięte. Do stołu *s'il vous plaît* – z gracją wskazał mi krzesło. – Proszę o uśmiech za starania dla pana kucharza. Za pobyt w Paryżu i nasze szczęście – wzniósł toast. – I żebyśmy się zawsze tak kochali.

Stuknęliśmy się szkłem.

– Za szczęśliwe życie – powiedziałam z naciskiem na ostatnie słowo.

ANNA
1 CZERWCA 1994

Dojeżdżałam do Warszawy około czwartej po południu. Słońce paliło niemiłosiernie, gdy wychodziliśmy na przystankach z klimatyzowanego autobusu. Zadzwoniłam ze Słubic do domu, malutka w porządku, czeka na mamę. Długowłosa lala wołająca po francusku „maman" leżała dla niej w walizce, dla babci Anastazji (zabawne, że zaczęłam o niej myśleć w ten sposób) kupiłam plakat z Chat Noir, dziadek Karol dostanie wytrawne bordeaux.

Gdyby nie emocje związane z zobaczeniem Weroniki i kosmiczny niepokój przed otwarciem listu z Chorwacji, miałam szanse wrócić wypoczęta. Autobusem podróżowało najwyżej kilkunastu pasażerów i każdy z nas rozpościerał się na dwóch siedzeniach. Głowa wtulona w opartą o okno poduszkę, nogi wyciągnięte – pełna wygoda. Po przekroczeniu granicy polsko-niemieckiej z przyjemnością kupiłam kilka kolorowych pism, które mogłam przeczytać! Żadnych francuskich bon-bon, magasin de jouets, peinture, cul. Gwiazda X urodziła, gwiazda Y jest w ciąży, ta rozwiodła się z tym, tamtą zdradził partner, brukowiec pokazuje zdjęcia, Z ujawnia, jak przeżyć w szczęśliwym związku trzydzieści lat. Chłonę ploty z godnym podziwu samozaparciem, z przyjemnością przełykając każde zdanie po polsku. Czuję tego rodzaju radość po raz pierwszy w życiu. Dzienniki przypominają: mamy Dzień Dziecka, w Polsce żyje ileś tam milionów dzieci, wydajemy na nie ileś tam milionów rocznie, moglibyśmy się przyjrzeć tym niedożywionym, porzuconym, z biednych rodzin albo wspierać szczególnie uzdolnione, zapewnić im rozwój. Reportaż z Pcimia: małżeństwo stworzyło rodzinny dom dla dwanaściorga dzieci; reportaż z Pawęczyc: ojciec zostawił matkę z dziesięciorgiem dzieci; relacja z Otowa: rodzina potrzebuje wsparcia, rodzice stracili pracę w upadłym zakładzie, mają na utrzymaniu ośmioro dzieci. Kolejny reportaż: Kajtek zachorował na białaczkę, rodzice nie mają pieniędzy na leczenie, następny: państwo nie chce finansować leczenia małej Paulinki z Tworzyc, ponieważ jej leki nie znajdują się na liście NFOZ. Nie do wytrzymania. Żebym tego nie znała od podszewki, może by mnie to ruszało. Ale że starego wróbla na plewy się nie weźmie, może lepiej sprawdzę, co się dzieje u Angeliny Jolie: czy ma już dzieci, czy też dopiero zamierza je adoptować? Jest Jolie! Czytam i czekam na Warszawę. W domu leży list, przypominam sobie niespodziewanie. Może by jeszcze kilka godzin w autobusie?

– Witaj, córeczko. – Tata przywitał się ze mną serdecznie na Centralnym.

– Cześć, tato. Kobietek nie ma?

⌐ Czekają w domu. Kroi się dobra kolacja, a ja jestem głodny. Mama nic mi nie dała dzisiaj do jedzenia. Robi jakąś szufladę czy coś takiego. I jak wrażenia?

– Tato, sztufadę! To mamy sztandarowe dzieło. Nie wiesz? Wołowina przetykana paskami słoninki. Pycha. Chyba też zgłodniałam. I nie gadaj, że nic nie jadłeś, nie uwierzę. A Paryż jest piękny, wszystko się udało. Jak wy sobie radziliście z Iką?

– Bardzo dobrze. To kochany maluszek, żadnych problemów. Tęskniła za tobą.

– Na pewno – powątpiewałam. Tata jak zwykle starał się powiedzieć to, co chciałam usłyszeć.

– Zaczęła na babcię mówić „mamo", ale się nie przejmuj, to małe dziecko.

Bogu ducha winien tata zepsuł mi humor. Patrzcie państwo, zostawić smarkatą na kilka dni i zaraz zapomni. Co z oczu, to z serca... Chociaż ruszyła mnie ta wiadomość, zdyscyplinowałam się. Zeszliśmy na bezpieczniejsze tematy paryskich reminiscencji.

– Opowiadaj, co widziałaś. Byłaś w Luwrze?

– Zapytaj raczej, czego nie widziałam. Jurek mnie tak przegonił, że mało nogi mi nie poodpadały. A na koniec każdego dnia wycieczka na siódme piętro bez windy, za to ze stertą zakupów. Ale na poważnie, żeby zwiedzić Paryż, trzeba by pobyć tam z pół roku, a nie wiem, czy i wtedy by wystarczyło czasu na wszystko. W każdym razie nie lataliśmy jak pies z wywieszonym językiem. A jaką oni mają kawę! Sałatki też niczego sobie. Nawet zdążyłam być w C&A. Jerzy uparł się, żebym coś sobie kupiła. Byliśmy również na uczelni Jerzego. Pięknie usytuowana! Niedaleko Ogrody Luksemburskie, można było odpocząć.

– A Bastylię widziałaś?

– Tatoooo! Nie podpuszczaj mnie, jesteś taki wstrętny jak Jurek. Ten też próbował mnie nabrać. A poza tym masz nade mną przewagę dwóch pobytów w Paryżu.

Tato, uśmiechając się przy tym przewrotnie, przejechał ręką po ustach w symbolicznym geście zamknięcia ich na zamek błyskawiczny.

– Jesteś okropny!

– No to ten okropny ojciec podwiózł swoją cudowną córkę pod dom. – Zatrzymał samochód.

Stanęliśmy niedaleko naszej klatki schodowej. Sąsiedzi nie zdążyli jeszcze wrócić z pracy, więc nie było trudno o miejsce do zaparkowania. Spojrzałam do góry. Na czwartym piętrze w moim mieszkaniu poruszyła się firanka, a zza niej wysunęła się niewielka postać stojąca na parapecie. To Weroniczka! Weszła na okno! Nagły strach odpłynął, gdy zobaczyłam za nią nieco większą sylwetkę mamy. Moja córcia machała do mnie łapką, nie wiadomo, na ile świadomie. Pewnie babcia jej powiedziała: „Zrób pa, pa", i Ika, moja mała małpeczka, wykonała polecenie. Ale co tam! I tak wzięłam to za dobrą monetę.

Obarczeni bagażami złapaliśmy windę. W otwartych drzwiach mieszkania stała Ika z niepewnym wyrazem twarzy, po czym rzuciła się w moją stronę. Ulżyło mi, poznała mamę. Potem było już tylko dobrze: rundka po domu, krzyki, śmiechy, lalka, która mówi „maman", radość ze spotkania.

– Aniu, idź się odświeżyć. Stawiam obiad – przywołała mnie do porządku mama. – Jurek dzwonił. Chciał wiedzieć, czy dojechałaś.

Bałam się zapytać o list, o którym ani na chwilę nie zapomniałam. Jeszcze trochę, za moment. Obżarłam się nieprzyzwoicie, odpowiedziałam na masę pytań, przerzuciłam z Iką stertkę książeczek, które przyniosła z drugiego pokoju. Zbliżała się dobranocka, mama zdążyła posprzątać ze stołu, zbierała swoje rzeczy.

– No, córciu, to my z ojcem już pójdziemy. Poradzisz sobie?

– Tak, oczywiście. Dziękuję wam za wszystko. Przepraszam, ale jestem trochę przymulona podróżą. Odbijemy sobie następnym razem. Zapraszam was na obiad.

– Dobrze, dobrze, połóż małą i wypocznij. Aaa. Korespondencję położyłam na stoliku w przedpokoju.

Wyszli, pomachałam im przez okno. Weronika oglądała w telewizji bajeczkę, a ja z koszmarnym niepokojem poszłam do przedpokoju. Powoli otwierałam kopertę z chorwackim znaczkiem.

Witaj, Ano!
Piszemy do Ciebie z prośbą o pomoc w zebraniu materiałów na temat naszego kolegi dziennikarza, który zginął na stanowisku pracy w czasie tej okropnej wojny, a wiemy, że dobrze się znaliście i być może będziesz mogła podzielić się z nami wspomnieniem o nim.

Co prawda mój chorwacki był dość słaby, ale sens pierwszego zdania pojęłam w mig. List wypadł mi z rąk, jak gdybym straciła w nich zdolność czucia. Przed upadkiem uratowało mnie krzesło, na którym przysiadłam. A jednak. Paryż stał się mglistym wspomnieniem, przed oczami stanął mi Dubrownik i Blaż. Obecność Weroniki w sąsiednim pokoju, odpowiedzialność za nią kazała mi wziąć się w garść i doczytać do końca. Z trudem podniosłam list z podłogi.

Chodzi o Ivo Babicia, fotoreportera gazety „Dubrovački Vjesnik", który zginął 6 grudnia 1991, kiedy byłaś z nami.

Dalej już nie czytałam. Wstrząsnął mną nieprawdopodobny płacz, który mogła powstrzymać jedynie Weronika stojąca w drzwiach i patrząca ze zdziwieniem na swoją mamę.

– Chodź do mnie, córuś. Chodź, mamusia przytuli.

Nie mogłam jej wypuścić z rąk.

– Jak się mamusia cieszy, nie masz pojęcia! Chodź, słonko, jak dobrze.

Zadzwonił telefon.

– Jurek? Tak, dojechałam, wszystko w porządku, jestem szczęśliwa. Było super! Całusy od małej. Weroniczko, powiedz coś tatusiowi do słuchawki. No powiedz „tata".

– Ta-ta. – Powiedziała! Nieprawdopodobne.

– Tak, Jurek, będę kładła małą. Ja ciebie też. Do usłyszenia.

Zadzwonił kolejny telefon.

– Lucyna? Wróciłam. Musimy umówić się na babski wieczór. Muszę ci się wygadać. Tak, wspomnienia mam nieprawdopodobne. Do jutra, Lucyna, zadzwonię.

ANNA
2 CZERWCA 1994

Po upalnym pierwszym dniu czerwca i dusznej nocy rozpadało się. Myślałam, że uda mi się wyskoczyć z Lucyną i dzieciakami do naszego domku letniskowego w Stępie, ale pogoda stanęła nam na przeszkodzie. Zaprosiłam więc przyjaciółkę z Wiktorkiem do siebie w porze południowej, kiedy będziemy mogły położyć młodzież na codzienną drzemkę i mieć czas na pogaduszki.

Przyszła punktualnie, wiedziona ciekawością z powodu „nieprawdopodobnych wspomnień", którymi chciałam się podzielić.

– No to opowiadaj o Paryżu! – zawołała od progu. – Dobrze, że przyjechałaś. Stęskniłam się za tobą.

– I ty przeciwko mnie, Brutusie? – dramatyzowałam, cytując Juliusza Cezara.

– Powiedziałam coś nie tak? – Lucyna śmiała się, widząc mnie tryskającą humorem.

– Od wczoraj nic innego nie robię, tylko opowiadam o Paryżu. Chodź, koleżanko droga, mam coś dla ciebie.

Wyjęłam niewielki albumik ze zdjęciami obrazów impresjonistów z Muzeum d'Orsay.

– Masz tu Degasa, Moneta, Pissarra i kilku innych. Lubisz impresjonistów?

– Uwielbiam. Widziałaś pewnie u mnie reprodukcję „Lekcji tańca"? To mój ulubiony obraz Degasa. Lekkość i powaga, gracja, a przede wszystkim kolorystyka. Lubię obrazy w zieleniach, chyba czerpię z nich nadzieję.

– A wiesz, że widziałam go w oryginale? To niesamowite, jakie wrażenie robi oglądanie dzieł, które zna się z reprodukcji. Przepraszam, że przywiozłam ci tylko album...

– No, nie wiem, czy powinnam ci to wybaczyć. Spodziewałam się, że zakosisz dla mnie jakieś prawdziwe dzieło – roześmiała się.

– A ty będziesz mi nosić paczki z jedzeniem do więzienia. À propos żarełka, mama zostawiła spory kawałek sztufady. Ugotujemy ziemniaczki, podgrzejemy buraki i do tych czerwonych buraczków... – zawiesiłam głos i puściłam oko w jej stronę, wyjmując z barku butelkę – ...po lampce czerwonego wina. Jerzy sam wybrał. Pewnie dobre. Choć nie tak jak piwo. Ale cóż, czasami trzeba się poświęcić dla sztuki kulinarnej.

– No, no, uczta się szykuje. Gdzie dzieciaki? Pewnie psocą, bo cisza się zrobiła.

Lucyna pognała w kierunku pokoju zwanego zwyczajowo małym w odróżnieniu od telewizyjnego, który też był niewielki. Popędziłam za nią tknięta niepokojem. Na szczęście wszystko było w najlepszym porządku. Naszym oczom ukazał się rozkoszny widok. Weronika spała na rozkładanym fotelu, a Wiktor rozciągnął się na podłodze. Ale niespodzianka. Ułożyłyśmy nasze WW, okryłyśmy kocykami i do kuchni.

– Masz przepis na to wspaniałe mięso? – Lucyna rozkoszowała się smakiem sztufady, która już wjechała na stół.

– Dam ci, ale zastrzegam, że mnie nie wychodzi tak dobrze jak mamie, choć w sumie jej przygotowanie jest proste. Dawaj kieliszek – krążyłam wokół tematu, nie mogąc przełamać oporu przed zwierzeniami.

Przez dwa lata od powrotu z Chorwacji żyłam z tajemnicą romansu z Blażem, nie znajdując nikogo, komu mogłabym ją powierzyć. Ze strony mamy spodziewałam się morałów, ojciec nie wiedziałby, o co mi chodzi, w pracy miałam niemal samych kolegów, a koleżanki, zasługujące raczej na miano znajomych, odnalazłyby w tej historii jedynie niezłą sensację. Anka zdradziła Jurka! Biedny Jurek. Dopiero poznanie Lucyny dało mi nadzieję na szczery kontakt.

Dyskutowałyśmy o wszystkim, razem wychowywałyśmy dzieci, pomagałyśmy sobie w opiece nad maluchami. Po raz pierwszy od podstawówki spotkałam osobę, którą odważyłabym się nazwać przyjaciółką, chociaż beczki soli jeszcze z nią nie zjadłam. Ale mimo zaufania i dystansu skróconego najwyżej do kilku centymetrów miałam opory przed zwierzeniami.

– No to mów. – Lucyna przerwała ciszę ciężką od moich myśli.

– Widzę, że nie ucieknę. Lucyna, muszę ci o czymś opowiedzieć. Chcesz posłuchać?

– Po to tu jestem – powiedziała łagodnie. – Domyślam się, że nie chodzi o twojego męża.

– Nie, Lucynko. Przykro mi z powodu Wiktora. Niezręcznie jest mi opowiadać o swoich przeżyciach, bo ty masz za sobą dużo większe, ale...

– Zostawmy moje sprawy. Po prostu wyrzuć to z siebie.

Opowieść o Jerzym, naszej młodzieńczej miłości, pracy w gazecie, wyjeździe do Chorwacji i spotkaniu Blaża, a później ciąży, przetrzymywaniu listów od niego przez mojego szefa, moim wyborze pozostania z rodziną, a w końcu liście z gazety Blaża, którego treści się bałam jak niczego w życiu, wypłynęła z ust gładko, wielokrotnie powtarzana w myślach. Gdy skończyłam, Lucyna siedziała bez słowa. Deszcz zacinał, zalewając szyby wartkim strumieniem wody.

– Zrobię kawę – podniosła się z fotela.

Poderwałam się do kuchni, gnana obowiązkami gospodyni.

– Ty siedź, ja przyniosę kawę. I bez dyskusji.

Nigdy nie widziałam jej tak zdecydowanej. Niepotrzebnie jej mówiłam, jest zła. Nie mówi się kobiecie, która straciła ukochanego mężczyznę, o swoich dylematach związanych z wyborem pomiędzy mężem i kochankiem.

– Napij się kawy, dobrze ci zrobi. – Postawiła przede mną parującą filiżankę. – Doskonale cię rozumiem, bo sama byłam w takiej sytuacji – zaczęła powoli. – Tylko w moim życiu to Wiktor był Blażem. Zostawiłam dla niego męża.

Od tej pory cały czas się zastanawiam, czy los nie ukarał mnie za to jego śmiercią.

Spojrzałam na nią przerażona. Siedziałyśmy w ciszy, z trudem opanowując emocje.

– Żałujesz? – zdobyłam się na pytanie.

– Żałuję, że Wiktor zginął. Cieszę się, że ty miałaś więcej szczęścia.

– Lucyna! – Przytuliłam się do niej mocno.

– Aniu, w życiu ostateczna jest tylko śmierć. Ona nie pozwala niczego naprawić. Skoro podjęłaś taką decyzję, to znaczy, że czułaś taką potrzebę. A że jednocześnie nie pogrzebałaś wątpliwości? Zobaczysz, to minie, już minęło. Rozstroił cię ten list, to wszystko. Jesteś szczęśliwa, powiedz to sobie: Jestem szczęśliwa. Mała rośnie, mąż dba o rodzinę, o mnie... Uspokój się, no, nie rycz.

W drzwiach stanęli Weronika z Wiktorkiem, trzymając się za ręce. Jaś i Małgosia, nasze pociechy.

ANNA
GRUDZIEŃ 1995

Może te będą dobre? – Jerzy postawił przede mną pudło z butami. – Sam wybrałem!

Zadowolony podniósł wieczko, spod którego wyjrzały czarne czółenka nr 38.

Przed rozwiązaniem miałam opuchnięte nogi, stawiające opór przed wepchnięciem w jakiekolwiek obuwie. Z trudem wzułam czółenka na moje stopiszcza, przerażona ich ogromem. Jak długo to jeszcze potrwa? Termin porodu minął szesnastego grudnia, a ja ciągle przewalałam ogromny brzuch z jednej strony tapczanu na drugą, nie czując symptomów zbliżającego się rozwiązania. Podobno mam urodzić bliźnięta. Lekarz wydawał się pewny werdyktu. Przygotowania do świąt jak zwykle doprowadzały mnie do upadłości. Bieganina z takim obciążeniem po sklepach wydawała się niekończącą się story, a do tego okna, sprzątanie, pakowanie prezentów, pierogi, ryby, grzyby, mielenie maku, warzenie bigosu, wydawanie kupy kasy, zmiana pościeli... Wszystko ma lśnić, pachnieć i smakować. Ostatnia Wigilia na Puławskiej, pomyślałam z ulgą. W nowym domu będzie przynajmniej więcej miejsca, by rozstawić stół. Teraz musi wystarczyć ława, przy której będziemy się pochylać nad talerzem.

Pisząc świąteczne kartki z życzeniami, zawahałam się, czy nie wysłać jednej do Zadaru, ale brak wieści od Blaža od niemal trzech lat powstrzymał mnie. Po moim ostatnim liście ruch należał do niego. Skoro go nie podjął, widocznie nie chciał. Smutne, ale trudno. Na pewno ułożył sobie życie. Ja zaś muszę się skupić na porodzie.

Czekaliśmy na rodziców, którzy mieli „przyprowadzić" Mikołaja z prezentami. Weronika ubrana w aksamitną czerwoną sukienkę z koronkowym kołnierzykiem tupała obcasikami czarnych lakierków, biegając po mieszkaniu.

– Kiedy przyjdzie babcia? – pytała, mając na myśli raczej Mikołaja.

– Zaraz, Weroniczko, zaraz. Zrób siusiu, bo potem popuścisz.

Za chwilę wszyscy byliśmy razem. Niezawodny Mikołaj obdarował nas prezentami, galareta z karpia się nie rozpuściła na półmisku, pierogi nie rozkleiły, sos grzybowy nie przypalił, a płytka z kolędami nie zacięła. Gwar zawładnął pokojem. Weronika opuściła towarzystwo, przytulona do nowego Michała. Przykryliśmy ją kocykiem.

– Też dostałam podobnego, gdy byłam w jej wieku – przypomniałam sobie mojego Michasia. – Muszę go odebrać od rodziców.

Wigilijny wieczór ogarnął nas swoim czarem, pozwolił odejść przedświątecznemu napięciu. Rozmowa rozlewała się po pokoju niczym dym z hinduskich kadzideł. Wspominaliśmy, śpiewaliśmy kolędy. Wytrzymałam do jedenastej.

– Jurek! – Ledwie udało mi się przekrzyczeć gwar. – Myślę, że musimy jechać.

Towarzystwo na chwilę zamarło, a potem wszyscy po kolei zaczęli się podrywać z foteli i oferować swoje usługi.

– Gdzie torba z rzeczami? Przygotowaliście się? – to mama.

– Zabierz koniecznie szlafrok i ze dwie koszulki nocne. Te szpitalne są jak dla więźniów – teściowa.

– Zawiozę was, nic nie piłem – tato.

– Jadę z wami. Pomogę ci przejść. Lód taki, że można się przewrócić – teść.

– Nie możemy wszyscy pojechać. Ktoś musi zostać z Weroniką – przerwałam zbiorowy lament.

Jurek biegał po domu w poszukiwaniu torby gotowej od tygodnia na tę okoliczność.

– Znalazłem! Dajcie wszyscy spokój, poradzimy sobie. Pomóc ci się ubrać? – Zdjął z wieszaka mój kożuszek i rozpoczął poszukiwanie szalika.

– Nie szukaj, mam go.

Po kilku minutach udało nam się dotrzeć do samochodu, zdrapać lód z okien i ruszyć w kierunku szpitala. Jak na złość bóle zaczęły słabnąć i zdałam sobie sprawę, że w ciągu najbliższych godzin raczej nie urodzę.

– Matko, to już trzecia taka akcja. Jak mnie znowu wyślą do domu... Jurek, ja chcę urodzić, mam dość.

Lekarz zostawił mnie na patologii. Ciąża była przenoszona prawie dwa tygodnie, tętno płodów co prawda prawidłowe, moje samopoczucie w normie, ale lepiej dmuchać na zimne. Jerzy przychodził codziennie i dzięki uprzejmości pielęgniarki łączył się ze mną telefonicznie.

– Halo? To ty? – usłyszałam jego głos w słuchawce.

– Jak się czujesz, kochanie? – I nie czekając na odpowiedź:

– Potrzeba ci czegoś?

– Jestem taka ciężka, trudno mi przełożyć się z jednej strony na drugą. Codziennie biorą mnie na wywołanie porodu i nic. To cię chyba nigdy nie skończy – wypluwam z siebie, prawie płacząc. – Już tego dłużej nie wytrzymam!

– W słuchawce cisza. Opanowuję się i pytam o naszą córkę: – A jak Weronisia? Daj mi ją do telefonu.

– Jest teraz u dziadków, wszystko w porządku, nie denerwuj się – uspokaja mnie Jerzy. – Myśl o sobie. To niebawem się skończy. Kocham cię.

Cisza. Czuję, że zaraz znowu się rozryczę.

– Jutro idę na zajęcia – wyrywa mnie z odrętwienia głos męża – i jestem wolny po trzynastej. Potem przyjdę do ciebie z pomarańczami. Co ci jeszcze przynieść?

– Niczego nie potrzebuję – burczę, zła na wszystkich, którzy myślą, że frykasy mogą pomóc mi pokonać nieuchronność losu.

Wracam do łóżka, w którym od kilku dni oczekuję rozwiązania. Boję się o dzieci i jestem zmęczona.

Kolejny dzień rozpoczyna się obchodem. Stukający metalowy wózek obwieszcza zbliżające się śniadanie: talerz mlecznej zupy z makaronem i kubek zabielonej zbożówki. O dziewiątej rutynowo wywożą mnie do izolatki, podłączają do machiny badającej tętno płodu, przyłączają rurki, przez które płynie ciecz mająca pobudzić mój organizm do rodzenia. Po jakimś czasie jak zwykle przychodzi lekarz, bada postępy i staje się.

– No, pani Aniu, rodzimy – komunikuje mi spokojnie.

– Jak to, już?!!! – Niespodziewana decyzja wprawia mnie w przerażenie. – Może jutro? – próbuję powstrzymać to, co ostateczne. – Ja się boję!

– Wszystko będzie dobrze – uspokaja mnie lekarz. – Proszę zawieźć pacjentkę na porodówkę, zaraz tam będę – wydaje dyspozycje.

Chłopcy urodzili się o 12.45. Zdrowi. Byłam zmęczona, dumna i wzruszona.

– Patologia ciąży. – Głos pielęgniarki odzywa się w słuchawce.

– Czy mogę rozmawiać z panią Anną Jakubiec? – grzecznie prosi mężczyzna po drugiej stronie.

– Zaraz sprawdzę, czy pacjentka może podejść.

Po chwili odzywa się siostra przełożona:

– Proszę pana, żona rodzi. Halo! Jest tam pan?

– Tak.

– Już urodziła, ma pan dwóch synów...

Jeżeli po Weronice zapomniałam, jak się zmienia pieluszki, ściąga mleko czy wstaje po nocach do płaczącego niemowlęcia, to w lot sobie przypomniałam. Tyle że tym razem pisklaki były dwa, a trzyletnia Weronika za skarby świata nie chciała oddać im pola. Zadowolona, że przybyły jej dwie nowe lalki, nie chciała dzielić się z nimi maminym czasem. Jerzy po krótkiej euforii musiał wrócić do pracy, która okazała się bardziej wymagająca aniżeli dawniej. A ja? Próbowałam znaleźć siły do przejścia z niemowlakami przez najgorszy okres, wspierana przez mamę maksymą, że gdy dzieci urosną, będzie już tylko łatwiej.

ANNA
SIERPIEŃ 1997

Gdyby nie mama, byłoby mi, delikatnie mówiąc, trudno, a bardziej dosadnie – dostałabym wariacji. Trójka maluchów, rozpoczęta budowa domu i Jerzy przygotowujący się do habilitacji. Na szczęście dzieciaki rzadko chorowały, a budowę prowadziło kilka rodzin naraz, co zdejmowało z nas część obowiązków. A w znoszeniu ekscytacji Jurka pomagał mi sen, który przychodził zaraz po położeniu maluchów spać. Dzięki mamie też udawało mi się znaleźć czas na pisanie z Lucyną historyjek dla dzieci.

Lato sprowadziło niezmiennie piękną pogodę, a my jak na złość z powodu pracy Jerzego nie mogliśmy w pełni z niej korzystać. Stępa stała pusta przez cały tydzień, goszcząc nas jedynie w weekendy. Na szczęście sierpień nie był już tak pogodny, a każdy kolejny deszczowy dzień napawał mnie zadowoleniem. „Znowu pada", stwierdzałam z satysfakcją. „Co byśmy robili w Stępie przy takiej pogodzie?". Pozostawały spacerki na okoliczne skwery i kręcenie się wokół własnej osi w maleńkim mieszkanku.

– Cześć, mamo. – Babcia Anastazja przyszła mi pomóc wyprowadzić maluchy.

– Gotowi? Babcia zabiera was na ciepłe lody. – Mama próbowała znaleźć dla siebie miejsce w maleńkim przedpokoju.

– Bo Michał nie chce się ubierać! – żaliła się Weronika.

– A Alek na pewno się zsikał – doniosła w progu. – A mogę zabrać lalkę?

– Tak, Weroniczko, tak. Możesz wziąć wózeczek z lalką.

– Pobiegłam do pokoju po zabawkową spacerówkę.

– Mamo, przytrzymaj Michałka. A tak w ogóle to cześć – cmoknęłam ją w locie. – Alek, do mamusi, włożymy buciki. Mamo, czerwone spodenki leżą na półce, pardon, w drugiej szufladzie. Nie tej, od góry! O rety, rzeczywiście się zsikał. Aleczku, mamusia przewinie.

– To ja wyjdę już z Michałkiem.

– Dobrze, mamo. Zejdę zaraz, tylko... Alek, uspokój się!

– Maamaa!

– Tak, Aleczku, mamusia już cię przewija. Daj nóżkę. No, jeszcze troszkę. Włożymy rajstopki i juuż...

Spojrzałam przez okno. Letni deszczyk sprzysiągł się, by uniemożliwić nam spacer.

– Nic to, Aleczku – powiedziałam do siebie, biorąc synka na świadka. – I tak pójdziemy. Babcia z Michałkiem czekają na dole. Gdzie te przeciwdeszczowe płaszcze?

Domofon.

– Weź płaszczyki przeciwdeszczowe, pada.

– Szukam ich, mamo.

Domofon.

– Tak, coś jeszcze?

– Weź kluczyk do skrzynki. Wystaje jakaś przesyłka. Trochę zmokła.

– Dobrze. Mam go. Już idę. Zakryj Michasia czymś, zaraz będę.

Mokra, spocona, z fikającym Alkiem wychodzę przed dom.

– Wsuń się tutaj, synku – upycham malucha do wózka.

Siedzą obaj. Deszcz zacina, nie oszczędzając żadnej ze stron. Babcia próbuje otulić chłopców płaszczykami, wskazując mi skrzynkę na listy.

– Co to? – pyta, gdy wyjmuję niewielką paczuszkę owiniętą szarym papierem.

– To z gazety, mamo – kłamię jak z nut, zauważywszy chorwacki znaczek. – Chodźmy na spacer, zanim się rozpada na dobre.

Rozpada się na dobre – aż się uśmiechnęłam do tej przypadkowej zmiany znaczenia. Ja chciałam, żeby padało. Na szczęście deszcz przypuścił atak, wypędzając nas z dworu. Mama pobiegła do siebie, ja wtoczyłam wózek na klatkę schodową i dzieciaki do łóżek na południowe spanie. Zazwyczaj wykorzystywałam ten wolny czas na gotowanie obiadu i ogarnianie stajni Augiasza, w którą zamieniało się mieszkanie po przygotowaniach do spaceru, ale tym razem ciekawość wzięła górę nad umiłowaniem porządku.

Szarpałam paczuszkę, próbując się dobrać do zawartości. Rozdzierałam papier, rzucając na podłogę porwane skrawki. Materia stawia opór, gdy tylko ci na czymś zależy – prawo Murphy'ego. W końcu udało się. Ujrzałam książkę w czerwono-czarnej okładce, opatrzoną chorwackim tytułem „Szkoda, że ciebie tu nie ma". Autor: Blaž Batelić. Był też list. Ze zdenerwowaniem godnym pensjonarki zagłębiłam się w jego treść.

Draga Ana (pozwól mi się w ten sposób nazywać choćby w listach, choćby w tym liście, za którego pośrednictwem przesyłam Ci napisaną przez siebie książkę. Mam nadzieję, że będziesz jej najbardziej obiektywnym krytykiem).

Teraz to ja muszę Ciebie przeprosić za poczucie dumy, rozgoryczenia i zawodu, za to, że nie odzywałem się przez ponad cztery lata. Widzę jednak, że to los nie chciał nam sprzyjać, działał niejako wbrew nam. Twój list po urodzeniu Weroniki (jakie piękne imię wybrałaś dla córki) pozbawił mnie możliwości trzeźwego osądu. Byłem wściekły, rozgoryczony. Jednocześnie rozumiałem, że nie mogę Cię obarczać winą za wszystko, chociaż tak byłoby najłatwiej. Nie dostawałaś listów z Sarajewa ode mnie, które – o czym mogę tylko marzyć – być może zmieniłyby tor naszej historii. Ktoś świadomie lub nie ułożył nam życie za nas, Ana. I w tej chwili nic nie możemy na to poradzić, niczego zmienić.

Moja misja w Sarajewie skończyła się. Opuściłem wolne miasto i wróciłem do domu, gdzie zastałem druzgocącą pustkę. Katerina ułożyła sobie życie i nadal utrudnia mi kontakty z synem. Udało mi się jednak go zobaczyć. Ma teraz siedem lat i idzie do szkoły. Wybacz próżność, ale jest podobny do mnie jak dwie krople wody i moja była nie jest w stanie mi tego wybaczyć. Życzę jej wszystkiego najlepszego, nie chcę niczego, płacę, ale dla niej ciągle mało. Jest zacietrzewiona, nie może zapomnieć. Czego? Że nam nie wyszło? Chciałem. Nam też nie wyszło, Ana. Czy to oznacza, że psuję wszystko, czego się tknę?

Robię swoje, pracuję, próbuję normalnie funkcjonować, chociaż u nas wojna jeszcze się nie skończyła. Roboty pełno, wieczory puste. Napisałem książkę, trochę o wojnie, trochę o miłości, o sprawach, które zajmowały moje serce w minionych trzech latach. Wojna jest okrutna i nieobiektywna, nie pytam jej o zdanie. Mam nadzieję, że miłość będzie łaskawsza, nie zapomni...

Przesyłam Ci tę historię, którą wydałem w 3000 egzemplarzy. Ty dostałaś książkę numer jeden. Nie odważyłem się umieścić dedykacji i piszę ją teraz: „Dla Any, która dała mi życie, nie wiedząc, że jednocześnie je odbiera. Szkoda, że Ciebie tu nie ma".

ANNA
SIERPIEŃ 1997

Powieść Blaża:

Zachodzące słońce opierało się na stokach wapiennej
ściany gór, znajdującej ochłodę w Adriatyku i oddającej mu
nagromadzony w ciągu dnia żar. Mieszkańcy dalmatyńskich
wiosek wylegli na kamienne murki z butelką domowej ora-
howicy, by zrzucić z siebie trudy skwaru, orzeźwić serce,
otrzeźwić umysł. Mężczyźni zbierali się wokół stolików
w miejscowych knajpkach, kobiety po wytarciu ostatniego
talerza oddawały się przyjemnościom sąsiedzkiej sjesty. Za-
padał zmrok, przekazując miasteczko we władanie gorącej
nocy, coraz bardziej przyjaznej, krzepiącej podmuchami
wiatru znad wody. Przyszedłem na przystań spotkać się
z tobą. Siedzący na murkach pozdrawiali mnie gestem
zrozumienia. „Uda ci się", wyczytywałem z ich ruchów.
„Idź", wspierali mnie z życzliwością. Skąd oni wiedzą, że
czekałem na ciebie? Pachniało lawendą, niezdolną po-
wstrzymać swoją witalność. Nic dziwnego, w końcu to

czerwiec, czas, by wzrok przyzwyczaił się do fioletowych pól odradzających się jak co roku wbrew wojennej zawierusze. Zobaczyłem cię. Szłaś w powiewnej białej sukience z kwiatowym deseniem. Przyniosłaś mi wieczorny zefirek, uśmiech gorącego południa. Wpłynęłaś w moje ramiona i byłem bardzo szczęśliwy. Jak nigdy wcześniej, jak nigdy potem.

Za oknem rozciągał się widok na blokowisko i industrialny krajobraz z ruchliwą ulicą, zapuszczonym trawnikiem i podupadłymi zakładami, coś tam kiedyś produkującymi. Zsypy roztaczały niewybredne zapachy rozkładających się resztek śmieci organicznych. Sąsiedzi dawali popisy małżeńskich kłótni, słabo tłumionych przez cienkie ścianki i akustyczne przewody kominowe. Przerwałam czytanie, wpatrując się w przestrzeń. Łup! To winda. Było gorąco, otwarte okno wpuszczało powiew wiatru i zapach spalin. Przykro, tęsknie, ogólnie do bani. Gdyby emocje mogły podrywać, fruwałabym pod sufitem. Nie można tak myśleć, to idealizowanie. Los to szutrowa droga, którą pokonujemy na bosaka. Życie wymaga dokonywania wyborów i konsekwentnego potwierdzania ich sensu. W przeciwnym razie... Co w przeciwnym razie?

Czytałam dalej. Blaż opowiedział historię czeskiej dziennikarki, która zakochała się w Bośniaku w czasie oblężenia Sarajewa. On też nie pozostał obojętny. Byłam ciekawa, czy im się uda. Bałam się, że nie.

– Mama! – obudził się Michaś.

– Yyyy... – zawtórował mu Alek.

– Chłopcy, już idę – poderwałam się z tapczanu.

– Pani Karolino, jak się sprawuje Weronika? – złapałam za telefon, przypomniawszy sobie, że córkę zostawiłam u sąsiadki. – Zaraz po nią przyjdę, tylko chłopaków wyjmę z łóżek. Przepraszam, że tak długo. No co tam, żuczki? Wyspaliście się? Mamusia zaraz was przewinie. Oooo, Michałek ma sucho. Brawo! Na nocniczek. A Aluś? Też sucho. Poczekaj, nie siusiaj jeszcze! Synku, trzeba robić do nocniczka, siadaj. Siadaj, nie wstawaj. Patrz, masz tu książeczkę. Tygrysek bawi się z braciszkiem. Alek! Nie wstawaj. Michał, chodź do mamy, podciągnę ci rajstopki. Chłopaki, marsz do kojca, pobawić się proszę. Słucham? – odebrałam telefon.

To Jurek.

– Byłam na spacerze, padało. Jerzy, teraz nie mam czasu, chłopcy wstali, robię obiad. Jedziesz na budowę? Co przywieźli, cement? Tak, za godzinę będzie obiad. Wychodzisz po południu? Myślałam... No dobra, pracuj.

– Halo? Tak mamo, wszystko w porządku. Chłopcy właśnie wstali. Nie byłam dziwna, mamo. Dlaczego? Po prostu mamy dużo roboty. Jurkowi wyznaczyli termin kolokwium habilitacyjnego na wrzesień i jeszcze jeździ na budowę. Musimy się przecież kiedyś wprowadzić. Tak, mamo, odpocznę, gdy już wszystko zrobię. Wiem, wiem, że mam o siebie dbać, ale powiedz mi jak. Dobrze, nie będę już dzisiaj piła kawy.

Uff. Raczej nikt już nie zadzwoni. Zaparzę kawę.

– A, moja córcia wróciła! – Weronika pojawiła się w drzwiach, do których dopadłam po strażackim dzwonku.

– I jak było u Zuzi?

– Fajnie. Mama, pić.

– Już ci daję i włącz sobie bajeczkę. Mama zrobi obiadek.

– Mamusiu! – Ika zawołała mnie z pokoju. – Michał wszedł na parapet.

Poleciałam z prędkością pershinga.

Tylko spokój!

Ściągnęłam Michała z parapetu.

– Malcy, siadać z siostrą przed telewizorem i oglądać bajkę. Włączę wam „Zakochanego kundla", może być?

Chwała Bogu zajęli kanapę niczym kury na grzędzie i pozamykali paszcze.

„Kamienne murki, lawendowe pola, góry moczą nogi w Adriatyku" – oddzielałam mięso od udka kurczaka – „wpłynęłaś w moje ramiona i byłem bardzo szczęśliwy" – dodałam szczyptę soli – „jak nigdy wcześniej, jak nigdy potem" – włączyłam mikser – „Dla Any, która dała mi życie, nie wiedząc, że jednocześnie je odbiera" – wyłączyłam mikser. Ziemniaki dochodziły, zrobiłam surówkę z kiszonych ogórków, cebuli i majonezu. Duszone polędwiczki wieprzowe miałam od wczoraj. Podlałam je śmietaną.

Nie słyszałam dzwonka. Jerzy pojawił się w kuchni, znajdując mnie pogrążoną w myślach.

– Jesteś smutna? – Objął mnie ramieniem.

– Nie, dlaczego. – Otarłam łzę.

– No przecież widzę, że płaczesz.

– Dzieciaki dały mi się we znaki.

– To dobrze, że nic się nie stało. – Jerzy się uśmiechnął. – Obiad jest?

– Rozstaw talerze.

– Dobrze. Zjem, odpocznę i polecę, a w weekend wyjedziemy na działkę. Zajmę się trochę maluchami, okej?

– Przyda się.

– Chodźmy jeść – poszeptałam pod nosem.

– Coś mówiłaś? – odezwał się Jerzy z pokoju.

– Mówiłam, że możemy jeść.

ANNA
6 SIERPNIA 1997

W piątek pogoda zrobiła się piękna, zapowiadał się słoneczny weekend. Wybieraliśmy się, ratując przed miejskim upałem, do Stępy, naszego siedliska pod Nieporętem, w pobliżu Zalewu Zegrzyńskiego. Składało się ono ze skromnej chaty kupionej przez rodziców w dawnych „tańszych" czasach od gospodarzy, którzy osiedlili się w sąsiedniej wiosce, w okazalszym domu. Rodzice wybrali ciekawsze od wyjazdów na wieś życie na emeryturze, przekazując nam i dzieciakom Stępę z dobrodziejstwem inwentarza. Prawdziwego inwentarza na szczęście tam nie było, za to słomiany dach wymagał wymiany, wodę ciągnęliśmy ze studni za pośrednictwem hydrofora, a o ogrzewaniu należało dopiero pomyśleć.

Szczęśliwie dysponowaliśmy obszernym samochodem marki Polonez, pakownym na tyle, by przewieźć trzysta ton cementu, sterty cegieł, wkład kominkowy, puszki farb, różnego rodzaju rury, złączki i inne dziwnie nazywające się materiały budowlane i instalacyjne. Jerzy gospodarczym sposobem przy pomocy miejscowych doprowadził chatę do stanu używalności, tak że mogła nas przyjąć latem i w każdy cieplejszy wiosenny weekend. Jerzy wybudował płot z sosnowych sztachet i akacjowych słupków, uniemożliwiający dzieciakom samowolne wypuszczanie się nie wiadomo gdzie. Niewielka piaskownica stała się hitem, a plastikowy, ciągle przeciekający i wymagający podklejania gumowymi łatkami basenik dopełnił szczęścia.

Otoczeni byliśmy polami żyta, pszenicy i kukurydzy, czasami wyrastały wokół nas ziemniaki. Gdy w sierpniu na polach pojawiały się kombajny i traktory, a maki i chabry traciły życie pod ich kosami, myszy zaczynały szukać schronienia w domach, niestety w naszym też, i dla nas zaczynał się sezon kupowania łapek. Ogród nie wymagał już ciągłego podlewania, warzywa na rosół wrosły w ziemię, opierając się słońcu – mocne, pewne, dorodne. Korzystaliśmy z wiecznie owocującej fasoli, pomidorów, zbieraliśmy ostatnie ogórki, sekundowaliśmy dojrzewającej papryce. Krzewy porzeczek oddawały ostatnie owoce, ustępując miejsca węgierkom i ulenom.

– Gotowi? – Jerzy odwrócił się do dzieciaków upchniętych z tyłu samochodu.

Były najedzone, napite, wysiusiane i gotowe przetrwać kilkudziesięciokilometrową podróż. Oprócz standardowego wyposażenia – jedzenie, woda, trzy walizki ciuchów i zabawki – wiozłam słoiki na powidła, butelki na soki i inne różności, wypełniające cały samochód.

– Chyba musimy kupić ciężarówkę – odezwałam się do Jerzego, gdy ruszyliśmy.

Po chwili oznajmił:

– Muszę zatankować.

– To zatankuj. – Zapatrzyłam się w krajobraz za oknem. Chwila spokoju. Chłopcy siedzą z tyłu w miarę spokojni, spętani pasami, Weronika bawi się lalką. Godzinka jazdy – czas wytchnienia po przygotowaniach. Czego nie dopatrzyłam? O czym zapomniałam? Co będzie można mi zarzucić? Zaraz, czy mam przyprawę do kurczaka? Mam. Ręczniki? Wzięłam. Matko, nie zabrałam cukru! Chyba jednak jest, w tej zielonej torbie z jedzeniem. Nie zabrałam gąbeczek do zlewu. Wiedziałam, zawsze czegoś zapomnę, a nie powinnam. Przecież nie pracuję, muszę pamiętać o sprawach bytowych. Poczułam się jak zwykle w takich sytuacjach źle. Boże, gdzie te czasy, gdy mogłam z Harrym wrócić po drinku do domu, a Jerzy może nie był zadowolony, ale mi głowy nie urwał. Wiadomo, byłam zajęta, pracowałam, coś robiłam. Moje nazwisko pojawiało się w gazecie, wolno mi było o czymś zapomnieć... Teraz zaś muszę być perfekcyjną panią domu. Tylko już nie wiem, czy Jerzy to sobie wymyślił, czy ja.

– Yyyy. – Alek oberwał od Michałka.

– Michał, mamusia da pić. Masz soczek, nie wolno bić braciszka. Weroniczko, pokaż im książeczki, zaraz dojedziemy.

Wrzask. Chłopaki nie reagują na starania siostry.

– Dobrze – odwracam się do trutniów. – Mam coś dla was! Mamusia coś wam kupiła.

Sięgam po niespodziankę szykowaną na trudne, nie do opanowania chwile. Ich ulubione lizaczki. Przełknęli, zadowoleni. I znowu się udało.

Jedziemy w ciszy. Jerzy milczy, ja siedzę spięta. Przypominam sobie, że głęboko w torbie chowam słodki ciężar, książkę Blaża, której nie zdążyłam przeczytać do końca. Uśmiecham się oczami, żeby nikt nie widział.

ANNA
7 SIERPNIA 1997

Jurek, zupa mi się zepsuła! – wołam zrozpaczona nagłym odkryciem po przyjeździe na działkę. – Co dam
dzieciakom na obiad?! Całkiem się skisiła. Prawie wyla-
tuje ze słoika. – Byłam zrozpaczona. Pora karmienia się
zbliża, a tu klapa.

– Trzeba było ją zagotować przed wyjazdem – podsumował Jurek.

Tak, trzeba było. Ale kiedy? Nie zdążyłam, nie pomyślałam, nie przewidziałam. Dzieciaki też trzeba było
przygotować, naszykować rzeczy, wynieść śmieci, zrobić
zakupy na dwa dni, powiesić pranie, pozamykać okna.
O przegotowaniu zupy zapomniałam.

– Nie denerwuj mnie! – wydarłam się na Jurka. – Zawsze jestem winna.

– Trudno, dasz im coś innego. – Jerzy poszedł po ko-
siarkę. – Nie chce zapalić! – zawołał z szajerka.

– Trzeba było ją nasmarować – odparowałam.

Kosiara zadziałała, dzieciaki zjadły na razie budyń. Spokój zapanował nad Stępą.

– Mami, popatrz, bocian chodzi po łące. – Weronika złapała moją rękę, ciągnąc w kierunku płotu.

– Tak, córeńko, szuka żabek.

– Chce je zjeść?

– No, wiesz, bociany jedzą żaby. Muszą coś jeść.

– Ale je to boli! – Przerażenie wyzierało z oczu Weroniki.

– Rybko, tak w życiu jest, że jedne zwierzątka jedzą drugie, żeby przeżyć.

– Ale ja tak nie chcę! – niemal się rozpłakała.

– Ikuniu, nic się złego nie dzieje. Chodź z mamusią, pozbieramy porzeczki na kompot.

Zamyśliłam się. Czy naprawdę w życiu tak jest, że jedne żyjątka muszą ranić drugie, żeby przeżyć? Ranić w imię szczęścia? A może życie to tylko łańcuch pokarmowy? Silniejsze gatunki zjadają słabsze, by żyć, a te słabsze szukają mięczaków większych od nich samych? Poświęcenia nie da się zmierzyć, szczególnie gdy się nie wie, czy poświęcasz się dla siebie, czy też dla kogoś. Książka Blaża leżała na dnie mojej torby. Jak się zakończy romans Czeszki i Bośniaka? Kogo zranią, a kogo uszczęśliwią? Kto się okaże bocianem, a kto żabą?

– Tu mamy miseczkę. Zbieramy czerwone kiście porzeczek i wkładamy do środka – tłumaczyłam Weronice, jak ma ściągać porzeczki z krzaka. – Nie naciskaj zbyt mocno, bo pobrudzisz paluszki i zniszczysz owoce. O, dobrze robisz! – pochwaliłam ją, widząc jej starania. – Zrobimy kompocik i soczek na zimę. Zbieraj, córciu, mamusia musi iść do braciszków. – Pognałam na podwórze, słysząc jazgot bliźniaków.

Jerzy zagłuszał ich wrzask kosiarką.

– Co się stało, chłopaczki? Michaś, Aleczku, chodźcie do mamusi, pójdziemy do Weroniki pozbierać porzeczki.

Wzięłam zlanego Alka pod pachę, przewinęłam, znowu się zlał. Michał uciekł do ogródka w poszukiwaniu wrażeń. Na szczęście zatrzymał się przy Ice.

– Jerzy! – krzyknęłam. – Skoro mamy dziś robić te soki, to zobacz, co z Michałem. Pewnie ma mokro. Jerzy! Zajmij się nim, bo chcę pozbierać porzeczki. Jerzy!

– Słyszę! – Jerzy dał mi do zrozumienia, że nie jest głuchy.

Zabrał Michała do domu, zostawiając mnie z Alkiem i Weroniką. Skapitulowałam. Napełnialiśmy kolejne miseczki czerwonymi kuleczkami. Po godzinie butelki były umyte, sokownik buzował. Dzieciaki po kolacji, my przed. Przelewanie, nalewanie, dwadzieścia sztuk. Dzieciaki do łóżek, kanapki na stół, piwo na stole, luz. Poczucie dobrze spełnionego obowiązku, cisza, na niebie Droga Mleczna, wieczorny chłodek, oddech. Pogadamy, odpoczniemy, pójdziemy spać. Nastrój sierpniowego wieczoru na wsi pozbawia wszelkich wątpliwości, uwalnia od trosk, daje poczucie bezpieczeństwa. Książkę Blaża dokończę jutro.

ANNA
8 SIERPNIA 1997

Czy mnie oczy nie mylą? Chyba widzę czerwonego forda! – krzyknęłam do Jurka, wyglądając na drogę przy okazji zamiatania ganku. – Jedzie w naszą stronę! Jurek, to chyba Staszkowie.

– No tak, pewnie oni. Mówiłem ci, że ich zaprosiłem.

– Kiedy mi mówiłeś?! Przecież nie jestem przygotowana. O, matko, oni chyba jadą z dzieciakami.

– Nie rób problemu. Jak będzie trzeba, pojadę do sklepu.

Pojedzie do sklepu. Ludzie przyjeżdżają w porze obiadowej, ja mam papkę dla dzieci i dwa mielone od wczoraj, a ten mi mówi, że nie ma problemu. Pojedzie do sklepu, kupi słoik ogórków konserwowych i groszku, a ja to podam gościom na obiad. Gdy Staszkowie wjeżdżali na podwórze, zdążyłam już wyjąć z zamrażalnika piesi kurczaka i zalać wodą, żeby się szybko rozmroziły. Myślałam błyskawicznie: w ogrodzie rośnie jeszcze reszta fasoli, bułkę tartą mam, masło też. Ziemniaków wystarczy dla wszystkich.

O piwo będą musieli zadbać. Ulżyło. Nie wystawię uczty, ale będzie się nazywało, że podałam wiejskie jedzenie.

– Wychodźcie, wychodźcie.

Staszek, Dorota i ich córeczki Kaja i Elka gramolili się z samochodu. Weronika podbiegła do koleżanek, zachęcając je do pójścia do piaskownicy.

– Przepraszamy za spóźnienie, ale wiecie, jak łatwo się wydostać z Warszawy – zaczęła się tłumaczyć Dorota.

– Powiedz lepiej, że się pakowałaś dwie godziny. – Staszek naraził się żonie.

– Stanisław, daruj sobie. Gdybyś mi pomógł, byłoby szybciej.

– Koniec tych małżeńskich kłótni – przerwał ich dyskusję Jurek. – Dajcie rzeczy, zaniesiemy do domu.

– Widzę, że humor ci dopisuje – stwierdziła Dorota, która dawno nie widziała mojego męża w tak dobrym nastroju.

– No, wiesz, wagary są zawsze przyjemne – udało mi się wtrącić. – Habilitacja za pasem, ale wyjazd na wieś to miła alternatywa. Jerzy, nie patrz tak. Przecież ja się cieszę, że znalazłeś na to czas.

– To może teraz wy zaczniecie się kłócić? – Staszek pogroził nam palcem. – A swoją drogą, kiedy masz kolokwium?

– W listopadzie, na drugiej radzie wydziału, dziewiętnastego lub dwudziestego, nie pamiętam. Ale recenzje już przyszły.

Panowie oddalili się, pogrążając się w rozmowie na tematy naukowe, a my z Dorotą do ogródka po fasolę i do kuchni.

– Jerzy! Zerknij na chłopaków, proszę. Idziemy z Dorotą robić obiad. Weroniczko, dobrze się bawicie?

Dziewczynki zniknęły w piaskownicy, tworząc na deser smakowite babki z piasku.

– Widzę, że marmurkowe się szykują.

– A wiesz, że tak? – Dorota przypomniała sobie, że przywiozła babkę na deser.

– Super. Ja mam dobrą śmietanę od sąsiadki, pogrzeszymy z kaloriami.

No i znowu nici z książki Blaża. Zżerała mnie ciekawość odwrotnie proporcjonalna do braku czasu na czytanie. A Dorota nadawała. Byli na wczasach w Łebie w ośrodku z zakładu pracy Staszka, pięknie położony, proszę ciebie, tuż za wydmą, dziewczynki się wybawiły, woda ciepła, muszelek cały worek, nawet z jedzeniem nie najgorzej, powstało szereg smażalni ryb, popłynęli kutrem w morze, Kaja miała sensacje żołądkowe, Elka nie, Staszek budował grajdoły, ale musieli je opuszczać, idąc na obiad, a po obiedzie, wyobraź sobie, grajdoł zawsze ktoś zajął, co za ludzie, tylko na gotowe, a wracając, zajechali do oliwskiego zoo, no wiesz, te foki to tam mają wygodnie, ale tygrys coś okropnego, jaki ma mały wybieg, ale dziewczynkom się podobało, to najważniejsze.

– Przepraszam, muszę wyjąć bułkę tartą – przerwałam Dorocie tyradę, odsuwając ją lekko od drzwiczek dolnej szafki kuchennej.

– Może ci w czymś pomóc?

– Rozłóż talerze i sztućce. Poczekaj, dam serwetki. Albo sama weź, leżą na kredensie.

Dorota, nie czekając na dalsze instrukcje, podążyła w kierunku dużego dębowego bufetu.

Ziemniaki dochodziły, zapach fasolki roznosił się po kuchni, opieczona bułka tarta czekała na spodeczku, filety z kurczaka w mące i jajku gotowe. A, zrobię jeszcze kisiel, dzieciaki lubią. Wysłałam Dorotę po resztkę wiszących na krzakach porzeczek. Rach-ciach, kisiel truskawkowy, jedyny, jaki miałam, bąblował w garnku, zanim znalazł się w salaterkach.

– No, co z tym obiadem? – Panowie, poczuwszy zapachy z kuchni, postanowili zrezygnować z dalszych debat.

– Jesteśmy głodni!

Nic nowego, pomyślałam.

– Dziewczynki! Obiad! Jerzy! Ściągnij chłopców i przynieś kompot z piwnicy.

– Aniu, Michał nie chce przyjść. Pokłada się na kocu.

– To go przyprowadź, Jerzy, ja stawiam obiad. Aleczku, ty też jesteś zmęczony?

Alek przytulał się do mojej nogi, nie pozwalając mi się ruszyć.

– Będę musiała chyba ich położyć po obiedzie.

– To nie pójdziemy nad jezioro? – Dorota wydawała się zawiedziona.

– Idźcie sami, szkoda pogody.

Dziewczynki triumfowały.

– Idziemy nad jezioro!

– Tatusiu, a weźmiemy łabędzia? – Weronika pobiegła po dmuchanego ptaka do pływania.

Kaja poleciała po pływaczki.

– Siadamy do stołu, towarzystwo! – zagoniłam rozlatańców do obiadu. – Będzie ładnie zjedzone, będzie jezioro. Ale pamiętajcie, po posiłku pół godzinki wypoczynku. Z pełnym żołądkiem nie można się kąpać.

Na szczęście nie trzeba było nikogo namawiać do jedzenia. Powietrze zrobiło swoje. Nawet po kisielu nie pozostał ślad. Malcy, o dziwo, nie stawiali oporu przed sjestą.

– Wiecie co? – Dorota spojrzała mętnymi oczami. – Nie wiem, czy mi się chce gdziekolwiek chodzić. Taka błogość, spać mi się zachciało.

– Dorotko, chętnie bym poszła – kłamię jak z nut – ale chłopcy... Mam do ciebie prośbę, trzeba kupić kiełbasę na grilla, a panowie, sama wiesz, co kupią.

Zgodziła się.

Pomachałam całej czeredzie, wstawiłam wodę na zmywanie i po półgodzinie miałam względny porządek. Żeby tylko chłopcy pospali. Śpią już godzinę, mam jeszcze szansę co najwyżej na pół. Wydobyłam z najgłębszego zakamarka mojej torebki książkę Blaża. Natychmiast zagłębiłam się w niej. Pół godziny spokoju. Co to jest? Alek zaczął się kręcić. Przykryłam go delikatnie kocykiem, ufff, śpi dalej. Po polu zaczął jeździć kombajn, niemiłosiernie terkocząc w pobliżu naszego płotu. A niech cię jasna cholera! – zaklęłam pod nosem. Zero spokoju. Otworzyłam na czterdziestej stronie.

– Nigdy więcej tego nie rób! – Izet mocno przygarnął Anezkę. – Co ci przyszło do głowy, żeby wychodzić przy zaciemnieniu? Nie widziałaś wczoraj tej kobiety, która

dostała odłamkiem? Poszła po chleb, a wróciła z rozha-
rataną nogą.

– Słyszałam, że zginął dziennikarz. Chciałam iść zo-
baczyć.

– Bym ci opowiedział. Nie mogę znieść myśli, że robisz
takie głupie rzeczy. Mogłaś zginąć! – krzyczał, tuląc ją
do siebie. – Tutaj snajperami są wszyscy, Serbowie i Boś-
niacy. Są wszędzie. Nie płacz – otarł jej łzy. – Nie krzyczę
na ciebie, Anezka, krzyczę z radości, że jesteś.

Otarłam łzy. Historia bohaterów Blaża była jednoznacz-
na. Nawet imię głównej bohaterki przypominało moje...
W Sarajewie trwała regularna wojna, ginęli ludzie, ale
w schronach tliło się życie, miłość między czeską dziennikarką Anezką i bośniackim fotoreporterem Izetem kwitła.
Byli razem i zawsze razem będą. Czytałam, strony biegły
jedna za drugą popędzane moją ciekawością. Kombajn
zbliżył się do bramy. Wyjrzałam wściekła, pragnąc go
odegnać w siną dal. Idą! – niemal wyrwało mi się na widok
wracających plażowiczów. Mieli jeszcze około pięciuset
metrów. Dorwałam ostatnie dwie strony. Trudno, muszę
poznać rozwiązanie.

Ostrzał zelżał. Zbliżał się wieczór, obie strony były już
zmęczone. Ludzie wylegli na ulicę, prostując kości po ca-
łodziennym siedzeniu w schronie. Pojawiły się beczkowozy
z wodą pitną, przy których ustawiały się długie kolejki
kobiet i mężczyzn z wiadrami.

– Na dzisiaj chyba koniec roboty. – Izet schował aparat

do torby. Z przyjemnością pomyślał o skromnym pokoiku, w którym czekała na niego Anezka. Może zrobiła coś do jedzenia? Od rana nie miał niczego w ustach.

– Dacie się napić?

Babka w czarnej chuście z chęcią użyczyła mu wody z wiadra.

– Pijcie na zdrowie – pogłaskała go po głowie. – Co się tam dzieje? – Przymrużyła oczy, spoglądając w kierunku zbiegowiska.

Pobiegł w tę stronę, wyjmując aparat. Jednak na dzisiaj to jeszcze nie koniec roboty.

Przebił się przez kordon gapiów. Na ulicy leżała martwa kobieta. Żołnierze z patrolu delikatnie przenosili jej ciało na nosze.

– Żyje?! – Izet krzyknął z nadzieją, której jeszcze nie zdążyła pokonać rozpacz.

– Nie żyje. Trafił ją snajper. Czy pan ją zna?

Izet dobiegł do leżącej na noszach Anezki.

– Przecież ci mówiłem! Dlaczego ty mnie nie słuchasz?!

– Chce pan jechać z nami?

Wsiadł do wojskowego jeepa. Obok leżała jego Anezka w powiewnej białej sukience z kwiatowym deseniem. Chwycił ją za rękę. Zawsze miała takie ciepłe dłonie...

– Jesteśmy na miejscu – wyrwał go z letargu kierowca.

Potem były już tylko pytania: kto to? Skąd ją zna? Dlaczego się tam znalazł?

– Tak, znam Anezkę. To czeska dziennikarka „Lidovych Novin". Czy mogę już iść?

– Proszę zostawić kontakt, może być potrzebny.

Wrócił do ich pokoiku. Na stole stała przygotowana kolacja ze świecą. Zapalił ją, zgasła około drugiej w nocy.

– Jesteśmy! – „Wykąpańcy" krzyczeli już od bramy.

– Ciiiii! – przyłożyłam palec do ust. – Chłopcy jeszcze śpią.

– A to miałaś dobrze – podsumował Jerzy moją godzinkę samotności.

– To co, teraz kawka i ciasto?

Stawiam wodę, próbuję zamarkować moje literackie przeżycia.

– Coś nie tak? – Jerzy wyczuł, że nie jestem taka jak zawsze.

– Wszystko tak, Jurek. Umyj Weronice ręce.

ANNA
WRZESIEŃ–PAŹDZIERNIK 1997

Długo nie mogłam dodzwonić się do Lucyny, gnana potrzebą podzielenia się refleksjami po lekturze książki Blaża. Pewnie, korzystając z końcówki lata, pojechała do teściów na wieś pod Siedlce, pomyślałam. Wakacje zwichrowały nam plany wydawnicze, odwlekając edycję książki o ponad dwa miesiące. Życie jedną nogą w Warszawie, drugą na wsi nie sprzyjało pracy twórczej. Czułam wyrzuty sumienia z powodu naszej opieszałości i braku konsekwencji w dążeniu do celu. Wypominałam Jerzemu twórcze wagary przed habilitacją, sama jednak też traktowałam sprawy domowe jako dobry pretekst do leniuchowania. Moje sąsiedztwo z Lucyną było bardzo wygodne, dawało nam możliwość codziennego spotykania się w sprawach zawodowych i ustalania treści kolejnych rozdziałów. Szkoda, że to się niebawem zmieni. Ale radość z wyprowadzki do nowego domu tłumiła ten żal.

Przenosiny planowaliśmy na jesień, lecz niestety wszystko wskazywało na to, że się nam nie uda. Jerzy nie miał czasu zająć się wykończeniówką, a i ja nie byłam specjalnie mobilna, by z dzieciakami jeździć po sklepach z kaflami, oknami tudzież tysiącem innych materiałów potrzebnych do zakończenia budowy.

– Może po prostu dajmy sobie spokój z wyprowadzką w tym roku – trzeźwo zaproponował Jerzy. – Przełóżmy to na wiosnę.

Zgodziłam się z chęcią, nawet mi ulżyło. Zamieszkanie przed zimą w świeżych murach, na niedawno lakierowanych podłogach i pośród woniejących ścian nie jest zbyt zdrowe. Poza tym przynajmniej zdążę napisać z Lucyną książeczkę i przebrniemy przez habilitację Jerzego, który zaczynał zdradzać coraz większą nerwowość przed kolokwium. To minie, tłumaczyłam sobie, przełykając złość na nadmiar zajęć, brak czasu na pisanie, wrażenie dźwigania wszystkiego na swoich barkach.

Któregoś dnia odezwał się do mnie Harry, mój ulubiony szef:

– Nie znudziło ci się jeszcze siedzenie w domu i leniuchowanie? – zagadnął z wrodzonym sobie taktem. – Co prawda twój Edmund R. siedzi, ale tematów mamy nie do obrobienia. Kiedy wracasz?

Nie zastanawiałam się jeszcze. Właściwie w ogóle nie zamierzałam wracać, ale przebranżowić się w pisarkę bajeczek dla dzieci. Może jednak warto pójść między ludzi? Zająć się czymś konkretnym, dostawać co miesiąc pensję? Po pieniądzach z paryskiego stypendium Jurka nie pozostał ślad i musieliśmy się nieźle starać, by starczało nam od jednej wypłaty do drugiej. Podziękowałam szefowi za cierpliwość. Zgodził się poczekać na mnie jeszcze kilka miesięcy, zanim malcy skończą trzy lata i będę mogła ulokować ich w przedszkolu.

W końcu po niemal dwóch miesiącach prób udało mi się złapać Lucynę. Odebrała stale milczący telefon w swoim domu.

– Jesteś, Lucynko! – niemal wrzasnęłam do słuchawki, słysząc głos przyjaciółki, o którą zaczęłam się już niepokoić. – Gdzie byłaś? Gdzie przepadłaś na tyle czasu? Zastanawiałam się, czy naprawdę istniejesz? – zasypałam ją pytaniami. – Mam ci tyle do powiedzenia. Kiedy się spotkamy?

– Aniu, wyjechałam z Wiktorkiem w góry, do mojej przyszywanej ciotki Rozalii – zaczęła wolno. – Musiałam przemyśleć pewne sprawy.

Zaniepokoiłam się nie na żarty.

– Z Wiktorkiem wszystko w porządku?

– Jak najbardziej, pyta o Weronikę – uśmiechnęła się przez telefon. – Aniu, to nie dotyczy ciebie ani pisania, ale kwestii osobistych.

– Poznałaś kogoś? – Wierzyłam, że poziom naszej zażyłości pozwala zadać mi to pytanie.

– Wręcz przeciwnie. Już go znałam.

Czyli chodzi o mężczyznę – uspokoiłam się, nadal pragnąc namówić Lucynę na spotkanie i wyciągnąć na zwierzenia.

– Masz ochotę się spotkać, koleżanko? Zgódź się

– przybrałam proszący ton. – Tak się za tobą stęskniłam. I muszę pogadać.

– Teraz już tak, Aniu. Wiktor jest do jutra u mamy. Znajdziesz czas dzisiaj wieczorem?

– Jasne, choćbym miała przywiązać Jerzego za nogę do stołu. Ale mówiąc poważnie, położę dzieciaki i lecę do ciebie. Około wpół do dziewiątej może być?

– Czekam.

Lucyna położyła na stole świeży chleb domowego wypieku i powidła śliwkowe ciotki.

– Przywiozłam wczoraj – wyjaśniła. – Ciotka ma sad z prawdziwymi węgierkami, wiśniami i białymi porzeczkami. Robi z nich przepyszne przetwory. Nie mogłam unieść torby ze wszystkim, co mi dała. Czekaj, poczęstuję cię jeszcze samogonem, a do tego zagryzka – kiszone ogórki z chrzanem, czosnkiem i gorczycą. Pycha.

Wydawała się nadmiernie podniecona. Kręciła się wokół stołu, rozkładała talerzyki, napełniała niewielkie kielonki alkoholem o herbacianym odcieniu. Nagle mnie przytuliła.

– Jeszcze się nie przywitałyśmy, Anka. Daj się uściskać.

To nieco odbiegające od normy zachowanie zrzuciłam na karb tajemniczego mężczyzny, który zaraz pewnie stanie się bohaterem opowieści Lucyny. Nie chciałam jednak przyspieszać zwierzeń.

– Co u ciebie? Mów – przekazała mi pałeczkę Lucyna.

Wiele razy w czasie naszej rozłąki rozmawiałam z nią w myślach, opowiadałam jej o codziennych sprawach, dzieciakach, budującym się domu, habilitacji Jerzego, rozterkach związanych z ewentualnym powrotem do pracy, ale głównie zastanawiałam się nad sensem książki Blaża, o której istnieniu jeszcze nie wiedziała. Ale teraz, mówiąc kolokwialnie, zapomniałam języka w gębie.

– Wiesz, u mnie normalnie. Wakacje spędzaliśmy jedną nogą w Warszawie, drugą w Stępie. Dzieciom dobrze robi wiejskie powietrze. Zmężniały, Weronika wydoroślała, chłopaki też. Taka krzątanina.

Słuchała mojego paplania, przyglądając mi się wnikliwie.

– Ale co u ciebie? Chciałaś mi coś powiedzieć.

– Przejrzałaś mnie. – Wyjęłam książkę Blaża. – Dostałam to.

Spojrzała na tytuł.

– Możesz przetłumaczyć?

– „Szkoda, że ciebie tu nie ma". To powieść Blaża o miłości Czeszki i Bośniaka w oblężonym Sarajewie. Jakby o mnie i o nim.

– A jak się kończy? – trafiła w sedno.

– Jesteś czarownicą, koleżanko – uśmiechnęłam się mimo woli. – Skąd wiedziałaś, że zakończenie jest najważniejsze?

Nie odpowiedziała.

– Uśmiercił Anezkę. Zginęła od kuli snajpera. Jakby usunął mnie ze swojego życia.

– Tak to wygląda. – Lucyna słuchała uważnie. – Wiesz, może on to jednak zrobił dla siebie, a nie przeciwko tobie. Żeby nie myśleć, zacząć nowe życie...

– Może. A nawet na pewno. Myślę, że ja też mam to już za sobą. Przeszłość, jak sama nazwa wskazuje, już przeszła.

I choć na początku ta książka nieco mnie rozstroiła, już ułożyłam sobie w głowie to i owo. Zamykam ten rozdział w życiu, tak jak Blaż to zrobił. I dobrze. – Odetchnęłam.

– Żebym ja również tak mogła... – Lucyna wyraźnie zbierała się do opowieści.

Słuchałam, czekając na pojawienie się postaci tajemniczego mężczyzny.

– Aniu, nie byłam z tobą całkiem szczera – zaczęła. – Nie okłamałam cię w niczym, ale nie powiedziałam ci całej prawdy. Czekałam na ostateczne rozstrzygnięcie i chwilę, kiedy będę mogła się z tobą podzielić całą historią. Pamiętasz, jak zajmowałaś się w gazecie Edmundem R.? – zawiesiła głos. – To był mój mąż. Poznałam Wiktora, kiedy u niego pracował. Prowadził jedną z jego spółek. Szybko się zorientował, że Edmund nie gra fair. Krótko mówiąc, jest przestępcą. Ginęli ludzie z jego otoczenia, w niejasnych okolicznościach ktoś się utopił, ktoś inny spłonął w dziwnym pożarze. Niewygodni ludzie musieli odejść. Z Wiktorem zetknęłam się na jednym z przyjęć. Reszty możesz się domyślić – zakochałam się w nim z wzajemnością. O rozwodzie nie było mowy, Edmund wściekł się niemiłosiernie. Ale ja postanowiłam się wyprowadzić z domu, nie mając do końca świadomości, jak niebezpiecznym człowiekiem jest mój mąż. Myślałam, że w końcu da mi rozwód. Zamieszkaliśmy z Wiktorem i prowadziliśmy firmę wydawniczą, którą założył trzy lata wcześniej. Co się z nim stało, wiesz. Zginął w wypadku, gdy byłam z małym w ciąży. Po jego śmierci dostałam od Edmunda kondolencje z pogróżkami, żebym dobrze pilnowała swojego nienarodzonego dziecka. Wiedziałam, że maczał w tym palce. Teraz, kiedy od miesiąca siedzi w więzieniu, mogę czuć się bezpieczniej. Dziękuję tobie i twoim kolegom, że pokutuje za swoje grzechy, aczkolwiek zabójstw mu nigdy nie udowodniono. I muszę ci jeszcze coś wyznać – zawiesiła głos.

Spojrzała na mnie tak, że się niemal przestraszyłam.

– Nasze poznanie w piaskownicy nie było przypadkowe. Wiedziałam, że jesteś dziennikarką i interesujesz się Edmundem. Miałam nadzieję, że mi jakoś pomożesz. Nie wiedziałam jak, ale próbowałam się ratować. Przepraszam.

– Lucyna?

Odwracała ode mnie wzrok.

– Lucyna?

Tym razem spojrzała.

– Jeszcze po maluchu?

– Nie masz mi za złe?

– Gdybym cię nie znała... Lucyna, weźmy po tym maluchu i pozwól, że się ponownie przedstawię. Ania. Zacznijmy jeszcze raz.

– Lucyna.

– Co zamierzasz? – Przerzuciłam most pomiędzy przeszłością a przyszłością.

– Od jutra piszemy! – ożywiła się, mam wrażenie, że na mój użytek. – Dosyć leniuchowania.

Gdy wychodziłam od niej około północy, zastanawiałam się, czy nie wrócić do gazety.

Długo nie mogłam oswoić się z faktami, które wyjawiła mi Lucyna. Ona też sprawiała wrażenie lekko spiętej w czasie naszych spotkań. Ta sprawa nie dawała mi spokoju. Mimo oporów zdecydowałam się powrócić do tematu. Nie mieściło mi się w głowie, że Edmund R. dopuścił się morderstwa Wiktora, pozbawiając małego ojca. Łatwiej było mi uwierzyć w mafijne porachunki, strzelaninę w imię dużych biznesów aniżeli w akt zemsty z powodu nadszarpniętej dumy. Czy ja jestem w kinie na jakimś gangsterskim filmie? W pierwszym odruchu chciałam zaprzeczyć. Ale te kondolencje z pogróżkami... Blef. Słyszał o wypadku, a tymi pogróżkami jeszcze raz jej dołożył, żeby nie miała spokoju.

– Lucynko, czy ty się z nim w ogóle rozwiodłaś? – spytałam któregoś dnia niespodziewanie, przerywając jej opowieść na temat samopoczucia Wiktorka w przedszkolu.

Spojrzała na mnie spokojnie, jakby była przygotowana na to pytanie.

– Niestety, nadal jestem jego żoną. Pozew leży w sądzie od pięciu lat, ale on nie chce się zgodzić na rozwód. Wyobraź sobie, że rości sobie prawa do Wiktorka. Twierdzi, że to jego syn! Kanalia bez serca i źdźbła przyzwoitości – zdenerwowała się nie na żarty. – Jego adwokat wysunął w sądzie argument, że dziecko urodziło się w trakcie trwania małżeństwa i zachodzi tak zwane domniemanie ojcostwa, a Edmund dobrodusznie uznaje dziecko. Poza tym jego klient kocha swoją żonę, niby mnie, i małego, i nie zamierza się rozwodzić.

– To dlaczego przestrzegał, żebyś pilnowała Wiktorka?

– Żebym dobrowolnie zgodziła się przyznać mu prawa do syna albo załatwi to w jakiś inny sposób.

Jej rozumowanie wydawało się logiczne.

– Jaki dostał wyrok? – spytałam.

– Siedem lat. I tyle mam czasu, żeby rozwiązać ten węzeł gordyjski. Dobrze, że chociaż zachowałam własne nazwisko, bo z jego wstyd by mi było poruszać się po Warszawie.

– Bardzo ci współczuję. I mów, gdybym mogła ci jakoś pomóc. Mamy w końcu siedem lat, żeby coś wymyślić. Najważniejsze to znaleźć dobrego prawnika. Edmund na pewno takiego ma, o ile jeszcze nie zdążył się go pozbyć – chlapnęłam. – Sorry za niestosowny żart.

– Nie szkodzi. W domu wisielca nie rozmawia się o sznurze, a tak korci – roześmiała się Lucyna, wybaczając mi faux pas. – Najważniejsze, że nie mamy już przed sobą żadnych tajemnic. Łatwiej się będzie żyło.

ANNA
LISTOPAD 1997

Od rana w mieszkaniu panowało piekło. Jerzy wstał niewyspany. Słyszałam, jak kręcił się po mieszkaniu, zaglądał do lodówki. Udawałam, że śpię, z obawy przed spowodowaniem nadmiernego ruchu, który mógłby obudzić malców i wprowadzić dodatkowe zamieszanie. Jurka czekał stresujący dzień – kolokwium habilitacyjne.

– Nie denerwuj się tak – próbowałam go uspokoić od kilku dni. – Recenzje miałeś dobre, kolegów z rady wydziału znasz, nie zjedzą cię.

– Ciekawe, czy ty byś się nie denerwowała. Będą recenzenci z zewnątrz. Nie mogę się zbłaźnić! – prawie krzyczał.

– Jurek, będzie dobrze, spokojnie. Zrób kawę, muszę ubrać dzieciaki.

– Wyprasowałaś mi białą koszulę?

– Wisi na wieszaku w łazience!

– Nie ma jej tu!

– Jak to nie ma? – pobiegłam sprawdzić. – Masz, przecież wisiała.

– Zawsze tak wszystko utkniesz, że nie można znaleźć.

Trzymajcie mnie wszyscy, święci pańscy! Zestresowany chłop w domu to gorzej niż wojna, przemarsz wojsk czy epidemia grypy hiszpanki. Jeszcze trochę wytrzymam, ale po kolokwium koniec parasola ochronnego, mój kochaneńki! – pomyślałam, ostrząc w myślach noże na mojego męża.

– Aniu!

O, nieba! Jerzy znów czegoś chce.

– Weronika cię woła.

– Już idę.

Weronika nie mogła naciągnąć rajstop na nóżkę. Żaden problem, zaraz jej pomogłam. Chłopcy też dali się obsłużyć niczym przebierane lalki. Powkładałam ich do wysokich krzesełek w kuchni, wręczając po łyżce.

– Jedzcie.

– Ja nie będę – zaczął się stawiać Michał.

– Będziesz! Jedz mleczko z płateczkami. Jest dobre. Alek je.

Michał próbował wydostać się z fotelika. W ostatniej chwili uchroniłam go od upadku z metra na podłogę.

– Właź do środka, Michu, bo zaraz cię klepnę w pupę. Ryk.

– Michał, masz książeczkę, pooglądaj, i zamiast mleczka twój ulubiony soczek. – Wkurzona na maksa uległam smarkaczowi, byleby tylko się uciszył.

– Zrobisz mi jeszcze jedną kawę? Muszę przejrzeć papiery. – Jurek biegał po mieszkaniu we wpółzapiętej koszuli.

– O której możemy przyjechać na wydział? – spytałam, niosąc mu do pokoju kawę.

– Co mówiłaś?

– Nic nie mówiłam.

– Mamusiu, Michał bije Alkaaaa! – krzyczała Weronika z kuchni.

– Ja zwariuję! Dzieciaki, spokój! Ale to już! – wrzasnęłam na bachory z grubej rury. – W tej chwili spokój.

Alek w ryk, Michał rozdziawił paszczę, nieprzyzwyczajony do maminych krzyków.

– Weroniczko, cichutko, chodź do mamusi – przygarnęłam małą, w której oczach pojawiły się łzy. – Już dobrze. Idziemy umyć rączki.

Na chwilę zapanował spokój. Jerzy pozbierał swoje papiery, zawiesił krawat na swoim miejscu i opanował się.

– To ja idę – oznajmił. – Zaczynamy o dziesiątej, ale ani mi się waż przychodzić – pogroził palcem. – Skończymy około drugiej. Załatwiłaś dziadków na popołudnie?

– Jasne, jak zwykle wszystko załatwiłam. Na którą masz obiad?

– Między czternastą a piętnastą. Dwóch recenzentów jest spoza Warszawy. Trzeba będzie ich odwieźć na dworzec.

– Kto ich odwiezie? Ja?

– No coś ty! Jesteś moim gościem jak wszyscy. – Jerzy przyciągnął mnie do siebie. – Poradzimy sobie. Są taksówki.

– Trzymaj się, Jurek. Myślimy o tobie. Idź już, bo się spóźnisz.

Poszedł. Usiadłam na minutę w kuchni, delektując się resztką niestety zimnej już kawy. Minuta na zebranie myśli i... pokój dziecięcy woła. Zrobić łóżka, wylać nocniki, zabawki wrzucić do kosza – kiedy zdążyli tyle porozciągać po podłodze? – przygotować pieluchy, zabrać soczki, książeczki, ubrać się, umalować, kasa na kwiaty! jest, czapki, skafandry, szaliki, rękawiczki, telefon do mamy, telefon do Lucyny – Trzymaj za mnie kciuki – perfumy, gdzie są perfumy?!!!, są, okej, a, jeszcze miksowane zupki dla chłopców i krem do twarzy dla dzieci, bo na dworze siąpi marznący deszcz.

– Alek! Nie siadaj na podłodze. Michał, zostaw ten samochodzik, u babci masz inny. Weroniczko, rozwiązał ci się warkoczyk, mamusia zaplecie.

Idziemy do samochodu. Zwycięstwo!

Stoimy z pięknym bukietem herbacianych róż w holu Instytutu Chemii. Dokoła kręcą się studenci i pracownicy z książkami, teczkami i materiałami. Za drzwiami sali rady wydziału słychać odsuwanie krzeseł. Szum rozmów zwiastuje koniec posiedzenia. Jako jeden z pierwszych wybiega Wojtek, kolega Jerzego, i widząc nas, składa gratulacje:

– Bardzo dobrze mu poszło, możesz być dumna.

Czekamy. Na korytarz wylega nobliwa kadra naukowa wydziału. Jedni kroczą leniwie, inni spieszą się na zajęcia. A oto i nasz bohater prowadzony przez swojego profesora.

– Gratuluję pani męża. – Profesor Garwoś ściska mi dłoń. – Oddaję go pod pani skrzydła.

– Tak się cieszę! – Obejmuję Jerzego, wpychając mu w rękę bukiet kwiatów. – Dzieciaki, chodźcie do tatusia. Tatuś jest bardzo mądry.

Cokolwiek to dla nich znaczyło, wykonały polecenie, zmieszane nieco panującym wokół zamętem.

– Zięciu! – Na horyzoncie pojawili się moi rodzice. – Widzimy, że czas na gratulacje.

Mama zawisła na ramionach Jurka. Tato nie krył wzruszenia.

– Daj grabę, zięciu – poklepał Jerzego po ramieniu. – Jesteśmy dumni. No, dosyć tych wzruszeń. Anastazja, bierz dzieciaki, młodzi mają obowiązki.

Maluchy powędrowały do dziadków, my – na obiad z ważnymi gośćmi. Spoglądałam na zaproszonych profesorów, doktorów, recenzentów, dziekanów, jedliśmy naprawdę niezłe dania, popijaliśmy całkiem drogim winem, prowadziliśmy mądre i dowcipne dyskusje, było bardzo miło. Wszyscy zadowoleni z kolokwium Jerzego, w dobrym nastroju, obsługiwani przez wyszkolonych kelnerów. Zbierałam pochwały za męża, a nawet za mój skromny wygląd (pięć minut przed lustrem plus dobre perfumy). Nagle opanowało mnie znużenie. Do uszu dochodził szum rozmów, z którego trudno było wyłowić sens.

– Wszystko dobrze? – Jerzy objął mnie ramieniem, spoglądając z troską.

– Jasne – ocknęłam się. – Jest wspaniale. Zamów jeszcze wino, bo chyba się kończy.

– Słyszałem od męża, że przebywała pani jako dziennikarka w Chorwacji w czasie wojny bałkańskiej – zagadał mnie, wypowiadając okrągłe zdania, profesor Wieluś, recenzent Jerzego.

– Tak, to prawda. Byłam tam przez pół roku, ale niemal już o tym zapomniałam.

– Wybiera się tam pani jeszcze?

– Raczej nie. Mam tutaj inne obowiązki: dzieci, dom... Ale – zebrało mi się na podsumowanie – było warto, panie profesorze. Dużo widziałam, wiele przeżyłam.

– To może powinna to pani opisać? – poddał „genialną" myśl.

Nie chcąc przerywać dobrze zapowiadającej się kolacji, gnana domowymi obowiązkami opuściłam towarzystwo po angielsku.

ANNA
MAJ 1998

Wchodźcie, prosimy.

Dorota ze Staszkiem stali w progu naszego nowego szeregowca.

– Pokazujcie dom! Ten napis pod dachem „PARAPE-TÓWA" wam się udał!

– Dzięki. Za chwilę was oprowadzimy, kochani, tylko mamy następnych gości. Witamy Mireczkę i Wojtusia, zapraszamy.

Kolejna para z wiechciem wiosennych kwiatów prze-kroczyła nasze skromne progi.

– No, no, państwo się wybudowało – teatralnie cmoknął Wojtek.

– Drineczka? – Jerzy sterował barkiem.

– O, jest i Lucynka – przywitałam moją kumpelę. – Po-znajcie, to moja najlepsza współpisarka i przyjaciółka – zaprezentowałam Lucynę towarzystwu.

W bramce stanął Andrzej, nasz kolega z liceum.

– Jesteś sam? Gdzie Matylda? – nieprzyzwoicie zapędził się Jerzy.

– Nie przyjdzie, jest chwilowo zajęta. Nie wiem, na jak długo – wykręcił się od odpowiedzi Andrzej.

– Jerzy! – spojrzałam na niego karcąco.

– No to czekamy jeszcze na Harry'ego, który zawsze się spóźnia. Wiecie, obowiązki służbowe – obwieściłam.

– Co takiego? – Harry zaskoczył nas, nagle pojawiając się w furtce z Teresą. – Że ja się spóźniam? O, ty, kobieto, puchu marny! Żmiję na własnej piersi wyhodowałem! – Mój ulubiony szef jak zwykle był w formie.

– O, szefuniu wielki, wybacz, przebacz. Składam samokrytykę. Zawsze jesteś na czas. – Biłam się w piersi ku radości zgromadzonej tłuszczy.

Po radosnym powitaniu, wręczeniu trunków dla pana domu i kwiatów dla pani pan domu podążył spełniać przyjemne obowiązki oprowadzania gości po posesji, a pani udała się do kuchni mieszać w garach, przepraszam, doglądać stołu.

– Aniu, jest naprawdę pięknie. – Lucynka pocałowała mnie w policzek. – A jakie smaczności przygotowałaś. Nie próbowałam jeszcze, ale jak wyglądają!

– Dzięki, kochana. Też się cieszę, że historie budowlane mamy już za sobą. Jestem wykończona. Teraz myślę tylko, jak to wszystko spłacić.

– Coś ty! Za tydzień wychodzi nasza książka. Będzie na bułkę z masłem i z szyneczką. Jak ty to mówisz, hicior.

– Lucyna, nie podpuszczaj mnie, bo zrobię sobie nadzieję. A jak nie wyjdzie, to ciebie zabiję! Oooo, nie zabiję

– przypomniałam sobie przypowieść o wisielcu i sznurze
– tylko dam ci po głowie!

– Zamiast tego daj mi drinka. Chcę być dziś w dobrym nastroju.

Lucyna była pogodna jak nigdy. Jej długie ciemne włosy połyskiwały fioletowym odcieniem, okalając klasyczny owal twarzy, w którym błyskały czarne ogniki oczu. Nigdy nie widziałam jej tak radosnej, zadowolonej, pięknej. Nic dziwnego, że ten R. nie chce jej wypuścić z rąk, cham jeden.

Wieczór rozwinął się znakomicie, a integracja towarzystwa nastąpiła bardzo szybko. Drinki, sałatki, zapiekanka, grill, drinki, muza, tańce... Wojtek tańczył z Teresą, Harry uległ wdziękom Doroty, Staszek poprosił do tańca Mirkę. Spojrzałam na Lucynę. Siedziała sama.

– Jurek, zajmij się Lucyną, proszę – przypomniałam mu o obowiązkach gospodarza.

– Zaraz, robię drinki.

Jak zawsze można na nim polegać.

– O! Andrzejku, co tak siedzisz w kącie? – przysiadłam się do starego kolegi, którego zauważyłam w kącie pokoju. – Zrób mi grzeczność i przysiądź się do tamtej ciemnej damy na kanapie. – Spojrzałam na niego błagalnie. – Jest sama. Nie chcę, żeby wyszła.

Poszedł. Mogę zrobić kawę. Jerzy kręcił się z drinkami jak w kalejdoskopie, puszczając coraz szybsze rytmy.

– Anka, chodź do nas! – wrzeszczał Staszek.

– Już idę, Stasieńku – puściłam mu całuska.

– Pani domu mi nie odmówi. – Przede mną stanął Wojtek i szarmanckim gestem porwał mnie do tańca.

Zatańczyliśmy „Sen o dolinie", przypominając sobie licealne czasy, i kilka kawałków Bee Gees, ale gdy zagrała Wynonna Judd, musiałam wyjść.

– Trochę się zgrzałam. – Teatralnie odgarnęłam włosy, wskazując na duże zmęczenie. – Zrobić wam kawki? – zapiałam radośnie, licząc na to, że dzięki temu zapomną o mnie.

– O, cześć wam. – W drodze do kuchni minęłam Lucynę i Andrzeja pogrążonych w rozmowie. Nawet nie zwrócili na mnie uwagi.

Mechanicznie włączyłam ekspres, sprawdziłam, czy jest woda i kawa, i nacisnęłam guzik. Zadryndało, a po chwili zaczął lecieć czarny płyn. Rytmy country Wynonny cały czas okupowały parkiet. Miałam ochotę przyłączyć się do wszystkich, ale nogi zawiodły mnie na pięterko. Jedna ręka wyjęła za mnie kartkę papieru, druga znalazła długopis.

Dragi Blaż
Czuję się w obowiązku

Nie, skreśliłam.

Jest mi bardzo miło

Niedobrze, zbyt oficjalnie. Dlaczego uśmierciłeś Anezkę? Idiotycznie. Co ja właściwie zamierzam mu napisać? I po co? Chciałam, żeby tu był i cieszył się razem z nami, zatańczył ze mną, wysłuchał mojego paplania o wszystkim, co zdarzyło się w ostatnim roku. Byłam szczęśliwa, miałam ochotę podzielić się z nim swoim szczęściem. Tęskniłam za jego uważnym spojrzeniem, gdy słuchał moich babskich wynurzeń, za celnym dowcipem, życzliwą radą, która zawsze brała pod uwagę moje dobro. Idealizowałam? Może. Ale taki obraz Blaża pozostał w mojej pamięci i mimo upływu lat nie chciał się zmienić. Odkryłam! Chcę mieć w Blażu przyjaciela. W końcu to nic zdrożnego korespondować z przyjacielem. Dawne uniesienia minęły, mam superrodzinę, mądrego męża, a teraz nawet dom. Trunki szumiały w głowie, pomysł wydał się znakomity. Zaczęłam pisać.

Witaj, Blaż

Przeczytałam Twoją książkę i, wierz mi, jest znakomita. Przepraszam, że nie odpisałam wcześniej. Trochę byłam zawiedziona, że Anezka musiała zginąć. Poza tym miałam niezwykły kociokwik. Jerzy przygotowywał się do habilitacji, budowaliśmy dom, a ja kończyłam z przyjaciółką książeczkę dla dzieci, która niebawem ukaże się na rynku. Dzieciaki też wymagają dużo uwagi, poza tym, wierz mi, bliźniaki są wyjątkowym wyzwaniem dla matki. Nie ukrywam, że zrobiła się ze mnie kura domowa. Czy można się aż tak zmienić? A może znalazłam w sobie cechy, o których istnieniu nie miałam pojęcia?

Oblewamy teraz nowy dom, mamy parapetówkę. Na tarasie bawią się w doskonałych nastrojach nasi goście, taki miks towarzyski. Jerzy wreszcie poczuł luz po habilitacji. Obrona była pierwszym etapem do pokonania. Potem czekaliśmy kilka miesięcy na jej zatwierdzenie w komisji kwalifikacyjnej. Ja nie wątpiłam, że to nastąpi, ale on chodził spięty i nerwowy, jak często mu się zdarza. Ale szczęśliwie mamy to już za sobą.

Na dzisiejszy wieczór dzieci sprzedaliśmy moim rodzicom, którzy nie przesadzają z pomocą, ale w razie konieczności stają na wysokości zadania. Z Weroniką nie ma żadnych kłopotów, to grzeczna i wrażliwa dziewczynka. Ale z chłopcami bywa różnie. Alek jest poważniejszy. Z powagą podaje stopę, bym mogła włożyć mu but. A Michał zawsze tą stopą wierzga. Na spacerze Alek spokojnie przypatruje się wszystkiemu wokół, kontemplując rzeczywistość z powściągliwością filozofa przyrody, Michał ma ochotę wyskoczyć z wózka na widok kaczki pływającej po stawie. Jedynie po położeniu się spać i zgaszeniu światła zdobywają się na braterską komitywę, zespoleni nieszczęściem. W nowym domu zgotowaliśmy im wspólny pokój. Myślę, że będzie dobrze, jeśli nauczą się walczyć o swoje terytorium na przyjaznym gruncie, zanim los rzuci ich na głęboką wodę. Pokoik Weroniki umieściliśmy obok naszego, by łatwiej było słyszeć, jak obudzona przez nocne mary będzie pokonywała drogę z niego do naszego łóżka.

Mam wreszcie garderobę! Trzymetrowe pomieszczenie obok sypialni zaadaptowałam na coś w rodzaju wielkiej szafy z drążkami na wieszaki i półkami na buty, które sobie kiedyś kupię. Podzieliłam je na dwie części, jedna należy do mnie, drugą oddałam Jerzemu. Umówiliśmy się, że on nie zagląda do mojej części, a ja nie penetruję jego. Taki mały = własny świat w szafie! Rzecz do tej pory nieznana i niebywała.

244

Teraz, Blaż, w mojej garderobie leży jedynie niewielkie pudełko po brązowych czółenkach nr 38, które ukrywa Twoją książkę. Zapytasz pewnie, dlaczego zamknęłam ją w pudełku. Odpowiem Ci. Nie wiem. Czuję, że tam musi być. Jako moja słodka tajemnica, wspomnienie przeszłości, nad którą nikt nie będzie czynił sądów. Jako pociecha w trudnych chwilach, wręcz, nie boję się użyć tego słowa, talizman. Chcę być wobec Ciebie szczera, opowiedziałam o nas jedynie Lucynie, mojej przyjaciółce, dziewczynie ciężko doświadczonej przez los (może Ci kiedyś opowiem jej historię).

Blaż, gdy zaczynałam do Ciebie pisać, miałam żal za uśmiercenie Anezki i przede wszystkim to chciałam Ci powiedzieć. Teraz już nie jestem tego pewna. Zrozumiałam, że to ja ją zabiłam, a nie Ty, i do siebie powinnam mieć pretensje.

Goście mnie wzywają. Muszę do nich wrócić, a nie chcę tego listu kończyć jutro przy innym świetle, w innym nastroju. Dlatego, Blaż, pozdrawiam Ciebie szczerze i gorąco. Mam śmiałą myśl, że może mi odpiszesz.

Ana

ANNA
PAŹDZIERNIK 1998

Skrzynkę na listy pomalowaliśmy na zielono. Zazwyczaj wypełniała się rachunkami i innym badziewiem, od razu znajdującym miejsce w koszu na śmieci. Sztuka epistolarna zanikała, ustępując pola kontaktom telefonicznym i wymianie mejli. Ja jednak czekałam na list od Blaża, mając nadzieję znaleźć na dnie skrzyneczki niewielką niebieską kopertę z chorwackim znaczkiem. Musiało minąć sporo czasu, bym uświadomiła sobie, że nie podałam mu nowego adresu!

Pani na poczcie skutecznie odmawiała pomocy.

– Proszę pani, odsyłamy list do nadawcy, jeśli po dwóch tygodniach nie zgłosi się adresat. Jeśli pani twierdzi, że list przyszedł w czerwcu lub lipcu, to na pewno już go tu nie ma.

– Może pani sprawdzić? – błagałam babsko z miną niewiniątka.

Wstała i ze zbolałą miną ruszyła na zaplecze. Po kilku minutach wróciła z niebieską kopertą.

– Ma pani szczęście – oddała mi list, spoglądając z pożałowaniem. – Kto następny?

Draga Ana – otworzyłam jeszcze na poczcie. – *Pozwól, że po przyjacielsku nadal będę Cię tak nazywał, bez podtekstów, dotykania czułej struny. Czytałem list od Ciebie tyle razy, że nauczyłem się go na pamięć. Ważyłem każde słowo, próbowałem zrozumieć intencje. Jak pięknie piszesz o swoich dzieciach, widać, jaką jesteś dobrą mamą. Natura wiedziała, kogo obdarzyć tak dużą gromadką. Oddała Ci ją w najczulszą opiekę, a Ty się z życiowego zadania wywiązujesz perfekcyjnie. Rzeczywiście to zabawne, że Alek i Michał są tacy różni, chciałoby się rzec, kompletnie odmienni, jakby pochodzili od różnych ojców lub jak gdyby ich matka skrywała w sobie dwie natury. Wyobrażam sobie Michała, tego wózkowego kręciołka, gotowego pomknąć ku przygodzie jak jego mama, z zawadiackim spojrzeniem, i chyba niesprawiedliwie w stosunku do Alka, który jest z pewnością wspaniałym maluchem, bardziej go polubiłem. Czy dlatego że nie przepadam za Twoim mężem, którego prawdopodobnie przypomina? Żart. Banał.*

Nie mam doświadczenia z córkami – wybacz, mówię tak, jakbym miał duże z synami – ale przychodzi mi na myśl, że ta mała istotka będzie kiedyś dla Ciebie wielkim wsparciem i radością. Nie piszesz wiele, jak wygląda. Wyobrażam ją sobie jako zmyślną dziewczynkę z jasnymi włosami, uwodzącą otoczenie pełnym ciekawości spojrzeniem, zalotną, bezpretensjonalną, nieśmiałą na tyle, by przydawało jej to uroku. Opis Twoich dzieci postawił przede mną obraz mojego, dzisiaj już dziewięcioletniego synka i wzniecił głęboko skrywane wyrzuty sumienia z powodu rzadkich z nim kontaktów. Nie mogę się usprawiedliwiać faktem, że Katerina robi wszystko, by mi je utrudniać. Umiałem pokonać większe przeszkody, kiedy zależało mi na osiągnięciu celu. Chociaż nie zawsze bywałem skuteczny, niestety. Świadomość posiadania Zorana coraz więcej dla mnie znaczy. Wierzę, że uda mi się przekonać go do siebie. Dziękuję Ci za to, że opowiadasz mi o maluchach. Pisz jak najwięcej. Pokazując swoje szczęście, mobilizujesz mnie do walki o moje.

Mieszkam nadal w Zadarze, choć był moment, gdy zastanawiałem się nad przeniesieniem do Zagrzebia. Za bardzo jednak lubię morze, by dobrowolnie zrezygnować z jego uroków. Po przyjeździe z Sarajewa zdecydowałem, że nie będę pisał dla jednej gazety. Gdy się wraca z frontu, męczy jednostronność linii politycznej i ciągłe dostosowywanie się do jedynie słusznych poglądów szefa oraz właścicieli pisma, którzy nie ruszając się zza biurek, wszystko wiedzą najlepiej. Poza tym chciałem zyskać trochę czasu na książkę, co – jak wiesz – graniczy z cudem, gdy pracuje się jako najemnik. Teraz jestem wolnym strzelcem, czymś pośrednim pomiędzy detektywem a dziennikarzem. Korzystam z licznych kontaktów i przyjaźni z dziennikarzami, których poznałem w czasie naszej długoletniej wojny. Jak dobrze być czasami uczynnym. Teraz zwraca mi się to w dwójnasób. Europa staje się coraz bardziej dostępna, również dla przestępców. Niejednokrotnie muszę uganiać się za rodzimymi chuliganami daleko poza granicami Chorwacji. I dobrze, nie grozi mi wysiadywanie w oknie i obserwowanie przepływających statków. À propos statków, zrobiłem kurs sternika jachtowego i gdy wojna się zakończy, a brzegi Adriatyku staną się bezpieczne, będę zatrudniał się latem jako skiper. Może kiedyś popłynie ze mną Zoran? A może i Twoja rodzina da się namówić na wakacje z wujkiem Blażem?

A teraz najtrudniejszy temat: Anezka. Sam się zastanawiałem, dlaczego pozwoliłem jej zginąć. I teraz widzę, że źle zrobiłem, pozbawiając ją przyszłości, możliwości posiadania dzieci. Przepraszam za to. Gdyby Izet był realną postacią, chętnie bym się z nim skontaktował i prosił o przebaczenie. Nie wiadomo, czy moi bohaterowie wiedliby szczęśliwe wspólne życie. Ale jedno jest pewne: mogliby przynajmniej do siebie napisać.

Mam nadzieję, że niczym Cię nie uraziłem, nie zniechęciłem do siebie nieostrożnym słowem. Byłoby wspaniale znaleźć w skrzynce na listy kopertę z polskim znaczkiem. Chyba się dorobię na skipowaniu, bo coraz więcej żaglówek pływa po morzu. Widzę je przez okno i czuję zapach lawendy, przecież to już czerwiec. Musisz kiedyś przyjechać na lawendową wyspę Hvar. Coś nieprawdopodobnego. Liliowe łany urzekną każdego. Ale dosyć tego pisarstwa.

Z nadzieją, że dołączysz kolejny polski znaczek do mojej kolekcji, Blaż. Twój Chorwat

ANNA
GRUDZIEŃ 1998

Dragi Blaż!

A co tam, mogę Cię przecież tak nazywać jako przyjaciela. Nie muszę chyba zapewniać, że list z chorwackim znaczkiem sprawił mi wielką radość, a jego przeczytanie jeszcze większą. Czekałam na niego w czerwcu i lipcu, nie doczekałam się w sierpniu. Więc gdy dotarło do mnie, że nie podałam Ci nowego adresu, pognałam na pocztę sprawdzić korespondencję, która być może zalegała na przykurzonych półkach, czekając na odbiorcę albo odesłanie do nadawcy lub niszczarkę. To ostatnie było bardziej prawdopodobne, bo która poczta poza szwajcarską zdobyłaby się na elegancki gest odesłania listu za granicę? Swoją drogą, czego spodziewać się po poczcie, skoro ja sama zawaliłam sprawę. Mam nadzieję, że zrozumiesz i nie przyjmiesz mojego milczenia za celowe działanie. Teraz postaram się nadrobić zaniedbania i donoszę, co się u mnie dzieje.

Nasza książeczka ukazała się z lekkim opóźnieniem, które wydawca tłumaczył okresem wakacyjnym, czyli kiepskim na sprzedawanie. Ale we wrześniu historia gołąbka

Herkulesa, który postanowił wyrwać się spod rodzicielskich skrzydeł i zwiedzać świat, zawitała na księgarskich półkach. Nie rzuciłyśmy czytelników na kolana, ale historyjka spotkała się z zainteresowaniem i podąża w kierunku wyczerpania nakładu. Najważniejsze, że wydawca zamówił u nas kolejną część przygód Herkulesika, tym razem w Grecji. Nie powiedziałam Ci jeszcze, gdzie nasz pupil wybrał się w pierwszym tomie. A mianowicie odwiedził Chorwację! Znalazł przyjaciół na wybrzeżu Adriatyku, popił wody z Jezior Plitwickich, zostawił ślady na dubrownickich murach. Myślę, że pomysł z gołąbkiem obieżyświatem nie jest zły. Biura turystyczne są chętne dofinansować publikację, szerząc wśród dzieci zainteresowanie wyjazdami i przygotowując sobie przyszłych turystów. Czego to człowiek się nie dowie, czego świadomości nie ma latający po świecie i szukający wolności gołąb! Ale jakkolwiek patrzeć na sprawę, jest nowe zlecenie. Herkules będzie zwiedzał Grecję. Myślę, że LOT żałuje, iż nie poleci tam samolotem...

Harry namawia mnie na powrót do pracy i poważnie się nad tym zastanawiam. Ile można zajmować się dziećmi lub pisać dla nich bajki? Zbliża się koniec roku, symboliczny czas na czynienie postanowień dotyczących dalszego życia. Jestem coraz bliżej decyzji o powrocie do pracy. Weronika pójdzie we wrześniu do szkoły, malcy będą mieli niemal po cztery lata, mogą pójść do przedszkola. To chyba czas, by coś z sobą zrobić. Zastanawia Cię pewnie, dlaczego o tym wspominam, takie rzeczy powinno się omawiać z mężem. Jerzy twierdzi, że lepiej by było dla dzieci, gdybym nadal zajmowała się nimi w domu. Nie jestem pewna, czy tylko o to mu chodzi. Domowa żona z obiadem na stole to brak kłopotów, możliwość przeczytania gazety, gotowy prowiant na weekendowy wypad do Stępy...

Wiesz, Blaż, czasami myślę, że chciałabym urodzić się mężczyzną, zarabiać pieniądze, opiekować się rodziną w chwale i w razie spiętrzenia kłopotów wymykać się do pracy, świętego miejsca dla każdego faceta, który w pełni poświęcenia realizuje tam swoją powinność. A najważniejsze, że trzeba go za to cenić i poważać, skoro się tylko siedzi w domu.

Przepraszam za to wynurzenie. Tak naprawdę dobrze mi się układa z Jerzym. Pomaga, kiedy może. Ale czasami szarpie mną tęsknota za wolnością, możliwością dokonania wyboru, jak żyć, co robić.

Znowu zbliżają się święta Bożego Narodzenia. Cieszę się, że nie jestem w ciąży i nie czeka mnie kolejny grudniowy poród. Co za ulga! W ubiegłą niedzielę oprzątnęłam chatę. Dwa dni warzyłam bigos. Leży teraz zamrożony w lodówce. Pamiętasz, jak opowiadałam Ci o pierogach z kapustą i grzybami? Też je mam, zrobiłam po długich trudach i z wielką niechęcią. Nigdy nie chcą mi wyjść jak trzeba. Raz są za twarde, innym razem się rozklejają, nie utrafisz. Przede mną jeszcze piernik, keks, ciasto orzechowe, ryby w galarecie i mnóstwo innych potraw, które można jedynie zrobić, sprężając się na maksa. W domu panuje przedświąteczny nastrój, na dworze na ubranie czeka choinka. Lampki już sprawdziliśmy – działają. Ja koleduję po sklepach, polując na prezenty, świeczuszki, serwetki, gadżeciki. Wszystko musi być jak zwykle dopięte

na ostatni guzik. Gdy usiądę przy wigilijnym stole, opadnę
z nóg, nie mogąc niczego przełknąć. Jak co roku. Zawsze
sobie obiecuję, że następnym razem rozłożę sobie robotę
na kilka tygodni, nie będę tyle gotować, nie będę kupo-
wać tylu prezentów, spróbuję pokontemplować, przeżyć,
wyjadę i nie będę niczego przygotowywać. Ale i tak robię
wszystko na ostatnią minutę. Niczego nie przeżywam, ni-
gdzie nie wyjeżdżam. Czy żałuję? Nie. Nie wiem. Z jednej
strony, wszędzie dobrze, gdzie nas nie ma, z drugiej, jeżeli
nie spróbujesz, nigdy się nie dowiesz. Zboczyłam na zbyt
refleksyjne drogi, Blaż. A co u Ciebie? Spotkałeś się z Zo-
ranem? Napisz mi coś na jego temat, jak wygląda, jakim
jest chłopcem. Jeśli przypomina Ciebie, to z pewnością
bardzo przystojny Chorwacik, a jeżeli odziedziczył Twój
temperament, pewnie już założył szkolną gazetkę, do której
pisze pasjonujące artykuły. Kiedy poprowadzisz pierwszą
łódkę? Niepokoję się o Twoją gonitwę za przestępcami po
całej Europie, choć wiem, że dla Was, zadziornych Bałkań-
ców, walka to bułka z masłem. Najchętniej widziałabym
Ciebie bezpiecznego w zadarskim mieszkanku z widokiem
na Adriatyk i piszącego kolejną książkę. Wiem, że nie mo-
gę od Ciebie niczego oczekiwać ani żądać. Pozwolę sobie
na wyrażenie jednego życzenia: bądź bezpieczny, dbaj
o siebie. Chcę, żebyś tam był.

Twoja Ana

ANNA
24 GRUDNIA 1998

Jurek, zajmij się dziećmi. Muszę dokończyć krem do tortu. No dobrze, dokończ łazienkę. Ikuniu, popatrz na braci, mamusia ma robotę w kuchni. Ika, zerknij chociaż na Michała. Alek, chodź tutaj, siadaj przy stoliku, porysujesz.

Posadziłam go na wysokim stołku przy kuchennym stole, kładąc na blacie kartkę i ołówek.

– Rysuj Mikołaja, bo nie przyjdzie.

Sama zabrałam się za rozcieranie zmielonych orzechów włoskich, by potem połączyć je z cukrem pudrem i śmietanką. Ika zapanowała nad Michałem, o czym świadczyła cisza w pokoju.

– Posprzątałem łazienkę – zakomunikował Jerzy wykonanie dzieła, stając w drzwiach od kuchni. – Muszę wyjść coś załatwić.

– Będziesz w jakimś sklepie?

– A czego potrzebujesz?

– Może jeszcze śmietanki do kawy i jakbyś dostał, to

szczypiorek, przyda się do sałatki, zapomniałam kupić. Jerzy!!! – krzyknęłam, wybiegając za nim z domu. – Kup jeszcze kaszę gryczaną. Co prawda mam, ale gdyby zabrakło...

Zamówienie zostało przyjęte. Ze ścierką do naczyń w rękach zatrzęsłam się z zimna na kilkustopniowym mrozie. Odruchowo zajrzałam do skrzynki. Na dnie leżało kilka reklam. Zgarnęłam wszystkie i uciekłam przed mrozem do domu. Z Makro, z Carrefoura, pożyczki chwilówki, ubezpieczenie OC. Od wrzucenia wszystkiego do kosza powstrzymał mnie list, który ukrył się na dnie. Blaż, ale szczęście, akurat w Wigilię. Jerzy wyszedł, dzieciaki zajmują się sobą... Raz mi się udało.

„Draga Ana!" – jak zwykle zaczynał się list, który pospiesznie wyjęłam z koperty, rozsiadając się na kanapie.

– Mamo, Michał nie chce się ze mną bawić. – Niemal natychmiast przybiegła do mnie Weronika.

– Poukładajcie duplo, to od dziadków. Córeczko, błagam cię, mamusia jest zajęta, zajmij się braćmi. Po świętach pójdziemy obejrzeć tego małego tygryska w zoo, dobrze?

– A ja bym wolała pójść się pobawić do Wiktora – nadąsała się.

– Nie ma sprawy. Odwiedzimy ciocię Lucynkę. Tylko daj mamusi kilka minut.

Moja niezawodna Weronika ogarnęła chłopaków (nie wiem, jak ona to robi), dając mi kilka wolnych chwil na przeczytanie listu.

Draga Ana!

Nie wiem, czy list dojdzie przed świętami, czy też poczta uzna za stosowne, by go przetrzymać na którejś ze swoich tajemniczych półek, by adresat nie mógł się nim nacieszyć w porę. Jeżeli los i łaska poczty mi sprzyja, dostaniesz moje życzenia, zanim zasiądziesz zmęczona do wigilijnego stołu. U Ciebie pewnie choinka przywędrowała już z dworu na salony i migocze teraz lampkami, czarując małoletnich mieszkańców blaskiem obracających się bombek i dając nadzieję na przyjście najbardziej pożądanego dzisiaj gościa – Mikołaja z workiem prezentów. Wyobrażam sobie Ciebie biegającą między pokojem a kuchnią, przygotowującą stół do wieczornej kolacji, poprawiającą niewielkie czerwone krawaciki na mikroskopijnych białych koszulkach swoich małych mężczyzn i zaplatającą warkoczyki Weronice. Myślę, że teraz masz związane włosy, by nie przeszkadzały Ci w domowych zajęciach. Ale chyba wieczorem je rozpuścisz? Zrób to, tak pięknie wtedy wyglądasz.

To dobrze, że myślisz o powrocie do pracy. Sama ocenisz, czy możesz to zrobić. Każda Twoja decyzja będzie dobra, bo przemyślana. Jeśli jednak wolno mi wyrazić swoje zdanie, praca daje wolność i być może zachęci Twojego męża do większego zaangażowania się w opiekę nad dziećmi. Choć nie jestem w tych sprawach ekspertem.

Katerina niechętnie, ale zgodziła się na powierzanie mi Zorana raz na jakiś czas. Jest zajęta córeczką, którą urodziła w nowym związku. Na początku wyczuwałem duży dystans, chłopiec przecież przez tyle lat był ode mnie izolowany, że nie wiedział, czego może się spodziewać.

Szybko jednak przełamaliśmy lody i teraz jest wspaniale. To już prawie dorosły gość, którego można wziąć na łódkę. Moja była nie zgodziła się jeszcze na to, żebyśmy spędzili z Zoranem święta, ale wszystko jest na dobrej drodze. Może w przyszłym roku? Nadzieja, która się pojawiła, musi mi dzisiaj wystarczyć przy wigilijnym stole. Milan z Evą zaprosili mnie do siebie. Zastanawiam się nad tą wizytą. Może pójdę, by nie odrzucać płynącego z serca zaproszenia...

Na stole postawiłem zielone gałązki ostrokrzewu, a nawet udekorowałem je światełkami i lukrowanymi licitarami. Domyślasz się pewnie, że sam ich nie piekłem. Zamówiłem jednego z Twoim imieniem. Mam też licitary z imionami Zorana i moich rodziców. Święta zawsze przynoszą wspomnienia, przywołują obrazy osób, których już z nami nie ma. Szkoda, że nigdy nie będzie mi dane spróbować potraw mojej mamy. By zachować tradycję i stworzyć namiastkę świątecznego nastroju, kupiłem bożić pletenicę. Pamiętasz ją? Leżała na środku stołu jak warkocz pachnący gałką muszkatołową, rodzynkami i migdałami. Zdobimy ją młodymi pędami pszenicy i zapalamy świeczkę. Broni się przed zjedzeniem do szóstego stycznia. Dopiero wtedy wolno ukroić pierwszy kawałek. Z rodzinnego domu pamiętam, że rodzice zawsze się spierali, kto ma mnie i mojej starszej siostrze Zdence przynosić prezenty. Tata, który pochodził z Osijeku, jak wszyscy mieszkańcy wschodniej części Chorwacji twierdził, że zrobi to Mikołaj, mama, rodowita mieszkanka Karlovaca, tę przyjemność pozostawiała świętej Łucji. Mnie i siostrze było wszystko jedno. Pucowaliśmy buty i ustawialiśmy je na oknie, żeby darczyńca nie pominął naszego domu. *Swoją drogą to przykre, że prawie nie mam kontaktu ze Zdenką od czasu, gdy wyjechała z Andrejem do Stanów. W latach osiemdziesiątych byli na dorobku, teraz wojna przeszkadza im odwiedzić stare śmiecie. Dzisiaj większą wagę przykładają pewnie do pieczenia indyka na Święto Dziękczynienia aniżeli wypiekania bożić pletenicy.*

Rozgadałem się zanadto, wybacz, ale nie mogę oprzeć się pokusie pogadania z Tobą chociażby w taki sposób. Niesamowicie ubawiłaś mnie historią Herkulesika. Jest to maleńki i dzielny podróżnik, gotów podjąć każde wyzwanie. Dlaczego nie wiedziałem, że był w Chorwacji? Przekazałbym mu liścik dla ciebie i mielibyśmy spokój z pocztą. Daj znać, kiedy wybierze się tu ponownie. A ta refleksja, że lepiej by Ci było w skórze mężczyzny, jest nie do przyjęcia. Pozostań sobą, jesteś stworzona, by być kobietą. I to jaką! Będę kończyć z nadzieją na kolejny polski znaczek w mojej kolekcji. Życzę Ci, Ana, dużo dobrego w życiu, by nigdy nie opuściło Cię szczęście i nie spotkała samotność. Ciesz się dziećmi, by kiedyś one mogły cieszyć się Tobą. Gdy będziesz pracować, to na maksa, gdy wypoczywać, to z przyjemnością. Życzę Ci prawdziwych wrażeń, niezapomnianych przeżyć, powodów do uśmiechu, życia pełną parą. Rozwiń skrzydła i bądź zawsze sobą. Kupiłem sobie prezent od Ciebie, ramkę na zdjęcie. Może mi ją wypełnisz jakimś aktualnym zdjęciem? Proszę o zbyt dużo? Obiecaj, że przynajmniej się zastanowisz.

Z nadzieją, że chociaż jedna Twoja myśl
w wigilijny wieczór powędruje do Zadaru, Blaż.

Twój Chorwat

ANNA
LIPIEC 1999

Aniu, jestem taka szczęśliwa! – usłyszałam w słuchawce głos Lucyny. – Rozwiodłam się z Edmundem!

– Naprawdę, cieszę się bardzo.

– Wpadniesz do mnie?

– Lucynko, dzisiaj jadę do Stępy, właśnie się pakuję. Przepraszam, ale nie mogę – żałowałam gorąco. – Ale wiesz, mam pomysł, przyjedź do mnie z Wiktorkiem, choćby dzisiaj, będę sama. Jerzy wyjechał na miesiąc, nikt nam nie będzie przeszkadzał. Jak ci się to udało?

– Siedzi w pierdlu, nie ma nic do gadania. A tak naprawdę to Andrzej mi pomógł i jakoś poszło. Czuję się jak nowo narodzona.

– Przyjedziesz?

– Jasne, spakuję rzeczy i pod wieczór będę. Szykuj dobrą pogodę!

– Włożyłam ją do walizki, Lucynko. To do miłego.

Michał, zostaw Alkaaaa! Przepraszam, sytuacja frontowa, nastąpiło starcie armii. Do wieczora, czekam...

Perspektywa spotkania z Lucyną nastroiła mnie entuzjastycznie. Z ochotą zabrałam się do przygotowań, ale najpierw musiałam spacyfikować synów. Klapa na pupę i do kąta. Nie ryczeć, nie bić się! Co wy myślicie, że mamusia nie ma nic innego do roboty, jak tylko was rozdzielać? Nie miałam ochoty dołować się niczym. Nie będą mi moje bachorki psuć humoru. Zdecydowana postawa przyniosła rezultaty. Chłopcy spojrzeli na mnie z przestrachem, widząc, że to nie przelewki.

– Tu macie puzzle. Proszę je ułożyć. Który zrobi to pierwszy, do mamusi po lizaczka. – No. Czasami bywałam zdecydowana.

Wizja wieczoru z Lucyną w Stępie podziałała jak wiatr w żagle. Walizki same się pakowały, a w ferworze przygotowań wydawałam nawet dyspozycje dzieciakom, które, o dziwo, je wykonywały. Ze zdziwieniem skonstatowałam, że młodzi lubią, gdy ich się traktuje jak dorosłych. Zbierali zabawki do kosza, odnosili do kuchni kolejne kubeczki i szklanki po soczkach... O walkach Hunów nie było mowy. Jedno moje krzywe spojrzenie dyscyplinowało towarzystwo bardziej niż klaps. Sprzątać, pakować i do samochodu.

– Aniu, co u was? – Po podniesieniu słuchawki usłyszałam głos mamy.

– Jadę z dzieciakami do Stępy.

– To bardzo dobrze, zapowiadają piękny weekend. Wiesz, pomyśleliśmy z ojcem, że przyjedziemy ci pomóc przy maluchach. Ugotowałam kotlety i zupkę warzywną. Dzieciaki tak lubią.

– Mamo, przepraszam cię, ale umówiłam się już z Lucyną.

– No, jak uważasz – usłyszałam nadąsany ton. – Ale w przyszłym tygodniu wyjeżdżamy z ojcem na dwa tygodnie. Chcieliśmy się zobaczyć przed wyjazdem z naszą jedyną córką i wnukami.

I znowu te ciosy poniżej pasa. Jedyna córka! Rodzice wyjeżdżają, a ja nie chcę się z nimi zobaczyć, bo wolę pogadać z koleżanką. No cóż. Czuję wyrzuty sumienia, myślę, jak przeprosić Lucynę. Nic mądrego nie przychodzi mi do głowy.

– Mamo, umówiłam się już i nie mogę odwołać. Przepraszam cię, zamroź kotlety, zjemy je w tygodniu. Przecież zobaczymy się jeszcze przed waszym wyjazdem.

– Dzieci zdrowe? – Lodowaty głos mamy oznajmił mi, że rozmowa zbliża się do końca, ale ostatnie słowo będzie należało do niej.

– Tak, wszystko w porządku. Alek...

– To dobrze. W takim razie spędźcie miło weekend.

– Do widzenia, mamo. – W słuchawce usłyszałam długi sygnał.

Chwilę siedziałam odrętwiała. Na szczęście dzieciaki przypomniały o sobie, mobilizując mnie do działania. Za niecałą godzinę gawiedź siedziała w fotelikach samochodowych. Bagażnik pękał w szwach, dom zamknięty, zamek sprawdzony trzysta razy. Włączyłam płytę z piosenkami Ricky'ego Martina i... poczułam zbliżający się miły wieczór.

Lucyna przyjechała pół godziny po mnie. Migusiem wywlokłyśmy rzeczy z samochodów, pootwierałyśmy okiennice, żeby wpuścić do domu światło, włączyłyśmy lodówkę, zamknęłyśmy bramę, nakarmiłyśmy kota przybłędę, który natychmiast się pojawił, dopominając się o miskę mleka, wystawiłyśmy stół z krzesłami na ganek, przykryłyśmy go obrusem, dałyśmy dzieciom pić, wyjęłyśmy wiaderka i łopatki do piaskownicy, ja wysikałam chłopaków, Lucyna zakropiła nos Wiktorkowi, odstawiłyśmy samochody w pobliże płotu i zrobiłyśmy sobie kawę.

– Lucyna, hard core!

– Jaki tam hard core! Po prostu life.

– Jak zwał, tak zwał. Dobrze, że tu jesteśmy i pijemy wreszcie kaaawęęę! A jak dzieciaki pójdą spać, too-poo-gaa-daa-myy!

– A tak na poważnie, to rozwiodłam się z Edem, laska. Nawet nie wiesz, jak dobrze się czuję. – Lucyna uniosła filiżankę z kawą.

– Miałaś problemy?

– Żadnych. Musiał cholernik trafić do więzienia, żeby sąd zrobił, co do niego należało. Ale teraz muszę pozbawić go ojcostwa, kpina jakaś. Nie żyłam z nim od roku, zanim począł się synek, gość zabił mojego Wiktora, a teraz ja muszę udowadniać, że nie jestem wielbłądem. Mój mały jest oficjalnie synem tego przestępcy! Normalnie powinnam wystąpić o zaprzeczenie ojcostwa w ciągu sześciu miesięcy od narodzenia Wiktorka, ale wtedy o tym nie wiedziałam, a poza tym nie to mi wtedy było w głowie.

Chciałam coś powiedzieć, ale Lucyna nie zamierzała przerywać.

– Andrzej mi poradził, żebym poszła do prokuratora i przekonała go do wytoczenia powództwa o zaprzeczenie ojcostwa, bo ja już nie mogę. I nie wiem, co zrobię z tym prokuratorem, jeżeli się nie zgodzi.

– Wiesz co? – przerwałam jej delikatnie. – Na razie cieszmy się z twojego rozwodu. Gdy wygrasz drugą sprawę, przyjedziemy tu bez dzieci i godnie poświętujemy, dobra?

– Myślisz, Anka, że mi się uda?

– Oczywiście. Możesz powiedzieć Andrzejowi, żeby się bardzo starał, to może też go zaprosimy. No to, koleżanko, jak wam się układa? Uchyl rąbka tajemnicy.

– Na razie nic takiego. „Jakieś kino, kawiarnia i spacer w księżycową letnią noc" – przytoczyła słowa piosenki Szlechtera. – A tak poważnie, to fajny gość. Wiktorek go lubi, ja trochę też. Zobaczymy, co czas przyniesie. Zresztą, jak wiesz, musi najpierw uregulować swoje sprawy. Rozwodzi się z Matyldą.

– Słyszałam.

– Matylda chce od niego mieszkanie w kamienicy po jego dziadkach. Uważa, że skoro razem zainwestowali w remont, to może się o nie ubiegać, dlatego rozwód się przedłuża. Andrzej zamierza ją spłacić, ale mieszkania nie odda. Zresztą ona znalazła sobie zamożnego biznesmena – oby z daleka od takich – ma więc gdzie mieszkać. Ale pazerności nigdy dość. Do rozwodu będzie tylko kino, kawiarnia i spacer.

– Mądra dziewczynka. O wiele mądrzejsza od swojej koleżanki Ani – pochwaliłam ją już całkiem rozluźniona.

Siedziałyśmy chwilę bez słowa, wystawiając twarze na promienie zachodzącego słońca.

– A jak ci się układa z Jerzym? – przerwała ciszę Lucyna.

– Co? A. Dobrze. Wyjechał w ubiegłym tygodniu.

– No i?

– Co „no i"? Nie muszę gotować obiadów itepe. Nie, Lucyna, nie myśl sobie, że od naszej ostatniej rozmowy wiele się zmieniło. Nadal nie mogę się zorientować, o co chodzi w moim życiu oprócz tego, że muszę hodować malców i im nic złego nie może się stać. Jurek ma swoje prawa, a rodzice swoje. Dzisiaj na przykład dostałam reprymendę, że jadę z tobą do Stępy, zamiast spotkać się z nimi.

– Przepraszam, nie wiedziałam...

– Nie masz za co przepraszać, to oni zachowują się nieprzyzwoicie. Tak jak ci mówiłam, wszyscy próbują mnie osaczyć, wpędzić w poczucie winy, a ja czasami sobie z tym nie radzę – rozpłakałam się.

– Aniu, nie chciałam.

– Wiesz co, Lucyna? – przetarłam oczy. – Ja ci powiem, do czego potrzebny mi Blaż.

– Ja wiem, Aniu.

– To aż tak widać?

– Nic nie widać. Aniu, posłuchaj. Trochę się znamy, trochę wspieramy, możemy porozmawiać?

Łkałam już na dobre.

– Możemy – udało mi się wydukać przez łzy.

– Uspokój się, nie płacz. Przepraszam cię, że zbagatelizowałam twój sentyment do Blaża, gdy ostatnio rozmawiałyśmy. Ale masz rodzinę... Zresztą, co ja ci będę mówiła. Sama to wiesz. I Jurek... kocha cię i... przestań płakać. Słuchaj, chociaż ja pewnie nic mądrego nie powiem... Anka! Uspokój się! Masz chusteczkę. Aniu, myliłam się, to znaczy nadal twierdzę, że rodzina jest najważniejsza i masz wielkie szczęście w życiu, ale widzę, że... tamto też było dla ciebie istotne. Naprawdę to teraz rozumiem.

– Wiesz, że dzisiaj dostałam kartkę od Blaża? – wyszlochałam, wycierając nos.

– Skąd?

– Z Hiszpanii. Wiesz, jakbym chciała jechać do Hiszpanii!

– I pojedziesz. Zobaczysz. Zrobisz to, o czym marzysz. Obiecuję ci to.

– Naprawdę tak myślisz? – pociągałam nosem.

– To pewne, Aniu. Jesteś świetną babką, na pewno ci się uda. Tylko już przestań płakać. Jesteś zmęczona opieką nad dziećmi i to wszystko. Każdy chłop, no, może poza Edmundem, jest jednakowy i jako mąż staje się mniej atrakcyjny aniżeli wtedy, gdy próbował cię zdobyć. Sama nie wiem, jak by mi się dziś układało z Wiktorem, gdyby żył. Ale marzenia musisz mieć. O czym teraz marzysz?

– Nie wiem. Wyjechałabym gdzieś nad ciepłe morze albo chociaż nad Bałtyk, byle dalej od kuchni.

– To już jest coś. Rozmawiałaś o tym z Jurkiem?

– Nie było rozmowy, przecież wyjechał.

– Właśnie, zacznijcie jeździć, rusz się gdzieś. My z Andrzejem planujemy na wrzesień Mazury. Może w przyszłym roku się przyłączycie? Mówiłaś, że Jerzy ma patent żeglarski.

– Ma, ale robił go na studiach. Przecież on niczego nie pamięta.

– A skąd wiesz? Jeśli nawet zapomniał, szybko sobie przypomni, przecież to mądry chłopczyk.

– Może masz rację? – zastanowiłam się. – To za Mazury! – stuknęłam się z Lucyną pustą filiżanką po kawie.

– Widzisz, jakie to proste, koleżanko. Przekaż mazurskie plany Jurkowi, gdy będziesz z nim rozmawiała. Ma teraz dużo czasu na myślenie. Niech kombinuje. Mówię ci, zdziwisz się, jak przywiezie ci trasę przyszłorocznego rejsu.

– Lucyna, czujesz chłód? Chyba muszę wrzucić kilka polan do kominka, bo dzieciaki nam w nocy zmarzną. À propos, co one robią?

Nasza gromadka bawiła się grzecznie w okolicy piaskownicy. W ruch poszły rowerki, piłka, wóz drabiniasty. Stara rosyjska kopara Kamaz wyrzucała piasek na budowie babek. Poszłam włączyć bojler, żeby nagrzać wodę na kąpiel. Lucyna przygotowywała kolację. Na niebie zaczęły się pokazywać pierwsze gwiazdy. Ciekawe, czy zaczną już spadać. Pomyślałam o życzeniu. Mazury na łódce. Hiszpania musi na razie poczekać.

ANNA
WRZESIEŃ 1999

Alek i Michałek odstawieni do przedszkola, Weronika w szkole. Chłopaki i tak mają szczęście, że nie trafili do grupy trzylatków, która nazywa się Biedronki, tylko zlądowali w o rok starszych Pszczółkach. Ominie ich wątpliwa przyjemność południowego leżakowania, którego odmawiają od ponad pół roku. Mimo perswazji Jerzego, by nadal pozostać z nimi w domu, zdecydowałam się zakończyć niemal siedmioletni etap kobiety wyłącznie domowej. Skoro Herkulesik nadal śmiga po świecie – wymyślamy dla niego z Lucyną kolejne trasy – to czas samej się też ruszyć.

W ostatnią niedzielę sierpnia zaprosiłam rodziców na obiad, by pogadać o najbliższych planach. Wieść o posłaniu chłopaków do przedszkola roznieciła ogólnorodzinną dyskusję.

– Aniu, czy ty wiesz, na co się decydujesz? – Mama wpadła w panikę. – Dzieci zaczną ci chorować. I kto się nimi zajmie?

– Matka ma rację. – Tato jak zwykle ją poparł.

– No właśnie – dorzucił ku mojemu zdziwieniu Jerzy, z którym omówiliśmy już wszystkie te kwestie.

– Dajcie mi spokój. Może byście zaproponowali jakąś pomoc? – Nie wytrzymałam sądu nad moim matczynym brakiem odpowiedzialności. – Zwłaszcza ty, Jurek.

– Córciu, nie denerwuj się. Chodzi o dobro dzieci.

– Mama jak zwykle wiedziała lepiej.

– A czy ktoś z was pomyśli o mnie?! Że mam już dość siedzenia w domu. A poza wszystkim to nie tylko mnie dzieci zaczną chorować, ale Jurkowi też.

– Mamo, może jeszcze kawałek ciasta? – Jurek przerwał moje uniesienia, częstując sprzymierzeńca tortem.

– Słuchajcie, nie ma nad czym deliberować – próbowałam zakończyć dyskusję. – Wracam do pracy i postanowione. Harry nie po to czekał na mnie tyle lat, bym go teraz zawiodła. A poza tym chcę i kropka.

Dawno nie czułam się tak źle. Sześć i pół roku siedzenia w domu, hodowania dzieciaków, radzenia sobie ze wszystkim, pisania książeczek, wspierania męża, organizowania obiadków dla rodzinki, a oni teraz frontem przeciwko mnie, jakbym chciała zabrać coś, co im się należy – święty spokój.

– Jurek, nie słyszysz, że dzieciaki się drą?! Idź do nich! – wkurzona wyszłam na taras.

Rodzice spojrzeli na siebie porozumiewawczo, widząc nadciągające chmury. Po chwili mama stanęła za mną, w pojednawczym geście obejmując mnie za ramię.

– Nie gniewaj się, to wszystko z troski. Jerzy wspominał,

że może znowu wyjedzie, a my się martwimy, dziecko, jak ty sobie dasz radę. Ja mogę czasami zająć się maluchami, ale nie codziennie.

– Mamo, nie zaprosiłam was tutaj, by błagać o pomoc, nie martw się. Widzę, że mój powrót do pracy martwi cię głównie z powodu obawy o własny czas. Ale możesz się nie obawiać. Nie będę cię angażować.

Czułam, że powiedziałam według mamy za dużo. Spojrzała na mnie z dezaprobatą.

– Chodźmy do stołu. Może jeszcze kawy? – zdobyłam się na kurtuazyjne pytanie zła na ich reakcję, na jej minę, na konieczność kontynuowania tego żenującego spotkania.

Wracam do pracy, choćbyście się wszyscy wściekli, pomyślałam, z trudem skrywając złość.

Mimo wszelkich obaw i katastroficznych wizji dzieciaki sprawowały się nieźle. Ika radziła sobie z rachunkami i literkami, zdobywając kolejne słoneczka, księżyce i inne planety symbolizujące dawne piątki i czwórki. Chłopcy zaprawieni w domowych bojach nie dawali się dzieciakom w grupie. Gazeta jednak upomniała się o swoje prawa i nie wypuszczała mnie ze swoich łap do siódmej wieczorem. Pomagała mi więc pani Milena, sympatyczna Ukrainka, gotująca fantastyczne obiady i odbierająca dzieci z przedszkola. Problem był tylko jeden – nie miała pozwolenia na pracę, co bardzo przeszkadzało mojemu mężowi legaliście. Na szczęście Jerzy, widząc niewątpliwe profity z obecności Mileny, przymknął oko na drobne braki formalne.

Jak dawno nie miałam listu od Blaża... Ciekawe, co u niego. Ja też jestem niezła. Zadowoliłam się życzeniami świątecznymi, dając się porwać domowym zawieruchom, codziennym czynnościom, moim małym problemom, spuszczającym na świat zewnętrzny gęstą zasłonę. Nie ma bata, wieczorem siadam do listu. Gdybym miała jego mejla... – rozmarzyłam się (przez dwa miesiące pracy w gazecie przyzwyczaiłam się do tej formy komunikacji). Natychmiast oprzytomniałam. Skoro oprócz kartki z Hiszpanii nie pisał od lata, to może ułożył sobie życie, w którym nie ma miejsca na znaczki z Polski. Albo nie chce ich już dłużej kolekcjonować. Kto by zresztą miał ochotę korespondować z matką obarczoną trójką dzieci i mężem. I tak długo wytrzymał. Zrobiło mi się przykro i nieswojo, jakbym nagle straciła przyjaciela. Jakiego przyjaciela? – przyszło mi na myśl. Lustro, w którym się przeglądam, kopalnię komplementów, z której czerpię, kiedy chcę, rękaw, w który mogę się wypłakać, wspomnienie cudownych chwil. Mimo nielicznych listów, tych sporadycznych spotkań na papierze, czułam wsparcie ze strony Blaża, a możliwość napisania do niego dodawała mi sił. Czy to się skończyło? Powinien mi to powiedzieć, zawiadomić jakoś, delikatnie wprowadzić w nową sytuację, tak jak tylko on potrafi. A tu nic, żadnego listu. Siedząc nad kartką papieru, zawahałam się. Ale tylko przez chwilę.

Dragi Blaż!
Długo się zastanawiałam, od czego zacząć, żeby było optymistycznie, i nadal nie wiem. Chciałabym Ci powiedzieć, że zawitała do nas złota polska jesień, ale widok za oknem nie sprzyja tego typu wyznaniom. Jesienna plucha

sprzyja jedynie producentom kaloszy. Przechodnie chyłkiem przemykają ulicami, omijając kałuże, a spojrzenie do góry przynosi tylko widok ciężkich deszczowych chmur, uciekających w poszukiwaniu cieplejszych zakątków. Jedyne milsze uczucia budzi zasadzony przed naszym domem krzew irgi, cieszący oko czerwonymi i pomarańczowymi kuleczkami. Jest niski, dzięki czemu opiera się zawierusze. Od kilku tygodni nie jeździmy już do Stępy, obawiając się o zdrowie maluchów. Cały czas nie dorobiliśmy się jeszcze porządnego ogrzewania. Ogień w kominku w nocy wygasa i nad ranem robi się bardzo zimno. A musimy teraz bardzo dbać o dzieciaki, bo wróciłam do pracy i nie mogę sobie pozwolić na żadne choroby w domu.

Robota opanowała mnie doszczętnie. Z trudem, ale stosunkowo szybko przypomniałam sobie okres, kiedy gazeta była moim drugim domem. Mimo sprzeciwów rodziny zdecydowałam się na ten krok, który nie wiadomo jeszcze, gdzie mnie doprowadzi. Sama czasami mam wątpliwości jak każda matka kwoka. Najważniejsze, że nie muszę jeździć poza Warszawę. Poruszanie się po mieście zabiera i tak dużo czasu.

Harry mi nie odpuścił i nadal muszę zajmować się gospodarką. Wertuję prasę i przechodzę szybki indywidualny kurs ekonomii stosowanej, przekładając doświadczenia Matki Polki na analityczne spojrzenie ekonomisty w skali makro. Trzymaj za mnie kciuki. Harry uważa, że sobie poradzę. Gazetowa młodzież jednak spogląda na mnie z rezerwą. Starają się tego nie okazywać, ale ja i tak dostrzegam ich dystans. Cóż, gdy się zostaje szefową działu, lądując ni z tego, ni z owego z Marsa albo, jak kto woli, z Wenus, trudno się spodziewać entuzjastycznego przyjęcia ze strony młodych wilczków, ostrzących od dawna zęby na to stanowisko. Krótko mówiąc, muszę się sprężać i nie popełniać błędów, które by dostarczyły satysfakcji niechętnym mi kolegom. No cóż, na pozycję trzeba sobie zapracować, nawet ciesząc się łaską szefa.

Blaż, jak mi dobrze, że mogłam podzielić się z Tobą moimi sprawami. Dziękuję Ci za to. Nie piszę więcej, chociaż mogłabym zapełnić jeszcze kilka stron. Nie wiem, czy tam nadal jesteś.

Napisz mi, proszę, co u Zorana, a przede wszystkim co u Ciebie. Niepokoję się Twoim długim milczeniem, choć jeśli poznam jego powody, zrozumiem. Mam nadzieję, że jesteś w Zadarze i odbierzesz mój list. A jeśli dryfujesz gdzieś po morzach, odbierzesz go później i odpiszesz.

Pozdrawiam Cię mocno.

Już nie do końca domowa kura, Twoja Ana

ANNA
MARZEC 2000

Mijały kolejne miesiące, życie biegło utartym torem. Codziennie byłam wdzięczna pani Milenie za to, że jest. Nie wiem, jak bym sobie bez niej poradziła. Czasami żałowałam, że zdecydowałam się wrócić do pracy, ale wpływająca co miesiąc na konto pensja rozwiewała wszelkie wątpliwości. Jerzy postarał się o drugi etat na SGGW, często pracował w soboty i niedziele. Matko, czy tak już będzie zawsze? Warszawa–Stępa, Stępa–Warszawa. Żadnych dalszych wyjazdów, nadziei na złapanie oddechu. A może by tak w totka zagrać? Chociaż piątkę zakreślić, żeby wystarczyło na nowy samochód, bo nasz stary polonez nie nadawał się na dalsze trasy. Machnęłam w myślach ręką. Lucyna! Świetny pomysł, muszę się z nią spotkać. Natychmiast wykręciłam jej numer.

– Cześć, Lucynko, masz chwilę? To świetnie. Może byśmy się spotkały około południa? Co tam robota, mam ochotę na wagary. Powiem Harry'emu, że muszę iść na temat, i po sprawie. W końcu to dla zdrowia, jakbym szła do lekarza. To jestem u ciebie o dwunastej.

No, od razu lepiej. Wpadłam do redakcji podbudowana myślą o spotkaniu.

– Harry, będę musiała wyjść około południa, ale wszystko będzie zrobione.

– Okej, pamiętaj o jutrzejszym tekście na rozkładówkę.

Całkiem zapomniałam. Jutro miały się rozstrzygnąć losy firmy Danplast, której sprawę i losy jej pięciu tysięcy pracowników pilotowałam od kilku miesięcy. Inwestor zagraniczny zamierzał w nią zainwestować i zwołał na jutro konferencję prasową na ten temat. Dam radę. Dużą część tekstu już mam, resztę dopiszę po briefingu.

– Spokojnie, szefie, wszystko będzie na czas. A dzisiaj redakcją stron gospodarczych zajmie się Alicja.

– No to leć. – Harry nawet nie zapytał, gdzie mi tak spieszno. – Zawsze twierdziłem, że jestem dla ciebie za dobry.

– Dzięki, Harry.

Po drodze zatrzymałam się na targu, kupić kilka tulipanów dla Lucyny. Pojawiły się pierwsze bratki do wysadzania na balkonach, niedroga sałata... Nie mając takiego zamiaru, kupiłam. W torbie zagościły też pomidory, kalafior, młode ziemniaki. Objuczona, niczym wół pociągowy dotarłam do samochodu. A niech to! Poszłam po kwiatki, a straciłam cenną godzinę. Włożyłam zakupy do bagażnika, którego klapa jak zwykle opadła z impetem, uderzając mnie w głowę. Cholerny samochód, zaklęłam pod nosem. Trzeba coś z nim zrobić. Wdusiłam pedał gazu, kierując auto w stronę domu Lucyny. Czekała na mnie. Gdy wcisnęłam guzik domofonu, drzwi niemal natychmiast się otworzyły.

– Wchodź – przywitała mnie serdecznie. – Kawa, herbata czy coś mocniejszego?

– Jestem samochodem. Gdybyś powiedziała wcześniej...

– No to kawa. Mam jabłecznik. Nie odmówisz.

– Lucyna, chodź już tutaj, chcę pogadać.

– Mów. – Postawiła na stole filiżanki z kawą. – Co się dzieje?

– Nic.

– A poza tym?

– Nie radzę sobie z niczym.

– Nie rycz, ze wszystkim sobie radzisz. Nie znam lepszej matki i żony, Aniu, wszystko jest dobrze.

Rozryczałam się na dobre. Nawet słońce za oknem nie pieściło, jedynie raziło w oczy.

– Lucyna, już nawet Blaż przestał do mnie pisać!

Lucyna przytuliła mnie jak małe dziecko.

– Cicho, już dobrze. Naleję ci koniaku, wrócisz taksówką. Andrzej odstawi twój samochód wieczorem pod dom. Może być?

– Andrzej? – Spojrzałam na nią załzawionymi oczami, ocierając powieki wierzchem dłoni.

– Andrzej, Andrzej, cały czas się spotykamy.

– To dobrze – łkałam. – Niech odprowadzi. Dlaczego nic mi nie powiedziałaś?

– Bo nie było okazji. Ale teraz ci mówię. Zostawmy to na razie, Aniu.

Napełniła kieliszki herbacianym płynem. Nie był dobry, ale zmęczyłam. Dolała kolejną porcję. Wypiłam jak lekarstwo.

– Lucy, już mi dobrze, mogę gadać – odblokowałam szare komórki. – Jestem strasznie słaba.

– Dlaczego?

– Nie radzę sobie z niczym. Nie chce mi się wstawać z łóżka, przygotować dzieci do wyjścia, nic mi się nie chce.

– Może jesteś po prostu zmęczona?

– Jestem złą matką, żoną, jestem do niczego, Lucyna.

– Może robota cię wykańcza? Nie pracowałaś zawodowo i miałaś galopkę z trójką dzieciaków. Teraz pracujesz, a zajęć domowych nie ubyło.

– To nie o to chodzi! Ja sobie radzę, ale nie czerpię z życia żadnej przyjemności. Nie mam czasu usłyszeć własnych myśli.

– To minie, Aniu, dzieci podrosną, staną się bardziej samodzielne, będą ci pomagać.

– A Jurek?! – prawie krzyczałam. – Czy on mi nie może pomagać już teraz? Myśli, że jeśli opowie dzieciom bajkę na dobranoc, odrobił swoje.

– Jesteś niesprawiedliwa. Poczekaj, nic nie mów. Dba o dom, Stępę, dużo pracuje, a przede wszystkim cię kocha i możesz na niego liczyć.

– I za to mam być wdzięczna? – ryczałam na dobre.

– A on na mnie nie może liczyć? A dodatkowo na ogarnięcie całego domu i warowanie przy dzieciach? To niesprawiedliwe, Lucyna, tak się zakaciapućkałam, że nikt się mną nie interesuje, nawet Blaż.

– Nie przesadzaj, nie możesz z faceta zrobić pazia na całe życie. Blaż w końcu też musi sobie ułożyć swoje. Wybrałaś. Uważam, że zrobiłaś dobrze. Było kilka lat miło, wymienialiście listy, czułaś się dowartościowana, rozumiem. Nie jest to do końca fair w stosunku do Jurka, ale skoro o niczym nie wie, to nie stracił. Aniu – spojrzała na mnie poważnie – wiem, że to niełatwe, ale musisz się pogodzić ze swoim życiem i zacząć cieszyć się nim, bo masz czym. Mnie czeka pozbawienie Edmunda praw ojcowskich. W dodatku żyję sama tyle lat. A ty? Masz wszystko: Jurka, który cię kocha, choć nie zawsze okazuje to tak, jak byś sobie życzyła, gromadkę zdrowych dzieciaków, pracę, która nie jest ci niemiła. Jesteś ładna, zdolna...

– Lucyna, nie galopuj, bo zaraz mi powiesz, że jestem najszczęśliwszą kobietą pod słońcem – roześmiałam się przez łzy, słuchając jej peanów.

– Bo jesteś – powiedziała poważnie. – Tylko jakoś nie chcesz tego zauważyć.

– Co chcesz przez to powiedzieć?

– To, co powiedziałam: ciesz się życiem. Kochaj Jurka, patrz z radością, jak rosną dzieciaki, planuj dalekie podróże, spotykaj się z ludźmi, rób coś dla siebie. Tyle.

– A Blaż? – szepnęłam, wiedząc, jaka będzie odpowiedź.

– Blaż jest bardzo miłym wspomnieniem. Sama go postawiłaś w tej roli. Wybrałaś, Aniu, i bądź konsekwentna. Nie ma odwrotu. I radzę ci sobie to uświadomić, zanim zmarnujesz życie na ciągłych rozterkach.

– Naprawdę myślisz, że Jurek mnie kocha?

– A kto tak nie myśli. – Pokręciła z politowaniem głową. – Chyba tylko ty masz wątpliwości. Andrzej nieraz mi o tym wspomina.

– Masz jeszcze ciociną naleweczkę?

– Jasne, czeka na ciebie.

Wracałam taksówką w doskonałym nastroju, uspokojona, pogodzona. Mimo zbliżającego się wieczoru słoneczko jeszcze świeciło, ludzie na ulicach wydawali się radośni, a kierowcy epatowali życzliwością. Lucyna potrafi człowieka doprowadzić do porządku, myślałam o przyjaciółce z wdzięcznością. Zaraz zwolnię panią Milenkę i przygotuję smaczną kolację. Lucyna ma rację, nie ma co płakać nad rozlanym mlekiem. Grunt to spojrzenie na życie przez odpowiedni pryzmat. Zatęskniłam za domem.

ANNA
KWIECIEŃ 2000

Zapraszamy was z Andrzejem na uroczystą kolację. – Lucyna oficjalnym tonem powiadomiła o sobotnim wieczorze. – Mam nadzieję, że jesteście z Jurkiem wolni.

– Poczekaj, Lucynko, tylko lepiej chwycę słuchawkę. Mam ręce w mące. Już. Co mówiłaś?

– Zapraszamy ciebie z Jurkiem na jutro na kolację. Uroczystą.

– Wow! A co będziemy świętować?

– To się jeszcze okaże. – Lucyna była tajemnicza. – Bądźcie o dwudziestej.

Poleciałam do Jerzego.

– Słuchaj, coś się kroi u Lucyny i Andrzeja! – zawołałam podniecona. – Przygotowują jakąś fetę na jutrzejszy wieczór. Może się pobiorą? Zaprosili nas.

– No i słusznie. – Mój mąż jak zwykle praktycznie podszedł do sprawy. – Andrzej nie jest już związany z Matyldą, Lucyna też jest wolna, więc czemu nie.

– Andrzej nie jest związany z Matyldą – przedrzeźniałam Jurka. – Powiedz wprost, że nareszcie pozbył się tej prymitywnej baby i ma święty spokój. Na szczęście nie zabrała mu domu po dziadkach, bo jeszcze by te antyki wzięła na rozpałkę.

– Co ty jesteś taka napastliwa? Powiedziałem, że nie jest z nią związany, i tyle.

– Eeee, nie chodzi o treść, Jerzy, ale o formę. Czy ty nigdy się niczym nie emocjonujesz?

– A czym tu się emocjonować? Mówiłaś, że idziemy do Lucyny na kolację. Ja nie mam nic przeciwko temu.

– Ech – machnęłam ręką. – Gadać z tobą...

Mogłaby Weronika szybciej wyrosnąć mi na dobrą kumpelę, bo na babskie pogaduszki z moim mężem raczej nie mam co liczyć.

Stanęliśmy przed drzwiami mieszkania Lucyny z bukietem herbacianych róż. Miałam na sobie małą czarną – w ostatniej chwili stwierdziłam, że za małą, bo wyglądało na to, że przytyłam; garnitur Jerzego też wydawał się nieco opięty. Kombinacja naszych wód toaletowych niosła się po całym korytarzu, ale ze swoich świeżych loków byłam nawet zadowolona. Jerzy kurtuazyjnie podtrzymywał mi łokieć, jak gdybym miała nagle osunąć się na podłogę. Drzwi otworzył Andrzej, jak zwykle elegancki dżentelmen w doskonale skrojonym garniturze i nieskazitelnie białej koszuli z muszką – znaku rozpoznawczym kilku pokoleń adwokatów szacownej warszawskiej rodziny.

– Siadajcie. Czego się napijesz, Jurek? Bo ty, Aniu, to samo?

– Piwu wierna jak zawsze.

Andrzej napełnił szklankę chmielowym płynem.

– A ja może dla odmiany brandy?

– Już podaję, Jureczku.

Andrzej spokojnie nalał herbaciane brandy do szklanki Jerzego.

– Kochani. – Lucyna z Andrzejem stanęli obok siebie, spoglądając sobie raz po raz w oczy. – Mamy wam coś do zakomunikowania. Od niedawna jesteśmy ludźmi wolnymi i... – Andrzej spojrzał na Lucynę z miłością – zakochanymi. Postanowiliśmy się pobrać.

– Gratulacje, życzymy szczęścia. – Jerzy wylewnie cieszył się z usłyszanej wiadomości. – Życzę wam, abyście byli tak szczęśliwi jak ja z moją żoną.

– Wasze zdrowie! – podniosłam kieliszek, do którego Andrzej nalał świeżo otwartego szampana. – Naprawdę się cieszymy i dzięki wielkie, że zdecydowaliście się świętować z nami.

– A z kim, jeśli nie z przyjaciółmi, Aniu, i to z dwudziestoletnim stażem? Jesteście dla nas wzorem cnót małżeńskich – popadł w patos Andrzej – idealną rodziną. Czy możemy prosić was o to, byście byli naszymi świadkami?

– To zaszczyt, jasne, nie ma sprawy, dziękujemy – przekrzykiwaliśmy się z Jerzym w podziękowaniach i zapewnieniach, jacy jesteśmy szczęśliwi z wyróżnienia.

Lucyna wyciągnęła mnie do kuchni „robić kawę". Przyglądałam się promieniom kwietniowego słońca, omiatającym każdy kącik niewielkiej kuchenki.

– Sprawdzasz, czy mam odkurzone? – Przyjaciółka przyłapała mnie na wnikliwej obserwacji.

– Coś ty! Pomyślałam, że to jedne z ostatnich chwil, które spędzamy w twoim mieszkanku, zanim się przeprowadzisz do statecznej kamienicy Andrzeja.

– Skąd wiesz, że się przeprowadzę?

– A nie? Przecież to racjonalne. Mieszkanie jest piękne, szkoda, żeby z tego nie skorzystać. A zmieniając trochę temat, robiłaś coś w sprawie Edmunda?

– Sprawa w toku. Przekonałam prokuratora, żeby wytoczył powództwo. Sąd zlecił biegłym zbadanie zgodności kodów pomiędzy Wiktorkiem a moim byłym. Jeżeli będą niezgodne, a będą, bo taka jest prawda, wyda wyrok o zaprzeczenie ojcostwa. Mam nadzieję, że to nastąpi niedługo. Inaczej nie mogłabym wyjść za mąż. Wiktorek bardzo lubi Andrzeja, ale dopytuje się o tatę. Na razie nie wiem, jak mu to wszystko wytłumaczyć. Ale zostawmy, Aniu, te sprawy. Powiedz mi lepiej, co u ciebie. Blaż się odzywał?

– Tak, miałam jakieś kartki z Grecji, Anglii, ostatnia przyszła z Maroka. Właściwie nic nie pisze, tylko daje znać. Myślę, że ma się dobrze i jest zadowolony. Robi reportaże, poznaje świat. Zazdroszczę mu. Ogólnie spokój, nawet Jerzy nie robi dziwnych min, gdy wyjmuję kolejną pocztówkę ze skrzynki. Ostatnio nawet sam mi ją przyniósł. A, będziemy trochę remontować Stępę. Planujemy docieplić budynek, żeby można było przyjeżdżać tam w chłodniejsze dni. Mam nadzieję, że nasz wspólny wyjazd na łódkę jest aktualny.

– No pewnie! Andrzej całkowicie uległ Jerzemu w tej kwestii. A widzisz, mówiłam ci, że wystarczy Jurka zachęcić do Mazur i sukces. Jedziemy w sierpniu. Chciałabym, żeby do września sąd się wyrobił z wyrokiem, i wtedy może we wrześniu pobierzemy się z Andrzejem.

– Drogie panie – usłyszałam głos mojego męża. – Jak długo jeszcze będziecie przyglądać się kuchni? Czekamy na was.

Kawa już dawno przestała być gorąca.

W radiu Christina Aguilera śpiewała „Come on Over Baby", zachęcając do tańca. Zapowiadał się wieczór pod hasłem wielogodzinnych harców z przerwami na nocne Polaków rozmowy.

ANNA
KWIECIEŃ 2003

Jurek, jesteś jeszcze w sklepie? – złapałam za telefon, z przerażeniem uświadamiając sobie, że nie kupiłam fety do sałatki greckiej.

– Wody i alkohole mam, kupiłem też śląską i kaszankę na grilla, kabanosy i musztardę. Coś jeszcze chcesz oprócz tej fety?

– Niech pomyślę, może... ręczniki papierowe, gdybyś mógł.

– Słuchaj, ale tu są różne te fety.

– Weź light. I tak napchamy się kiełbasą, wystarczy tych kalorii.

– Dobra, idę szukać ręczników.

– A, nie wypakowuj płynów z bagażnika, niech poleżą do jutra. Przynieś tylko pozostałe rzeczy.

Długi majowy weekend zapowiadał się wyśmienicie. Od rana uprawiałam taniec przygotowań, biegając po sklepach i targowisku oraz pakując torby, podjarana spotkaniem z Andrzejami, którzy mieli zlądować do Stępy z Wiktorkiem. Chłopak tak wyrósł, że zastanawiałam się nad bardziej poważną formą zwracania się do niego. Może „panie Wiktorze"? – zaśmiałam się, podlewając kwiaty. Zarówno Weronika, jak i Wiktor za rok będą gimnazjalistami, do czego przyczyniły się ich mamusie, posyłając ich do szkoły jako sześciolatki. Do tej pory nie wiem, czy wykonałyśmy krok w dobrą stronę, skracając im nieco dzieciństwo, ale stało się i teraz czekałyśmy na wyniki egzaminów. Pierwszy egzamin mojej córki... No cóż, nic dziwnego, w końcu ja też nie mam już dwudziestu lat, ani nawet trzydziestu. Nie ma co narzekać, dzieciaki chowają się dobrze, w pracy można wytrzymać, nawet udało się starego poloneza zamienić na ukochaną toyotę RAV, którą nazwałam pieszczotliwie z uwagi na brązowy kolor Kawusią. No i moja Lucyna po tylu latach znalazła Andrzeja. Żeby jeszcze mogła urodzić mu dziecko...

– Jestem! – Jerzy taszczył do kuchni wory jedzenia.

– Już lecę, Jurek. Postaw torby na podłodze. Andrzej dzwonił do ciebie?

– Będą jutro około południa. Kupiłem jeszcze papier toaletowy i pastę do zębów.

– Mądry chłopczyk.

Pląsałam wokół kuchennego stołu, przekładając zakupy do lodówki.

Stępa czekała, gotowa przywitać nas otwartymi okiennicami i buzującym w kominku ogniem, za którego rozpalenie panowie natychmiast się zabrali, gdy niemal jednocześnie zlądowaliśmy na wsi.

Dzieciaki rozpierzchły się po terenie, a Andrzej i Jerzy musieli zrobić obchód. Miałyśmy z Lucyną chwilę czasu dla siebie.

– No i co z tobą, Lucynko? Mów, dawno się nie widziałyśmy.

– Chodzę do tego lekarza, którego mi poleciłaś. Mówi, że będzie dobrze. Chciałabym tego dziecka, choćby ze względu na Andrzeja. Nie nalega, ale wiem, że mu zależy. A ty? Widzę, że jesteś w dobrym nastroju.

– Trochę się denerwuję wynikami egzaminu Weroniki, zwłaszcza że za kilka dni będę sama, Jurek wyjeżdża na staż do Brestu na dwa miesiące. Może i dobrze, będę miała trochę czasu dla siebie. Wbrew pozorom chłop z wozu, babie lżej. Może coś wieczorami popiszę? Albo pomyślę w spokoju... Ach, Lucyna, miałam ci powiedzieć. Urządzamy w sierpniu dwudziestą rocznicę ślubu. Ty sobie wyobrażasz? Dwadzieścia lat z jednym chłopem? Nie wiem jeszcze, jak i gdzie, ale już was zapraszam. Tylko mi nie zajdź w ciążę, żebyś mogła wypić nasze zdrowie.

– Fajnie, że wam się układa, cieszę się. Zawsze ci mówiłam, że Jurek jest w porządku.

– Jest, Lucynko, jest.

– Drogie panie, czy można liczyć na jakąś kawkę? – Andrzej przyciągnął Lucynę do siebie i pocałował całkiem, powiedziałabym, namiętnie.

– Nooooo, takie bezecne sceny przy ludziach! – zażartowałam, podrywając się do kuchni. – Biegnę robić sałatkę. Może rozpalisz grilla?

– Już się robi. – Jurek poszedł wyjąć sprzęt z komórki. Kroiłam sałatę, pomidory, surowe ogórki ze skórką. Spojrzałam przez okno. Towarzystwo kręciło się po podwórku. Zachodzące słońce dawało nadzieję na pogodny wieczór.

ANNA
LIPIEC 2003

Jerzy wrócił na początku lipca. Zaliczył dwa miesiące pracy na uniwersytecie w Breście. Dzieciaki zakończyły rok szkolny, w gazecie dużo roboty. Ale pierwszego lipca wisimy na telefonie. Jest już w Polsce, minął Poznań, dojeżdża do domu. Tort bezowy, kotleciki z pieczarkami, galaretka. Czekamy. Wypatrujemy przez okno. Jedzie! Wybiegamy na parking. Jerzy wychodzi z auta, chwytając mnie w objęcia.

– Cześć, Anuś.

– Cześć, cześć. Dzieciaki, nie zamordujcie ojca! – krzyczę, widząc radość młodzieży.

Otwieramy bagażnik. Śmierdzi nieziemsko. To camembert poszukuje drogi do wyjścia. Znosimy bagaże, przekrzykujemy się z emocji. Jerzy przyjechał odmieniony – schudł, opalił się, dwumiesięczne stypendium mu posłużyło.

– Mam dla was propozycję – dzieli się pomysłem, zanim

dochodzimy do domu. – Co byście powiedzieli na wyjazd do Bretanii?

– Kiedy? – pytam, nie czekając, aż dzieciaki się odezwą.

– Za dwa tygodnie. Paul wyjeżdża z rodziną do teściów na południe Francji i zaproponował nam swój dom. To będzie prezent dla ciebie na nasze dwudziestolecie. Dostaniesz urlop?

– Mam urlop od piętnastego. Ika jedzie na obóz w sierpniu, ale chłopaków jeszcze nie zagospodarowałam. Będzie ci się chciało jechać znowu taki szmat drogi?

– Jasne. Ciągle narzekasz, że nigdzie nie jeździmy, to wypuścimy się raz a dobrze.

Na kupce w sypialni leżał stosik kartek od Blaża, które pobiegłam na wszelki wypadek schować. Czego oczy nie widzą... Do tej pory przychodziły z Europy, ale od niedawna do kolekcji dołączyły widoczki z Indii, Singapuru, Australii. Wiedziałam, że jest w dziennikarskiej podróży dookoła świata. Takiemu to dobrze. Ale teraz i ja pojadę.

– Tato, patrz, mamy nowe rybki! – Michał ciągnie ojca do pokoju.

– Daj się tacie umyć po podróży. Jerzy, stawiam obiad. Weronika, gdzie ty jesteś? Zanieś na stół buraki.

Zapanował kompletny chaos. Jerzy wygrzebuje z walizek prezenty, zakamuflowane w kłębowisku ciuchów. Chłopcy tańczą wokół niego jak wróble na nitce. Jedynie nasza córka przycupnęła statecznie na kanapie, próbując przeczekać lawinę emocji. Obdarowani siadamy do obiadu.

Przekrzykujemy się nawzajem, walcząc o palmę pierwszeństwa w rodzinnej debacie.

Jedziemy. Za czternaście dni jedziemy do Bretanii. Nieoczekiwane superwakacje. Dwa tygodnie przygotowań minęły jak z bicza strzelił. Samochód zapakowany po brzegi, na dachu drugi dom. Wyglądamy niczym rodzina tureckich emigrantów wracająca po saksach w Niemczech na wakacje do domu. Jedyne dwa i pół tysiąca kilometrów i odnajdziemy spokojną przystań w okolicy Brestu, z którego krótka droga poprowadzi nad Atlantyk. A w planach kąpiele, plaże i nieznane. Nikt z nas nie wie, czego się spodziewać.

– Czy mogę prosić pana Jerzego Jakubca? – usłyszałam kobiecy głos.

– Kochanie, do ciebie! Mąż już idzie – oddałam słuchawkę Jerzemu.

Zagoniłam dzieciaki do łóżek. Mieliśmy wstać o czwartej rano. Przed nami długa droga, najbliższy przystanek na kimanko w okolicach francuskiej granicy. Ruszyliśmy, pokonaliśmy polskie drogi, potem Berliner Ring, Frankfurt, Magdeburg, Kolonia, w okolicach Aachen poczuliśmy zapach Belgii.

– Zatrzymajmy się już – wypowiedziałam to, co mój organizm od dawna sygnalizował. – Jestem zmęczona, a myślę, że dzieciaki też.

Odwróciłam się do tyłu. Michał patrzył bezmyślnie w okno, Alek wiercił się, nie mogąc znaleźć sobie miejsca. Weronika poparła mnie natychmiast.

– Mnie się chce do ubikacji. I spać też. Masz jeszcze sezamki?

– Dobrze – podjął decyzję Jerzy. – Szukamy parkingu.

Znużeni całodzienną jazdą rozglądaliśmy się za miejscem postoju. Jak na złość autostrada przez kilkadziesiąt kilometrów nie dawała nadziei na wypoczynek. Zbliżała się druga nad ranem i dzieciaki znalazły już sen w poduszkach idealnie dopasowanych do kształtów ich głów. My na swoją poduszkową nieckę musieliśmy poczekać jeszcze kilka kilometrów. W końcu zatrzymaliśmy się na stacji benzynowej. Narzuciwszy śpiwory i polary na grzbiet, oddaliśmy się we władanie snu. Nareszcie.

Poranek przywitał chłodem. Nie pomogło nawet naciąganie śpiwora na głowę.

– Matko, jak zimno. – Dreszcze przeszły mi po grzbiecie.

– Ika, nie poszłabyś po kawę? – spróbowałam delikatnie podlizać się córci. – A dla ciebie czekolada! – wymyśliłam pospiesznie nagrodę za poświęcenie.

– Ja na pewno nie pójdę – odezwał się Michał spod poduszek.

– Spadaj, właśnie że ze mną pójdziesz, młody. – Weronika nie dała się podejść. – Wstawaj, ale już!

– Ika, on się przeziębi – wtrąciłam się jak zawsze beznadziejnie.

– Kto idzie po kawę? – przetarł oczy Jerzy.

– Pewnie nie synuś mamusi, bo się przeziębiiii! – grzmiała Weronika, wytykając mi nadopiekuńczość, którą przecież kiedyś przejawiałam też w stosunku do niej.

– Koniec tego, ja idę – zdecydowałam. – Gdzie jest kasa?

– Pójdę. – Weronika ogarnęła się z pieleszy z nadąsaną miną. – A wy, gówniarze, zróbcie tu porządek.

– Słyszeliście – odwróciłam się do chłopaków. – Poukładajcie trochę na tylnym siedzeniu. Dziada z babą tam brakuje.

Weronika wróciła po dwóch minutach.

Kawa była, jak mówią moi młodzi, czaderska. Z przepastnej torby na jedzenie wygrzebaliśmy resztki kanapek i pognaliśmy dalej z nadzieją na nocleg w Breście.

Dojechaliśmy późnym wieczorem. Kierując się cały czas na zachód, goniliśmy zachodzące słońce, które uciekło za horyzont mniej więcej o jedenastej wieczorem. Przed Brestem zmieniliśmy się z Jerzym za kółkiem.

Cel wyprawy przeszedł oczekiwania nas wszystkich. Po półgodzinie stanęliśmy na chodniku przed stuletnim dwupiętrowym domem o prostopadłościennym kształcie, swoją prostotą wyrażającym skromność i idealne proporcje. Jerzy zaczął penetrować ogródek od strony uliczki, gdzie pod studzienką odpływową miał się znajdować klucz do posesji. Nurkując pod krzewem hortensji, której amarantowe kwiaty chroniły dostępu do spatynowanej kryjówki, wyglądał jak złodziej. Gdyby nie zmęczenie i głód, każący myśleć o niezjedzonych jeszcze zupkach chińskich, rozglądalibyśmy się pewnie na boki w obawie przed czujnym okiem sąsiadów.

– Jest. – Jerzy z ulgą podniósł niewielki kluczyk.

Dom okazał się prawdziwym wyzwaniem. Wąskie kręte schody ciągnące się na poddasze, korytarzyki prowadzące do ciemnych zakamarków, mnogość drzwi, za którymi kryła się niewiadoma, niewiele mebli i wyjście do starego ogrodu, nad którym królował olbrzymi kasztanowiec.

Dom Ech, jak go ochrzciliśmy, stał się naszą przystanią na dwa tygodnie.

– Jerzy, do kogo esemesujesz? – Mąż speszył się, słysząc moje słowa.

– Sprawdzałem pocztę.

– Zostaw to już i przenieś resztę bagaży na górę – poganiałam. – Gotuję wodę na zupki.

Kolejne dni spędzaliśmy na badaniu otoczenia. Jerzy pokazywał nam bretońskie piaszczyste plaże, w czasie odpływu szerokie na pół kilometra, pełne muszli i morskich żyjątek zbieranych przez miejscowych do kolacyjnego garnka, a w przypływie ledwie mieszczące ręcznik pod wydmą. Penetrowaliśmy skaliste wybrzeże, falezy chowające urokliwe zatoczki i malutkie domki starych rybackich miasteczek. Opalaliśmy się w ich zaciszu w obawie przed wiatrem, kąpaliśmy w piankach i gumowych butach, chroniąc się przed zimnem atlantyckiej wody. Po dniu wrażeń, gdy dzieciaki wylądowały już bezpiecznie w łóżkach, po raz enty upomniane, że teraz czas dla rodziców, siadaliśmy przy otwartych na ogród drzwiach przestronnego salonu ze szklaneczką cydru lub miejscowego piwa.

Jerzy był wyjątkowo ożywiony. Opowiadał o swoim pobycie w Breście, znajomych, wycieczkach. Dowiedziałam się, że zaczął biegać po plaży, dbać o dietę, kupował sobie nowe ubrania. Zagoniona w domu z dzieciakami nie zwracałam uwagi na te sygnały, teraz jednak zaczęły docierać do mojej świadomości.

– Jerzy, kto do ciebie ciągle esemesuje? – zaskoczyłam go pytaniem w czasie wieczornej sjesty.

– Do mnie?

– Do ciebie, przecież nie do mnie.

– Opowiadałem ci, że poznałem kilkoro Polaków z Wrocławia. Jedna ze znajomych jest jeszcze w Breście.

– Co to za znajoma?

– Mówiłem ci już, koleżanka. Pisze tu pracę doktorską. Może moglibyśmy się spotkać?

Złożyłam dwa do dwóch: przemiana Jerzego, nasz wyjazd do Brestu, jego motywacja, by po dwóch tygodniach znów gonić ponad dwa tysiące kilometrów...

– Nie mam ochoty nikogo poznawać – powiedziałam powoli i dobitnie.

Tego wieczoru pokłóciliśmy się jak rzadko. Alkohol wzmógł emocje, a Jerzy nie przyznawał się do niczego, ale jego zapalczywość i determinacja w namawianiu mnie na to spotkanie pozostawiły wątpliwości co do szczerości zapewnień o małżeńskiej wierności. Wolałam jednak tej sprawy nie drążyć, wiedząc z autopsji, że różnie bywa, gdy człowiek znajdzie się dłuższy czas z dala od codziennych spraw i partnera.

W domu czekała na mnie kolejna kartka od Blaża.

ANNA
WRZESIEŃ 2003

Nie mogłam od razu odpowiedzieć Blażowi, powstrzymywana urażoną przez Jerzego dumą, która mogła spowodować, że na papier spłyną niewłaściwe słowa. Za długopis złapałam w słoneczne przedpołudnie, gdy dom był pusty, a przyjazny ekspres do kawy wybulgotał filiżankę espresso. Przeczesałam włosy, nastrajając się do pisania, przeciągnęłam usta pomadką.

– Teraz dobrze – spojrzałam do lusterka.

Drogi Blaż! – zaczęłam wolna od złych emocji.

Piszę na Twój zadarski adres i wiem, że mój list dojdzie do Ciebie, kiedy już wrócisz ze swojej podróży życia, o której donoszą kartki z odległych zakątków. Nie wątpię, że wybierzesz się w kolejną. Kolorowe widokówki z różnych stron świata bardzo mnie cieszą. Nawet nie wiesz, jak bardzo. Nie umiem Ci tego wytłumaczyć, ponieważ nie wiem, czy to wynika z samolubnego zadowolenia, że pamiętasz jeszcze o mnie, czy z tęsknoty za zwiedzaniem świata, czerpaniem z życia, patetycznie mówiąc, pełnymi garściami. *Myślę, że po prostu miałam ochotę się do Ciebie odezwać i czekać na odpowiedź. Mam wielkie trudności, żeby coś sensownego z siebie wydusić. Tyle się dzieje, a ja nie potrafię o niczym napisać, jak gdybym nie umiała przedstawić Ci wszystkiego w prawdziwych barwach. Pewnie brakuje mi talentu. A może nie potrafię czasami zachować rozsądku.*

U mnie wszystko w porządku. Wróciliśmy z podróży do Francji, gdzie spędziliśmy z rodziną dwa tygodnie. Pod koniec sierpnia byliśmy ze znajomymi na łódce na Mazurach. Weronika już w gimnazjum, mnie wciągnęła praca. Przepraszam, że ten list jest taki krótki.

Twoja Ana

Jednak nie pomogła ani pomadka, ani espresso. Trudno, wyślę taki. Za dwa tygodnie dostałam odpowiedź.

Draga Ana!
Wróciłem i mam dwa powody do radości! Jeden to wspaniała tułaczka po świecie z Zoranem, z którym nareszcie zostaliśmy prawdziwymi kumplami, a drugi leżał na kupce korespondencji, wybieranej pod moją nieobecność przez dobrego kumpla Dragana, opiekującego się mieszkaniem. Zresztą opieka nie mogła mu sprawiać wiele trudu, bo rybek pozbyłem się przed wyjazdem, a jedyna paprotka, jaka została, według zeznań Dragana była zbyt słaba, by przetrwać rozstanie z właścicielem. I ja mu wierzę. Bo kto by przeżył rozstanie ze mną, niepodlewany chociażby raz

w tygodniu. Nie było szans. Myślę, że nie kupię kolejnej ani żadnego żyjątka wymagającego opieki i uwagi. Jak widać, nic się przy mnie nie jest w stanie uchować, niczego nie potrafię zatrzymać. Może uda mi się przynajmniej z Zoranem?

Ana, przeżyliśmy cudowną przygodę, objechaliśmy cały świat. Sam nie wierzę w to, co piszę, chociaż to prawda. W Nepalu poznałem lokalne przysłowie: „Lepiej żyć jeden dzień jak tygrys niż sto dni jak owca". Nie jestem pewien, czy urodziłem się z takim przekonaniem, ale z biegiem czasu staje mi się ono coraz bliższe. Pomysł na podróż pojawił się niespodziewanie i okazał się ku mojemu zaskoczeniu realny. Szukałem tematu na kolejną książkę, znużony codzienną pracą starszego śledczego odwalającego robotę za policję, gdy okazało się, że jeden z naszych „biznesmenów" trafił ze swoimi lewymi interesami do Anglii i – jak się domyślasz – ja musiałem podążyć za nim. Podróż okazała się owocna. Miałem w kieszeni tekst o naszym przekrętasie i jeszcze zdobyłem kontrakt na relacje z podróży dookoła świata z angielskiego pisma podróżniczego „Zawsze przed siebie", do którego wprowadził mnie kumpel Michael, były korespondent na Bałkanach. Miesięcznik poszukiwał gościa, który objedzie glob, słuchaj dobrze, z synem! Szła za tym akcja promująca podróże międzypokoleniowe. Tak jak u twojego Herkulesika chodziło o zainteresowanie młodzieży podróżowaniem. Michael wolał raczej przycinać trawnik przed swoim domem, a jego syn kołysał już swoje dzieciaki, i oto ja napatoczyłem się w odpowiednim momencie. Zdecydowałem się bez wahania, negocjacje z Kateriną optymistycznie zostawiając na później. Na szczęście nie sprzeciwiała się. I tak niemal z dnia na dzień rozpoczęliśmy z moim synem zabawę w Verne'a. Opłacono nam osiemdziesiąt dni na objechanie świata dookoła! A do tego Zoran miał wakacje i mógł jechać ze mną! Nie będę Cię zanudzać relacją z podróży. Napiszę książkę i możesz być pewna, że pierwszy egzemplarz powędruje do Ciebie. Obiecuję, że nikogo w niej nie uśmiercę, nic z tych rzeczy.

Zoran okazał się doskonałym kompanem. Sam nie wiedziałem, że czternastoletni chłopak może być tak dojrzały, a jednocześnie przysporzyć tyle radości na co dzień. Muszę przyznać, że Katerina mimo całej niechęci do mnie nie wychowała go na maminsynka. Przejechaliśmy razem Indie i Nepal, przez Singapur podążyliśmy do Australii i Nowej Zelandii, która okazała się rajem na ziemi, na Wyspach Cooka zastanawiałem się, czy w ogóle wracać do domu, musieliśmy jednak przenieść się do Miasta Aniołów i już bez oporów przejechaliśmy wynajętym jeepem całą Amerykę, by zlądować w dżdżystym Londynie, w redakcji mojego zleceniodawcy i dobrodzieja, który fundnął nam wakacje życia. Zoran wrócił do matki, a ja siedzę teraz nad materiałami z podróży i czuję na plecach oddech wydawcy, który czeka na tekst. Na szczęście mam na to trochę czasu. Najpierw muszę zrobić jakieś pięć stron ze zdjęciami, a książkę mogę pisać ponad rok. Nie tak źle.

Muszę Ci powiedzieć, że bardzo odświeżył mnie ten wyjazd. A dzięki książce, którą chcę trochę sfabularyzować, przeżyję go jeszcze raz i pod jesienno-zimowym niebem Chorwacji przywołam wspomnienia piaszczystych plaż

Nowej Zelandii, azjatyckiej kolorowej ulicy, amerykańskich, niekończących się autostrad. Zdecydowanie mam ochotę na więcej, chociaż wiem, że to może jedynie efekt zadowolenia po podróży i niemożności przestawienia się na normalne życiowe tory. Ana, jedną nogą jestem jeszcze gdzieś tam. A myślami przy Zoranie, którego teraz bardzo mi brakuje. Przyzwyczaiłem się do jego obecności, zachowań, rozmowy, kłótni, wiesz, tego wszystkiego, czego wcześniej nie znałem i mogłem się jedynie domyślać. Od tej pory będę się spotykał z nim regularnie, co obaj planujemy. Na ferie zimowe wyskoczymy na narty w Dolomity, a wakacje na jachcie. Zoran jest wysportowanym chłopakiem i zapowiada się na całkiem sensownego mężczyznę. Już kombinuję, jak urządzić mu pokoik w moim kawalerskim mieszkanku, żeby przyjeżdżał do starego ojca pożeglować, pograć w szachy, pogadać. Chciałbym sfinansować mu wakacyjny kurs angielskiego w Londynie. Co ty na to? Dobrze by było, żeby zrobił patent żeglarski, prawo jazdy i co tylko będzie chciał. Ana, mam dla kogo żyć. To jest piękne! Nawet nie wiesz, jak mnie to cieszy.

Tyle piszę o sobie, że nie zdążyłem jeszcze zapytać, co słychać u Ciebie. Z Twojego krótkiego listu wyczuwam, że nie wszystko układa się po twojej myśli. Jeżeli mogę Ci w jakikolwiek sposób pomóc, pisz. Może przekażę Ci trochę mojego optymizmu. Życie może być piękne, czasami wystarczy trochę szczęścia i dobrych wyborów, a czasami cierpliwości mimo długich jesiennych dołujących wieczorów. Piszę jak stary zgred albo jakiś buddyjski mnich, który zjadł wszystkie rozumy. Wybacz i trzymaj się ciepło.

Pozdrawiam Cię mocno. Gdyby Zoran Cię znał, też pewnie by pozdrowił. Co tam, ściskam od nas obu. Ana, nie potrafię ukryć dobrego nastroju, nie będę ukrywał. Mam nadzieję, że mi odpiszesz. I nie chcę zbyt długo czekać. Teraz wszystko musi mi się udać. A swoją drogą, jakimi jesteśmy tradycjonalistami, trzymając się listów, kopert, znaczków. I dobrze, Ana, to mi się podoba. Mejle może skasować byle jaki wirus, a listy są odporne na te rzeczy.

Przesyłam Ci gorące pozdrowienia z Zadaru, który zawsze będzie mi się kojarzył z Tobą.

Twój Chorwat

ANNA
GRUDZIEŃ 2003

Lucynko, nie martw się, w końcu się uda – próbowałam ją pocieszyć, ale z marnym skutkiem.

– O niczym innym nie mogę myśleć. – Nie potrafiła powstrzymać łez. – Wiesz, chodzi mi o Andrzeja.

– Rozumiem, ale spójrz na mnie. Leczyłam się kilka lat, a potem samo przyszło. Weronika, a po trzech latach bliźniaki.

– To ja mam też pojechać do Chorwacji? – Teraz to już nieźle zawodziła.

– Masz chusteczkę. – Podałam jej jednorazówkę, rzucając okiem na ciekawskich klientów przy sąsiednich stolikach zerkających w naszą stronę. – Spokojnie, opowiedz mi jeszcze raz, jak się leczyłaś i co ci powiedział lekarz.

– On się na niczym nie zna! Mówi, że wszystko jest w porządku i musimy próbować. Robił mi to przedmuchiwanie jajowodów. Są drożne i nie wiadomo, o co chodzi!

Nie poznawałam Lucyny. Zawsze taka rozsądna, mądra, pomocna... Kompletnie się rozkleiła.

– Mam pomysł, Lucynko.

Spojrzała na mnie z nadzieją.

– Musicie pobyć z Andrzejem sami i to nie jeden dzień. Słuchaj, a jakbyśmy posłały Weronikę i Wiktora latem na obóz żeglarski na dwa tygodnie? Co ty na to? Wy zaś w tym czasie urlopik, relaksik i... wiesz.

– Może?

– Nie może, tylko morze, na przykład Bałtyk. Opalanie, spacery, zachody słońca, romantyczne kolacyjki przy smażonej rybce, lody, kino...

– Nie galopuj – przynajmniej udało mi się ją rozśmieszyć. – Gadasz, jakbyś sama miała ochotę na taki wypad z Jerzym.

– Koleżanko, teraz ty się nie zapędzaj. Mówimy o tobie. My już jesteśmy małżeństwem z ponaddwudziestoletnim stażem, z trojgiem dzieci. Nasze marzenia to telewizor i trochę spokoju, gdy dzieciaki pójdą spać.

– Bo ci uwierzę! A co u Blaża?

– Luucyynaa!

– Uderz w stół, a nożyce się odezwą. I to ma być to twoje marzenie o telewizorze? Sama widzisz, że mi ściemniasz.

– Dobra, a teraz na poważnie. Co myślisz o tym kursie żeglarskim? Jeździmy już kilka lat na Mazury. Nasza Weronika byłaby chętna.

– Podpytam Wiktora. Myślę, że mu się spodoba ten pomysł. A nad Bałtyk z Andrzejem? Czemu nie. Mówisz poważnie, że może się udać?

– Jasne. Jestem pewna.

Niczego nie byłam pewna, ale nie miało to najmniejszego znaczenia. Ważne, by Lucyna uwierzyła.

– No to co u Blaża? – puściła oko już całkiem rozluźniona.

– Dobrze. Wrócił z podróży dookoła świata, będzie pisał książkę. Fartnęło mu się, bo jechał na koszt wydawcy, który w dodatku sfinansował też wyprawę Zoranowi, jego synowi. Mówiłam ci, że matka Zorana nie pozwalała mu na kontakty z synem, ale zmiękła i teraz wszystko dobrze się układa. Blaż zaprzyjaźnił się z Zoranem i ostatnio mi pisał, że wyśle go na kurs żeglarski i prawo jazdy...

– Kurs żeglarski. Teraz rozumiem, skąd twój pomysł.

– Lucyna, jeśli nawet stamtąd, to co w tym złego? – trochę się zniecierpliwiłam. – Widzisz coś niedobrego w tym, że korespondujemy czasami?

– Przepraszam, Aniu, ostatnio jestem nieco rozdrażniona. Jeśli ci to dobrze robi, to nie ma w tym nic złego. W końcu takiej dobrej żony i matki ze świecą szukać. Kochana, jesteś nieoceniona i niedoceniona. I dlatego, powiem ci, koresponduj sobie z Blażem, ile wlezie, i nie miej wyrzutów sumienia. Amen.

– Yhm, to może zamówię. Czy mogę pana prosić? – wyhaczyłam kelnera przechodzącego obok naszego stolika. – Czerwone wino dwa razy proszę.

– Lucyna – po chwili podniosłam kieliszek – przede wszystkim za to, żeby wam się udało i żeby nam się zawsze tak dobrze rozmawiało. No i jeszcze za wyjazd dzieciaków na obóz żeglarski!

ANNA
STYCZEŃ 2004

Dragi Blaż!

Dziękuję Ci za list i porcję optymizmu, którą przesłałeś mi z Zadaru. Cieszę się z powodu Twoich dobrych relacji z Zoranem i przychylności jego matki. Można by powiedzieć: nareszcie! Zobaczysz, teraz już wszystko między wami będzie dobrze, bo inaczej być nie może, przecież Cię znam. A jeśli twierdzisz, że chłopiec jest podobny do Ciebie, to już gwarancja sukcesu.

U mnie wszystko w porządku. Wiem, że napisałam bardzo krótki list. Przepraszam, mogłeś pomyśleć, że coś się za tym kryje. Po prostu byłam w gorszym nastroju, tak wyszło.

Wróciliśmy po dwutygodniowych wczasach z Bretanii, dzieciaki się nacieszyły Atlantykiem, ja trochę opaliłam, wyrwałam z domu. Trudno mi teraz o tym opowiadać, tyle czasu minęło... Tkwię w codzienności po uszy, wożę chłopców do szkoły, Weronikę na basen i angielski (przejawia zdolności językowe!), pracuję i żegnam każdy dzień zmęczona, by nabrać sił przed kolejnym. Spotykam się z Lucyną, pamiętasz, pisałam Ci o jej kłopotach z byłym mężem. Rozwód dostała już dawno, ale o zaprzeczenie ojcostwa syna musiała powalczyć. Teraz jest szczęśliwą żoną naszego kolegi Andrzeja i starają się o dziecko. Czasami grywamy ze Staszkami w brydża, zdarza się wyjść do teatru i życie biegnie. Mam wrażenie, że toczy się od świąt do świąt, od świąt do wakacji, po których wyglądamy świąt. Zaklęty krąg zmieniających się pór roku, celebrowania okazji, urodzin, imienin, wakacji, rozpoczęcia roku szkolnego, zakończenia roku. Czasami czuję się jak chomik biegający w kołowrotku bez możliwości zatrzymania się na refleksję. Refleksja wręcz wydaje mi się szkodliwa i złowieszcza. Boję się, że narzekając na los, sprowadzę na siebie grom z jasnego nieba. I tak to wygląda, Blaż. Sama się czasem zastanawiam, gdzie się zapodziała dawna Ana. Czy przepadła na zawsze?

Przepraszam za te wynurzenia. Egoizm jak oliwa zawsze wypłynie na wierzch. Naprawdę się cieszę z powodu Twojej udanej wyprawy i szczerze Ci jej zazdroszczę. W kontekście tego, co Ci napisałam o monotonii mojego życia, chyba mnie rozumiesz. Ale z każdej naszej rozmowy, listownej też, wykluwa się jakaś wartość, pomysł. Wyślę Weronikę na obóz żeglarski i chociaż jej tego nie powiem, będzie zawdzięczała to „wujkowi Blażowi". Jeździmy od kilku lat na Mazury, Jurek jest zapalonym żeglarzem, więc niech dziewczyna też ma patent. Koniecznie wyślij na kurs swojego Zorana. Przyda mu się w przyszłości, gdy zechce przewieźć jakąś sympatyczną laskę jachcikiem.

Czekam na książkę. Będzie na pewno tak dobra jak pierwsza.

Pozdrawiam Ciebie, Blaż, zawsze tak samo mocno, i Twojego Zorana. Może uda mi się kiedyś go poznać? Liczę na to.

Twoja Ana

WERONIKA
CZERWIEC 2004

Z Zuzą, moją najlepszą kumpelą z gimnazjum, znamy się od piaskownicy. Laska, zanim została laską, była zwykłą puciatycką koleżanką, której zazdrościłam pięknego różowego wiaderka i różowej łopatki. Moi rodzice oczywiście kupili mi czerwono-zielone akcesoria do robienia babek, z czego zawsze byłam niezadowolona i miałam poczucie niższości. Dlaczego ja nie mogę dostawać takich wiaderek jak Zuza? A w dodatku ona miała psa! Dacie wiarę? Psa! A ja musiałam się zadowolić rybkami, bo nie brudzą i nie trzeba z nimi wychodzić na spacer. No więc na psa byłam za mała, ale żeby pobawić się z trzy lata młodszymi braćmi bliźniakami w sam raz. Z Alkiem jeszcze można było wytrzymać, ale Michał to był bachor, plankton cholerny. Wlatywał do mojego pokoju jak pershing, porywał, co się dało, i zwiewał. Mama ciągle biegała do „radakcji", nie wiedziałam długo, co to jest, a potem dowiedziałam się, że to praca. Gdy w szkole pani zapytała, gdzie pracują rodzice, to powiedziałam, że mama w gazecie. I pani zaprosiła ją na lekcję, żeby opowiedziała o tym. Mama przyniosła gazety i pokazała nam, że je pisze. Nie wiedziałam, że jest taka ważna. Nawet Zuza mi zazdrościła. A z tym wiaderkiem to sobie poradziłam. Poprosiłam babcię, żeby mi takie kupiła. Przyniósł mi je Mikołaj. Ale Zuza zazdrościła mi jeszcze czegoś – Wiktorka. Zanim się urodzili moi jednakowi bracia, to był chłopak w moim otoczeniu, a Zuza nie miała kolegów! I Mikołaj nie mógł ich jej przynieść.

Rodzice byli dziwni. Zawsze wprowadzali dzieci w błąd. Gdy już dowiedziałam się, że mama pisze te swoje gazety, to wyszła prawda o tacie. Mój tata był chomikiem! Zuza miała w domu chomika, ale nie mogłam zrozumieć, co z nim wspólnego ma mój tata. Mama mówiła też do niego jeżyk. To rozumiem. Ale żeby chomik? Potem powiedzieli mi, że to nie chomik, tylko chemik, czyli człowiek, który robi doświadczenia i bada, czy powietrze, woda i ziemia są zdrowe.

Trochę się polepszyło, gdy przeprowadziliśmy się do nowego domu i nareszcie miałam własny pokój. Rodzice postanowili posłać mnie rok wcześniej do szkoły, co by oznaczało, że rozejdą mi się drogi z Zuzą. Na szczęście nasi rodzice jakoś się dogadali i trafiłyśmy do tej samej klasy. No i najważniejsze: zgodzili się na przepięknego biszkoptowego labradora Aporta, który okazał się niesamowitym leżuchem i moją zabawką. Chłopaków unikał, broniąc się przed ciągnięciem za uszy i tarmoszeniem sierści. Teraz staruszek ma już ponad sześć lat i zrobił się spokojniejszy. Przeważnie leży na dywanie w moim pokoju i biegnie do kuchni tylko wtedy, gdy słyszy, że mama pakuje żarcie do jego miski. Zuza też sobie powinna kupić labradora, bo jej Fikus zdechł. Ale jej rodzice długo nie chcieli się zgodzić na następnego psa tak jak kiedyś moi. W końcu zaakceptowali Kajtka ze schroniska, który strasznie szczekał i ogólnie był bardzo nerwowy.

Stare przedszkolne dzieje. Wszystko się zmieniło, tylko my z Zuzą jesteśmy cały czas razem. Moi kochani braciszkowie nie są zbyt mądrzy, ale siedzą u siebie w pokoju i drą koty z sobą. Ja mam pokój niestety blisko sypialni rodziców, więc nie mogę zbyt głośno włączać muzyki. Ale od czego są słuchawki? W sierpniu jadę na obóz żeglarski, tylko nie z Zuzą, lecz z Wiktorem. Olał, i tak chcę jechać. Na szczęście przyjęli mnie, chociaż nie mam jeszcze skończonych dwunastu lat. Muszę zrobić patent, bo tata się za bardzo rządzi na łódce i to koniecznie trzeba ukrócić, a mama jest tylko cookiem. Będzie fajnie. Może poznam jakichś ludzi? A z Wiktorem sobie poradzę.

ANNA
SIERPIEŃ 2004

Ika wyjeżdża na obóz żeglarski. Odwozimy ją do Rynu, skąd wystartują na pobliskie jeziora. Chłopcy też mieli ochotę się wybrać, ale ku radości siostry byli o dwa lata za młodzi.

– Niestety, dzieciaki, trzeba mieć dwanaście lat – wkurzała ich z wyraźną satysfakcją. – Musicie podrosnąć. A teraz możecie robić za majtków!

– Głupia małpa. – Alek niemal rzucił się na nią z pięściami. – I tak się niczego nie nauczysz. Baby nic nie potrafią – wykrztusił wściekły z bezsilności.

– Hola, hola, Alek. Masz coś do bab? – Czułam, że muszę wesprzeć córkę.

– Sam jesteś głupi, młody. Leć lepiej puzzle sobie poukładaj dla spokoju. – Ika poszła na konfrontację.

– Jerzy, oni się prawie biją! – Szukałam wsparcia w mężu, który przeglądał z Michałem strony w Internecie.

– Alek, zostaw ją.

W przeciwieństwie do brata Michał nie dał się sprowokować.

– Tata znalazł dla nas fajny obóz! – przywołał Alka do siebie.

Usiedli przed komputerem z wizją obozu, na którym będą budować roboty, ale Ika nie dała za wygraną.

– A ty oczywiście po ich stronie – burknęła ze złością, gdy próbowałam ją pohamować.

– Przestań. A zresztą róbcie, co chcecie. Macie ochotę się kłócić, to się kłóćcie. Cokolwiek człowiek zrobi, to źle. Idę do kuchni. Lepiej byś się spakowała. Nie dość, że jedziesz, to jeszcze się dąsasz – zamknęłam rozmowę, opuszczając pole walki, z którego jakiś czas jeszcze dochodziły mnie połajanki.

– No tak, synusiowie mamusi! Wynocha z mojego pokoju! Ale już!

Trzask drzwi przypieczętował dyskusję.

Wzięłam się do robienia kolacji. Nie miałam ochoty na mediacje, łagodzenie sporów, psychoterapię. Znacznie prostsze było krojenie chleba, smarowanie go masłem, okładanie wędliną, serem i pomidorem. Nerwy nie doszły do harmonii po naszym „udanym" pobycie w Breście. Wszechogarniający zgiełk i spór panujący w naszym domu, potyczki dzieciaków, cichy dystans Jerzego windowały moje napięcie na szczyt Mount Everestu.

Spokojnie, jutro wywozimy Ikę. Chłopaki też wkrótce pojadą. Zostaniemy sami. Przestraszyłam się nie na żarty. Sami? Kiedy ostatnio byliśmy sami? Co będziemy robili? Gdy przypominałam sobie Brest, trafiał mnie szlag. Ja tu siedzę z dzieciakami, znoszę ich brąchania, wożę do szkoły, stojąc w korkach jak jakaś głupia, a on sobie wraca szczupły, zadowolony, radosny i z kasą, którą zasłania się jak rycerz tarczą. „Wyprawa była krwawa, ale się opłaciła, żono" – wzdycha, patrząc na kilkukilometrowy kobierzec utkany przez usychającą z tęsknoty małżonkę. W jego glorii i chwale moje skromne dokonania są niczym pyłek kurzu, który osiadł na rękawie. Można go strzepnąć i zapomnieć.

– Aniu, pozwól do nas. Znalazłem coś dla chłopców.
– Jerzy przerywa mi robienie kanapek.

– Te roboty?! – wołam.

– No, chodź. Trzeba zarezerwować termin.

Wielkie mi mecyje. Sami mogą to zrobić. Ale niech się nazywa, że ja zamówię, klepnę. W razie czego będzie na mnie.

Decyzja podjęta. Ikę odwozimy jutro do Rynu, młodych transportujemy za tydzień do Gdańska. Wieczorny kołowrotek się kręci, kolacja, sprzątanie po niej, Ika na godzinę zajmuje łazienkę, chłopaki się wściekają, zmywarka, spacer z psem, prasowanie ostatnich łaszków przed wyjazdem, godzina jedenasta, wyjeżdżamy o siódmej, telefon do rodziców – Możemy u was zostawić kundla? – kanapki na drogę, nie, jutro zrobimy, bo będą nieświeże, zniecierpliwiony głos Jerzego:

– Czy ty wszystko musisz robić na ostatnią chwilę?

– Co na ostatnią chwilę?

– No, wyprasować mogłaś już wcześniej!

– Kiedy wcześniej?! Co ty myślisz, że ja nic nie robię? Lepiej byś się sam za coś wziął, zamiast leżeć na tapczanie!

– To może ty byś wynalazła obóz dla chłopców? Szukałaś?

– Kiedy miałam szukać? Nie denerwuj mnie. Może medal sobie z tego powodu zawieś! Alek, Michał, do pokoju. Pić?!!! To weźcie sobie ten sok, stoi pod stołem w kuchni. Nie wkurzajcie mnie, już wystarczająco ojciec mnie wpienił.

– Uspokójcie się, bo się nie wyśpię – dyscyplinuje nas Ika. – Drzecie się na całe osiedle.

– Delikatna się znalazła – wrzasnął Alek, kręcąc kółko na czole. – Maałpaa.

– Nie wytrzymam! Wszyscy do łóżek.

Poszło.

Jerzy, kręcąc z dezaprobatą głową, poszukiwał w telewizji stacji History. Zgasiłam światło w kuchni, zmywarka zawarczała, pusta łazienka zachęcała do kąpieli. O mało nie przewróciłam się o porozrzucane ubrania. Spokojnie włożyłam je do brudnika. Puszczę, gdy wrócimy z Mazur. Jeszcze tylko się rozmalować, zrobić łóżko i poczytać. Nie zdążyłam wymienić książek w dzielnicowej bibliotece. „Nic to, Baśka, nic to", przypomniały mi się słowa Wołodyjowskiego wypowiedziane przed śmiercią w Kamieńcu Podolskim. Mam przecież „Panny z Wilka". Sięgnęłam na półkę, były. Moje „Panny z Wilka", moje wybawienie. Otworzyłam na oślep. Wiktor wybrał się z Tusią na konną przejażdżkę. Trafili na cmentarz do Feli. Czułam, że ogarnia mnie przyjemne zmęczenie. Oj, muszę nastawić budzik na szóstą. Oczy znowu szeroko otwarte. Nastawiłam, przeczytałam jeszcze kilka stron. Wiktor z Tusią wrócili do Wilka. Zbliżał się podwieeczooreek. A dla mnie sen.

ANNA
SIERPIEŃ 2004

No!!! Jak mawiał, unosząc wskazujący palec Nikodem Dyzma. No!!! Jedziemy. Mamusia, czyli ja, jako pasażer z przodu, pacholęta z tyłu. Jerzy pręży się na siedzeniu kierowcy. Z prędkością żółwia próbujemy się wydostać z Warszawy. Jest sobota, połowa naszych pobratymców postanowiła przemieścić się na Mazury. Brniemy w korku w kierunku Radzymina, zatrzymując się na każdych światłach, które zawzięły się, by mrugać na nas czerwonym oczkiem. Potem już „Wyszków tonie", mimo woli przypomina mi się piosenka Kuby Sienkiewicza, po czym, minąwszy Ostrów i Łomżę, wjeżdżamy do Puszczy Piskiej. W okolicy Rynu Ika smaruje błyszczykiem usta, czesze włosy. Wiem, że to oznaka jej niepewności.

– Córciu, wszystko będzie dobrze. Gdybyś miała jakieś problemy...

– Mami, jakie problemy? Problemy to macie wy z ojcem,

daj mi spokój – nie daje mi dokończyć. – To tu! Tato, skręcaj.

Jerzy nie zachował rewolucyjnej czujności i przejechał wjazd do przystani.

– Mówiłam. – Ika ostentacyjnie opadła na siedzenie, wywracając oczami ze zniecierpliwieniem. – Z wami to tylko same kłopoty – wydęła wargi.

– Jakie oni tu mają oznakowanie! – Jerzy jak zwykle musiał się zdenerwować.

– Nawróć na skrzyżowaniu – próbuję delikatnie wskazać rozwiązanie.

Bez odzewu. Ale zawrócił. Po chwili dojeżdżamy do przystani Ryn. Słoneczko świeci, przymykam oczy i widzę nas Pod Dębem, w okolicy Rucianego. Pozwalam odlecieć obłoczkowi marzeń. Nie teraz, nie w tej chwili. Ale może we wrześniu? Jakim wrześniu, dzieciaki mają szkołę – dyscyplinuję się. Trudno, chociaż Ika będzie miała patent. Za rok popłyniemy wszyscy razem. A teraz... Jaki ten Ryn piękny!!! Nie chcę stąd wyjeżdżać. Biegniemy do przystani. Stare wenuski zajmują miejsce przy kei. Niektóre nawet nie mają relingów. Matko, żeby Ika dostała dobrą łódkę. Bez relingu na pewno wpadnie do wody. Szukamy KWŻ-eta, który, jak się okazuje, leży na pokładzie Sasanki 660. Na nasz widok wstaje w kokpicie.

– Dzień dobry – wyciągam rękę. – Anna Jakubiec. Przywieźliśmy córkę na obóz.

– Łukasz Andrus – przyjmuje moją dłoń. – Jestem KWŻ-etem... kierownikiem wyszkolenia żeglarskiego – przedstawia się.

– Pływaliśmy już co nieco – postanawia się odezwać Jerzy. – Chciałbym wiedzieć, jaką macie trasę.

– Przepraszam za tego kierownika. Widzę, że państwo nie jesteście nowicjuszami. – Pan Łukasz nadmierną gorliwością pokrył zmieszanie. – Najpierw popływamy po Rynie, zawiniemy do Mikołajek, będziemy na Bełdanach i wrócimy na Tałty. Egzamin za dwa tygodnie w Rynie. – Jak masz na imię? – zwrócił się do Iki.

– Weronika.

– To chodźmy na twoją łajbę, Weroniko. Państwo pozwolą z nami.

Pognaliśmy po pomoście. Wenuska nosiła piękną nazwę „Biała Dama", chociaż burty pomalowano na czerwono. Nic to, że farba nieco schodziła, a szmaty przybrały szary odcień. Samo wejście do kokpitu przycumowanej rufą łódki sprawiło radość.

– Weroniko. – Wyobraziłam sobie „Białą Damę" na wietrze z kilkorgiem małolatów na pokładzie. – Uważaj, słuchaj sternika. I kapok, pamiętaj, kapok!

– Mamo. – Ika zarumieniła się, spoglądając z ukosa na KWŻ-eta. Jej wzrok wyrażał politowanie i dopraszał się wyrozumiałości dla matki, która zawsze musi robić ludziom wstyd.

– Niech się pani nie martwi. Mamy odpowiedzialną kadrę. Nic córce nie będzie.

Jak się miało później okazać, z tą odpowiedzialną kadrą to była duża przesada. Sternik miał całe dwadzieścia lat i szykował się do kampanii wrześniowej po pierwszym roku studiów, żaden z załogantów nie przekroczył czternastego roku życia, a dwoje ledwie skończyło dwunasty. Na szczęście pogoda dopisała, dzieciaki się nie pochorowały i żaden niespodziewany wicher nie wzniecił czwórki na jeziorach. Średni stan w sam raz, pomiędzy flautą a lekką dwójeczką. Wiem, bo codziennie sprawdzałam pogodę w Internecie. Gdy po dwóch tygodniach odbieraliśmy Ikę z Rynu, zobaczyliśmy ją opaloną, otrzaskaną w jachtowych obyczajach, machającą świeżutkim patentem żeglarza jachtowego. Jerzy przygarnął córkę.

– No to mam zmiennika przy sterze.

– Teraz będziesz musiał mnie słuchać, tata, i robić, co ci każę – zadecydowała.

– A umiesz odpalać silnik? Sternik musi to umieć. – Jerzy znalazł na nią haka, bo obozowe łódki pływały bez silników.

– Tata, ty zawsze szukasz dziury w całym – nadąsała się na szczęście dla żartów. – I tak będziesz mnie słuchał!

– Tak jest, sterniku! Więc co mam robić? – Jerzy był w doskonałym nastroju.

– Weź mój plecak. Ja lecę pożegnać się z ludźmi, bo w domu czekają mnie tylko te małpiaty, moi kochani bracia.

– Jeszcze ich nie ma. Składają w Gdańsku roboty.

Ika nie usłyszała już moich zapewnień. Pognała na pomost do „ludzi".

ANNA
LISTOPAD 2006

D obre są te kawałki twojej młodej! – Harry ze znawstwem połechtał moją próżność.

Okazałam daleko idącą skromność:

– Nie najgorsze. Co sądzisz o rubryczce?

– No, czemu nie. Gazecie rośnie narybek. Dobra – podjął
decyzję. – Puścimy w sobotnich wydaniach pod tytułem
„Pod sterami gimnazjalistki". Niech pisze o żeglowaniu po
jeziorach i życiu. Będzie doradzać kolegom, jak pływać po
Mazurach i poruszać się po „trudnych ścieżkach życia".
Może się uda.

– Dzięki, Harry. Weronika padnie, gdy się dowie. Własna
rubryka mojej córki! G i t e s k o!

– Dobra, dobra, nie ekscytuj się. Mam w tym swój interes. W końcu trzeba młodym coś rzucić na żer oprócz
testów gimnazjalnych. Przyślij ją do mnie, pogadamy.

– Tylko nic jej nie płać, szefie. I tak będzie miała fun,
jak to oni teraz mówią, a na demoralizację przyjdzie czas.

318

– To mogę ci obiecać. – Stary zrozumiał, co przyszło mu tym bardziej bez trudu, że miał węża w kieszeni.

Za tydzień ukazał się w gazecie pierwszy artykuł Weroniki „Jak dostać patent żeglarski i przeżyć", a potem „O czym lepiej nie wspominać rodzicom, a jeżeli już się dowiedzą, co robić", „Jak się wymigać od wyprowadzania psa na spacer – sprawdzone metody", „Jak zwalić winę na innych, choćby młodszego brata", „Jak przekonać rodziców, by zgodzili się na twoją imprę i jeszcze cię podrzucili". Młoda była wniebowzięta.

– Pogratuluj Weronice! – wywołała mnie do odpowiedzi wieczornym telefonem Lucyna. – Są świetne! Nic nie powiedziałaś, że pisze do gazety. Ty wiesz, że nawet Wiktor czyta?!

– Dzięki, dzięki, przekażę – odpowiedziałam, przytrzymując słuchawkę ramieniem podczas ładowania zmywarki po kolacji. – Lucyna, ona kompletnie zwariowała! A przecież za kilka miesięcy egzamin gimnazjalny. Powinna się uczyć.

– Ty zawsze taka wątpiąca – skarciła mnie przyjaciółka. – Nauczy się, niczym się nie martw.

– A jak Edytka? – zmieniłam temat.

– Wpadnij, matko chrzestna, w wolnej chwili, to zobaczysz. Rośnie jak na drożdżach. Chociaż mam trochę kłopotów z kolkami. Ale to przejdzie.

– Na pewno. Lucyna, nie mam ostatnio zbyt wiele czasu, przepraszam. Może w czwartek? Jadę w teren, wrócę szybciej, a Staremu powiem, że się przedłużyło. Może być?

– Trzymam cię za słowo. A tak w ogóle wszystko w porządku?

– Jasne, w najlepszym. Jurek w pracy, Weronika święci triumfy w gazecie, ja tyram, chłopaki konstans. Mama mówi, żebym się nie przemęczała, a tata jej przytakuje.

– A Blaż? – zdobyła się na pytanie.

– Blaż? A kto to jest? Miłe wspomnienie, sama mówiłaś. Nie pamiętasz? To do czwartku.

– Będę na ciebie czekała i nie denerwuj się, Aniu, nie miałam nic złego na myśli.

Odłożyłam słuchawkę. Dobry nastrój prysnął na wspomnienie Blaża. No cóż, chyba trzeba iść nastawić pranie.

Niezbadane są wyroki Boże. Następnego dnia rano znalazłam w skrzynce list w niebieskiej kopercie z chorwackim znaczkiem.

Draga Ana! – pisał Blaż.

Trochę jeszcze za wcześnie, ale wszystkiego najlepszego z okazji świąt Bożego Narodzenia. Cieszę się, że mogę Ci z tej okazji przesłać prezent. Napisałem książkę i oddaję ją Tobie do rezenzji. Pisząc ją, miałem Ciebie przy sobie i jeszcze Zoran kręcił się obok. Dziękuję za ten power do pisania. Trzy lata upłynęły od naszego listownego kontaktu, trzy lata pisania książki, która – mam nadzieję – zadowoli Cię, Ana. Może pod przyprószoną śniegiem choinką znajdzie się dla niej miejsce? Pamiętasz nasze licitary? Dawniej piernikowe serca zdobiło się samodzielnie. Teraz wystarczy wejść do supermarketu i całe wyposażenie ostrokrzewu zapakować do bagażnika. Akurat dla takiego faceta jak ja ma to dobre strony, przecież nie będę piekł ciast! Badnji kruh już kupiłem. Był pięknie zapakowany w metalowym pudełku, a na pašticadę i sarmę pójdę do znajomych. Zoran przyjedzie drugiego dnia świąt. Urządziliśmy mu razem pokój w moim nowym mieszkaniu. Zapomniałem Ci powiedzieć, że zmieniłem lokum! Po raz pierwszy w moim kawalerskim życiu mam własne mieszkanie – w starym domu przy Kovackiej – a z dużego pokoju (mam ich aż trzy!) rozciąga się widok na wyspę Ugljan. Co prawda, mieszkając na wybrzeżu Chorwacji, trudno nie przyzwyczaić się do uroków Adriatyku, ale nie każdy ma okazję podziwiać je z własnego tarasu, pijąc poranną kawę. Przykro mi jedynie, że kupiłem to mieszkanie od najlepszego kumpla Dragana, który postanowił powtórnie się ożenić i wyprowadzić do Zagrzebia. Bilans musi wyjść na zero: mam mieszkanie, nie mam kumpla. Coś za coś.

Ana, chciałbym pisać i pisać, ale tak naprawdę to nie mam o czym. Po wydaniu książki przychodzi okres niemocy twórczej, poszukiwania zajęcia dla głowy i rąk. Nic sensownego nie mogę wymyślić, komputer drażni samym swoim widokiem. Chodzę do redakcji i spoglądam na tych wszystkich młodych gniewnych kolegów, którzy myślą, że zbawią świat kolejnym zaczepnym artykułem. Oni jeszcze nie wiedzą, że nawet w tak rajcującym zawodzie jak dziennikarz entuzjazm w końcu mija. Pojawia się rutyna, terminy, nuda, jeden temat podobny do drugiego. Młode sztyfty zmieniają się w starych wyżeraczy.

Piszesz, że przeżyłem pierwszą podróż życia, po której przyjdą kolejne. Nie, Ana, przynajmniej na razie nie

przewiduję replaya. Nie wchodzi się dwa razy do tej sa-
mej rzeki, jak słusznie stwierdził Heraklit. Muszę szukać
innych rozwiązań. Wobec braku pomysłów zamierzam
latem pożeglować z Zoranem. Ostatnio skiperzy są u nas
w cenie, dlaczego więc nie spędzić w ten sposób wakacji?
Chłopak za rok już idzie na studia, musimy pogadać jak
ojciec z synem. Fajnie mi się to mówi.

Ana, daj znać, czy podobała Ci się książka, i pisz, jak
żyjesz. Niczym się nie martw. Biegaj, drogi chomiku, w swoim
kołowrotku z radością, budź się codziennie z porcją nowej
siły i energii. Ściskam Cię świątecznie i... zawsze.

Twój Chorwat

Uśmiechnęłam się do siebie, bo gdyby nie, to chybabym
się poryczała. Pamiętał. Mam jego książkę, pierwszy prezent
pod choinkę. Zatęskniłam za Chorwacją niemal fizycznie.
A może by tak na wakacje? Żeby tylko nie spotkać Blaża! Zdecydowanie nie! Odgrzewane kluchy. Szczególnie
ja – spojrzałam w lustro, które bez skrupułów obnażyło
wałeczki tłuszczu władające górną partią bioder. Chyba
zamówię steper u Mikołaja i będę ćwiczyć. Jak można się
tak zaniedbać? Trzeba pomyśleć o wyjeździe na piętna-
stolecie mojej wojennej wyprawy.

Sięgnęłam po kartkę pocztową.

Dragi Blaž! Dziękuję Ci bardzo za książkę i pamięć.
Chomik obiecuje, że się zatrzyma i przeczyta jak najszybciej,
bo jest bardzo ciekawy. U mnie wszystko w normie: praca,
dom i odwrotnie. Zbliżają się kolejne święta, wczoraj spadł

pierwszy śnieg i Warszawa stanęła. Jechałam z redakcji
półtorej godziny. Przepraszam, że nie mam dla Ciebie
żadnego prezentu. Niech zastąpią go bardzo serdeczne
pozdrowienia i szczere życzenia. Blaż, niech życie będzie
tak piękne jak widok na wyspę Ugljan. Pozdrów Zorana.

Ana

Głupie życzenia, idiotyczne sformułowania. Ale nie
potrafiłam napisać nic sensowniejszego. Trudno, niech
idzie. Bo co mam mu napisać? Blaż, znajdź sobie kogoś,
załóż rodzinę, bądź szczęśliwy? Gdyby chciał, nie pytałby
mnie o zdanie. I tego należy się trzymać.

ANNA
MAJ 2007

Czy nie uważasz, że Dorota za bardzo skakała po głowie Staszkowi? – rzucam po wejściu do domu, zdejmując jednocześnie apaszkę. – A on na to nic, absolutnie nic – przeciągam z nadzieją, że mój mąż przyzna mi rację. A właściwie nie mam na to nadziei, ale zawsze warto spróbować.

– Czy ty zawsze musisz szukać dziury w całym? – odpowiada, rozwiązując krawat. – Daj spokój. Jeśli ktoś się źle zachowywał, to właśnie ty.

Zaniepokoiłam się. Ja się źle zachowałam?! To oni trzymają sztamę przeciwko mnie. Dorota gada na Staszka, Staszek tego nie zauważa, Jerzy nie chce konfliktów, więc popiera Dorotę – wszyscy są przeciwko mnie. Nasz brydż wygląda znakomicie. Gdy ja gram ze Staszkiem i ugram, przeciwnicy zdają się tego nie widzieć. „Udało ci się”. Gdy Dorota dobrze zagra, to: „Świetnie ci poszło, wspaniała rozgrywka. Super”.

Byłam wkurzona. Mimo wszystko wieczór był fajny. Gadka na całość. Wszyscy poszli równo po bandzie. Piwo szaleje po organizmie. Powiedziało się, co chciało, potańczyło Bregovicia. Naprawdę jestem zadowolona. Gdyby jeszcze ten mój choć raz udał rycerza swojej damy.

– Napijesz się drinka? – Głos Jerzego przerywa potok moich myśli.

– Tak – wypływa z ust zgoda na dalszą część wieczoru poparta przeświadczeniem, że dogadamy się, pogodzimy emocje, nie damy im zasnąć na rozdrożu.

Choć złość mną targa, wiem, że jutrzejszy ranek powinien powitać całą rodzinę bez kłótni i przepychanek. W domu cisza, chłopcy śpią, Weronika została na noc u koleżanki. Włączam muzykę.

Gadamy i gadamy. Jerzy nalał następnego drinka. Poprzednie emocje odeszły w przeszłość, na szczęście jeszcze nie świta. Problemy ulatniają się niczym kamfora, robi się milutko...

– Wiesz – wyrywam się nagle zauroczona pomysłem. – Można by pomyśleć o wakacjach. Kombinuję wyjazd na południe. Co ty na to?

– Gdzie chcesz jechać? – Jerzy zdaje się sprzyjać pomysłowi.

– Może Czarnogóra? – rzucam. – Albo Bułgaria? Pamiętam, że zawsze miałam pretensje do rodziców o to, że nie dali się namówić znajomym na wyjazd do Bułgarii i każde lato spędzaliśmy nad Bałtykiem. Albo wiesz co? – korzystam z jego dobrego nastroju. – Pojechałabym do Chorwacji.

– Okej. Wynajdźcie coś z Weroniką.

– A mamy pieniądze? – Z trudem hamując zadowolenie, udaję zatroskaną żonę, którą w gruncie rzeczy jestem.

– Mamy, mamy. Wyszukajcie coś na lato.

Jutro trzeba będzie trochę poleczyć bolące głowy, ale zanim kac nas dorwie, mamy jeszcze kawałek nocy przed sobą.

WERONIKA
MAJ 2007

Zuza, jadę ze starymi do Chorwacji! Dasz wiarę? – dorwałam moją najlepszą kumpelę na szkolnym korytarzu.

Spojrzała na mnie, jakby nie usłyszała wspaniałej nowiny.

– Dasz z angola? Nie zrobiłam. Jak się wczoraj rzuciłam na wyro, tak wstałam po dziesiątej, a potem stwierdziłam, że trzeba się kłaść.

– Masz, masz. – Wygrzebałam z torby zeszyt z pałacem Buckingham na okładce. – Nie wiem, czy wszystko jest dobrze. Też pisałam w pośpiechu.

– Nie kryguj się, prymusko. – Zuza skinęła z politowaniem głową. – W końcu jesteś tu lokalną poliglotką. Gdzie jedziesz ze starymi? – przypomniała sobie, że za zrzynę należy mi się chociaż szczypta zainteresowania.

– Do Chorwacji. Szukam czegoś dla nas w Internecie – odpowiedziałam, wybaczając jej brak entuzjazmu.

– Mama kiedyś siedziała tam prawie pół roku, mówiłam ci już. Redakcja wysłała ją jako korespondenta wojennego czy kogoś takiego.

– Ale numer! Nic mi nie mówiłaś! – dopiero teraz Zuza zainteresowała się na poważnie. – Korespondent wojenny? Chodziła z giwerą?

– Nie kpij sobie. Ktoś giwerę za nią nosił, a ona latała z dyktafonem – musiałam zareagować na jej ignorancję.

Uświadomiłam sobie, że tak właściwie za dużo nie wiem o mamy wojennych ścieżkach. Ile razy próbowałam zasięgnąć języka, temat spadał. Nie drążyłam, w końcu to było tak dawno temu, zanim pojawiłam się na świecie. Wydawało mi się, że takie opowieści może snuć babcia, ale nie mama, młoda, fajna lasencja z długimi brązowymi włosami bez cienia siwizny. Trzeba stwierdzić, że starzy się trzymają jak na swój wiek. Urodziłam się, gdy już przekroczyli trzydziestkę, a znali się z piętnaście lat. Mama miała jakieś problemy z zajściem w ciążę. Po studiach w Krakowie wrócili do Warszawy, gdzie mama dostała się do gazety, a tata na UW. W sumie nie ma o czym gadać. Normalne nudne życie. Ojciec ciągle pracuje, w tygodniu na uniwerku, w weekendy na SGGW. Mama też czasami chodzi do pracy w niedzielę. Gdy się buntujemy, złości się – przecież gazeta musi ukazać się w poniedziałek! A głównie to ja się rzucam, bo muszę jako starsza siostra dopilnować gówniarzy, żeby zrobili te swoje cholerne łóżka i coś tam jeszcze. Trudno, nie pozabijam ich. Jedziemy razem do Chorwacji. Wytrzymam, jestem pełna optymizmu.

– Małpa już przylazła – wyrwała mnie z odrętwienia

Zuza. – Chodź, bo mi tu zostaniesz. – Pociągnęła mnie za rękaw w kierunku sali do angielskiego.

Po lekcjach pognałam do domu. Zrzucając w pośpiechu kurtkę, włączyłam kompa i niecierpliwie czekałam, kiedy na pulpicie pojawi się znajoma tapeta. Klik w Google i jest. Kurtka upadła na podłogę. Podniosłam ją pospiesznie i rzuciłam na tapczan. Leżała krzywo. Westchnęłam z niecierpliwością i wyniosłam ją na wieszak w przedpokoju. No! Można zacząć działać. Surfowałam po stronach Chorwacji kilka godzin, ale z kiepskim skutkiem. Nawałnica informacji przytłoczyła mnie jak hałda żużlu. Północ, południe, Góry Dynarskie, Jeziora Plitwickie, wyspy, Dubrownik, Split, mnóstwo zdjęć, ujęć, widoków, informacje o zakwaterowaniu, klimacie, wynajmie jachtów, zabytki, historia, ile tego! Usiadłam wygodnie na krześle, zakładając ręce za głowę i naciągając mięśnie. Myśli próbowały znaleźć sobie miejsce. Matko, gdzie my mamy jechać?

Z odrętwienia wyrwał mnie telefon.

– Ika? Szukałaś już czegoś? – usłyszałam głos mamy.

– Szukam.

– To szukaj na wyspach. Północ odpada. Tam jest dużo ludzi, drożej i daleko do Dubrownika. Może Korčula albo Hvar, pardon, muszę kończyć, skład mnie woła. Jesteś tam?

– A gdzie mam być?

– Widzimy się w domu, pa.

Niemal z niechęcią wróciłam do kompa. Wrzuciłam www.croatiaaccommodation.hr. Strzał w dziesiątkę! Dorwałam stronę sucuraj.com, po której otwarciu ukazał się wspaniały widok wyspy strzeżonej przez latarenkę morską otwierającą jachtom, statkom i promom wejście do portu. Prom odpływał z Drvenika, niewielkiej miejscowości u podnóża Gór Dynarskich, ciągnących się wzdłuż wybrzeża Adriatyku. Z wyspy Hvar, na której od strony wschodniej osiadł Sucuraj, rozciągał się bajeczny widok, z jednej strony na wyrastające prosto z morza góry, z drugiej na już nieco niższy półwysep Pelješac. Kwatery do wynajęcia rzuciły mnie na kolana: białe i pastelowe domki otoczone przez palmy i kaktusy oraz panoszącą się wszędzie agawę. W każdym niemal ogródku dostrzegłam pnącza winorośli i drzewa oliwne, jak chwasty opanowujące miejscowe nieużytki. Urzekły mnie ściany domów porośnięte pnącą rośliną, której nazwy nie znałam, ale natychmiast sprawdziłam w Internecie. To bugenwilla, krzew o amarantowych kwiatach, zasłaniających soczystą zieleń liści. Po sprawdzeniu cen wynajmu mieszkania w lipcu byłam pewna, że mam już propozycję dla rodziców. Musimy tam pojechać! Nigdy nie widziałam piękniejszych zakątków. Gotowa do walki, gdyby były jakieś przeszkody, zamknęłam kompa, dodając stronę do ulubionych.

ANNA
MAJ 2007

Jedziemy do Sućuraju na Hvarze, niedaleko Dubrownika. Dubrownik, tak, zdecydowanie miałam ochotę odwiedzić go raz jeszcze. Podobno nie ma już śladów po oblężeniu, a przepiękna starówka odzyskała swój dawny blask. Na pewno dużo się zmieniło przez te ponad szesnaście lat. We mnie zaś wspomnienia wróciły ze zdwojoną siłą. A może zahaczymy o Zadar? Jerzy zgodził się na Chorwację bez entuzjazmu. Nie sprzeciwiał się jednak.

– Naprawdę chcesz tam jechać? – zapytał, dając mi jeszcze szansę na zmianę zdania.

– Rozmawiałam ostatnio z Magdą – przekonywałam go, wspierając się zasłyszanymi opiniami. – Mówiła, że Waldkowie byli tam w ubiegłym roku i bardzo chwalili. Podobno niedrogo. I wiesz, Chorwaci się już zupełnie zeuropeizowali, jest spokojnie, po wojnie ani śladu.

– W to nie wątpię. Myślałem tylko, że po tamtym wyjeździe nie będziesz chciała już tam wracać.

– A dlaczego nie? – żachnęłam się. – Przecież nic mi się nie stało. Mam ochotę jechać, chyba że masz coś przeciwko temu.

– Daj spokój, lepiej znajdźcie lokum.

– Znalazłam! – Weronika odsunęła gazety ze stołu i postawiła na nim komputer. – Tak jak mówiłaś, mami, będzie na wyspie Hvar, gdzie przez cały czerwiec kwitnie lawenda. I nie jest drogo, staruszkowie, nie wyskoczycie zanadto z kasy.

– A konkretnie? – zainteresował się propozycją Jerzy.

– No, patrz. Apartament w prywatnym domu sześćdziesiąt euro za dobę. I co ty na to?!

Zanim ojciec zadał kolejne pytania, Ika, zdecydowana bronić wybranej kwatery, recytowała wyuczoną lekcję:

– Będziemy mieli siedemdziesiąt pięć metrów kwadratowych, trzy pokoje z kuchnią i balkonem, pięćdziesiąt metrów do plaży – piała z zachwytu.

– Mnie się też podoba – poparłam ją. – Cena jest co prawda lipcowa, ale nie najgorsza. Miejscówka wygląda zachęcająco. Jedźmy tam, według mnie nie ma co szukać czegoś innego.

– Oj, baby. Widzę, że już wybrałyście. Rezerwujmy.

– Niech popatrzę w kalendarz, siedemnasty to jest sobota. Dwa tygodnie... to znaczy zamawiamy od siedemnastego do trzydziestego pierwszego lipca, dobrze liczę? – przekalkulowałam, oczekując klepnięcia Jerzego.

– Rezerwujcie – postawił kropkę nad i.

ANNA
LIPIEC 2007

Czas na urlop. Słońce przedziera się przez niesprawne żaluzje w redakcyjnej kanciapie. Codzienna gonitwa daje się we znaki. Chłopaki kończą rok szkolny, z niewiadomym jeszcze skutkiem, a przed nimi wybór gimnazjum. Alek chce iść do trzynastki, Michał zamierza wybrać czwórkę. Jeden stawia na europeistykę, drugi na sport. O, nieba! Jaka europeistyka w gimnazjum! Stajemy z Jerzym na głowie, żeby wyperswadować im te pomysły. Chłopaki, pomyślimy za trzy lata, a teraz musimy się zastanowić nad waszym transportem do szkoły. Po krwawych bojach godzą się na osiedlowe gimnazjum. Cieszymy się, bo reputacja szkoły nie jest najgorsza, a oni akceptują ten pomysł, skuszeni wizją gry w piłkarzyki. Dobrze chociaż, że Ika jest już na tyle mądra, by podejmować decyzje bez wyciągania na nas włóczni i dzidy. Trudno by mi było tachać codziennie tarczę z redakcji do domu, bo tu i tam jednakowo się przydaje. Nasza mądra córcia wybiera liceum językowe, z czego jesteśmy oboje zadowoleni. Od dziecka zdradzała inklinacje do nauki języków, niech dalej drąży. Zawsze lepiej mieć jakieś zainteresowania aniżeli żadne.

Wyjechaliśmy zgodnie z planem. W piątek wczesnym rankiem wydostaliśmy się z Warszawy, jadąc pod prąd porannym korkom, by w okolicy Piotrkowa wpaść na jedynkę do Częstochowy. Potem *via* Bielsko-Biała i Milówkę do Zwardonia. Towarzystwo na tylnym siedzeniu sprawowało się dzielnie, postanowiliśmy więc jeszcze podciągnąć. Czas był dobry, przed nami przyjazna Słowacja – trochę górek, autostrada i przekroczyliśmy granicę Węgier. Jerzy wybrał boczną drogę, ale krótszą. Polecieliśmy prawie idealnie na południe. Po dwóch godzinach na madziarskiej ziemi szukaliśmy lokum na noc. Udało się pod Szombathely. Schronienie znaleźliśmy w hoteliku na tyłach knajpki oblężonej przez lokalne towarzystwo raczące się miejscowym piwem. Szybka kolacyjka, dzieciaki padły, a my przy kufelku rozprostowaliśmy nogi na powietrzu. Jutro będę w Chorwacji, wspomnienia wróciły. Tyle lat...

– Napijesz się jeszcze? – wyrwał mnie z zadumy głos Jerzego.

– A masz?

– Przyniosę. Ale jeśli nie masz ochoty... – mrugnął znacząco.

– Pewnie, że mam. – Spojrzałam na mojego męża i poczułam się dobrze. Jechaliśmy na wakacje, stanowiliśmy zgraną drużynę. Przed nami kolejny dzień nowych wrażeń, a tu jeszcze księżyc świeci.

ANNA
LIPIEC 2007

Matko, nigdy w życiu nie widziałam piękniejszego miejsca. – Weronika pobiegła na najwyższy poziom promu wiozącego nas z Drvenika do Sućuraju i zwieszając głowę w naszą stronę, pokrzykiwała dalej. – Patrzcie! Jakie wielkie góry! Jaka lazurowa woda!

Zanim zdążyłam odpowiedzieć, chłopcy zniknęli mi z oczu.

– Chłopaki, nie wychylajcie się! Ika, popatrz na nich! – wołałam, biegnąc na górny pokład, gotowa ich ratować.

– Anuś, nie przesadzaj. Nic im nie będzie. – Jerzy jak zwykle zachowywał stoicki spokój.

Mimo że wyjechaliśmy spod Szombathely około ósmej, przejazd do Drvenika zajął nam niemal cały dzień. Było jeszcze ciepło, co dawało nadzieję na wieczorną kąpiel w morzu. Prom planowo miał płynąć na wyspę zaledwie piętnaście minut, dlatego już po kilku minutach zza lekkiej mgiełki wyłoniła się lawendowa wyspa. Co prawda po fioletowawych polach nie pozostał żaden ślad, bo kwiaty przekwitły w czerwcu, ale zachowały zapach w bawełnianych woreczkach sprzedawanych sentymentalnym turystom jako pamiątka z pobytu w Chorwacji.

Gdy z rodziną pomykaliśmy dzisiaj autostradą z Zagrzebia do Splitu, zerkałam na drogowskazy do Zadaru, chociaż nie zdecydowałam się poinformować Blaża o naszej wycieczce do Chorwacji. Po co? Dobrze było czasami wymienić listy i tak miało pozostać.

Pensjonat znaleźliśmy bez problemu. Miejscowość zamieszkana na stałe przez nieco ponad czterysta osób okalała niewielką zatokę z portem na kilka jachtów i przystań promową. Nasi gospodarze, państwo Božiciowie, kulturalni Bośniacy z Tuzli wynajmujący na czas wakacji turystom część swojego letniego domu, przywitali nas życzliwie. Jeszcze kilka lat temu żyli i wypoczywali w jednym państwie... Teraz, jadąc do siebie na wakacje, musieli przekroczyć bośniacko-chorwacką granicę.

Pani Tereza wprowadziła nas na górę. Zewnętrzne schody wiodły do trzypokojowego mieszkania z balkonem porośniętym winoroślą, na którym, ku mojemu zachwytowi, stały dwa tapczany – wyraźna zachęta do popołudniowej drzemki. Duża lodówka czekała już na lokalne trunki, nie tylko wino, ale i moje ulubione piwo. Bo, jak się miało wkrótce okazać, nic się pod tym względem nie zmieniło – lżejsze karlovačko i bardziej cierpkie ožujsko, warzone w zagrzebskim browarze, przetrwały wojenne zawieruchy, zyskując jedynie nowe półtoralitrowe butelki.

Zaczęły się nasze dwutygodniowe wakacje. Codziennie plaża przyciągająca ciepłą wodą, która pozwalała z powodu dużego zasolenia każdemu utrzymać się na powierzchni. Wędrując po niej w gumowych butach chroniących stopy przed ostrymi kamieniami, omijaliśmy wodne żyjątka zagrożone perspektywą znalezienia się niebawem na talerzu. Codziennie inna knajpka, inny kelner, widok na różne strony wyspy. Grillowana barwena, sola, sałatka z mulami lub kalmarami. Gdy dzieciaki odmawiały zjedzenia „ciągnących" się kalmarów, akceptowały kotlety z cebulą i ziołami czy *ražnjići*, szaszłyki z wieprzowiny podawane z sałatą i pomidorami. Weronika od razu kupiła szopską – surówkę z sałatą, pomidorami, zielonym ogórkiem, czasami papryką, polaną miejscową oliwą i wzbogaconą owczym serem. Po kilku dniach plażowania nabraliśmy ochoty na wycieczkę.

– Może pojedziemy do Dubrownika? – zaproponowałam, przerzucając przewodnik. – Popatrzcie, jak tam jest pięknie. – Podsunęłam im pod nos zdjęcie na okładce, przedstawiające otoczony dwukilometrowymi murami, przytulony do wzgórza półwysep. Za murami szachownica wąskich uliczek, kamiennych domów z czerwonymi dachami i zabytki na każdym kroku. – Pokażę wam, gdzie byłam w zamierzchłych czasach, kiedy was jeszcze nie było na świecie.

Kawa przy głównym deptaku Dubrownika okazała się wyśmienita, ale chłopców bardziej niż moje opowieści interesowało fotografowanie się z mimem, a właściwie z panią mim, wabiącą ich „szczerozłotą" różą. Weronika od razu zniknęła w zakamarkach szerokich na półtora metra uliczek. Jerzy koniecznie chciał mi coś kupić, bo imieniny Anny za pasem. Wycieczkę podsumowaliśmy doskonałą dalmatyńską *buzarą*. Duszone w sosie pomidorowym z cebulą i ziołami *scampi* bogato okraszały makaron. Wracałam z Dubrownika z koralowym wisiorkiem w srebrnej obręczy i głową pełną dobrych myśli. Bliźniacy byli zmęczeni, tylko Weronika spoglądała przez okno. Znałam to spojrzenie. Marzyła. Ja zaś nie musiałam o niczym marzyć, było mi dobrze.

ANNA
PAŹDZIERNIK 2007

Cześć, Lucynko. Zobacz, co kupiłam Edytce. – Wydobyłam z papieru malutkie spodenki w kratkę i koszulkę z żabocikiem. – No w końcu urodziła się w Dniu Chłopaka, to prezent musi być adekwatny.

– Dzięki, Aniu. Jakie śliczne! Zaraz ją ubiorę!

– A swoją drogą, to mogłaś chociaż urodzić ósmego marca. Nie boisz się o jej przyszłość?

– Widzę, że jesteś dzisiaj w dobrym nastroju.

– Ano tak jakoś idzie. Młodzi zadowoleni ze szkoły. Ja poczekam z tym do pierwszej wywiadówki. Weronika zaczęła się uczyć chorwackiego. Co, sama nie wiem, czy powinno mnie cieszyć. A Jerzy spokojny. Ogólnie cisza. O robocie nie mówię, bo – jak to ja – ciągle myślę o zmianach. Opowiadaj, jak świętowaliście urodziny Edytki, i jeszcze raz przepraszam, że nie mogliśmy przyjść. Choć w sumie się cieszę, że chłopcy właśnie teraz przeszli świnkę. Później to różnie mogłoby być.

– Wiem, wiem. Byłam zła na Andrzeja, że mi o swojej w porę nie powiedział. Leczyłam się na bezpłodność, a tu okazało się, że jego trzeba było leczyć.

– Ważne, że wszystko dobrze się skończyło i Edytek jest na świecie.

– Przestań z tym Edytkiem, bo zobaczysz, matko chrzestna – pogroziła mi palcem. – A świętowaliśmy rodzinnie. Przyjechała ciocia Rozalia z dwiema torbami zapraw, Edytka zdmuchiwała świeczki na torcie, a mój niemądry mąż kupił jej kolejkę elektryczną i cały czas się nią bawią. Poza tym walczymy z jej alergią. Żadnego psa, kota, pluszaka, dywanu, kurzu. Najlepiej siedzieć na dworze.

– Dlatego mnie nie odwiedzasz? Powiedz, kiedy przyjdziesz, a zwinę dywan.

– Daj spokój, nie jest tak źle. Wypatrzyliśmy z Andrzejem dom w Powsinie i zdecydowaliśmy się przeprowadzić za miasto. Szkoda mieszkania, ale nie mamy wyjścia. No, nie martw się. – Dostrzegła moją zawiedzioną minę. – Powsin to nie koniec świata. A jak się czujesz po Chorwacji?

– Lucyna, zapomniałam już, że tam byłam. Słuchaj, to teraz zupełnie inny kraj, inna atmosfera. Czułam się turystką, plażowiczką. Ale gdy przejeżdżaliśmy koło Zadaru, miałam wrażenie, że go zdradziłam. Blaż nic nie wiedział o naszych wakacjach.

– A jego książkę przeczytałaś? – Lucyna poruszyła czułe struny.

– Jeśli pytasz, czy mu odpisałam, to nie. Nie odpisałam i czuję się z tym źle. Ale książka jest bardzo fajna. Blaż ma dobre pióro. Wartka akcja, ciekawe opisy i ta plastyka wypowiedzi. Widzisz to, o czym pisze. Dam ci do przeczytania.

– Gdzie jest mój strój na WF? – Alek wparował do mojego pokoju.

– Pewnie tam, gdzie go zostawiłeś. Poszukaj w żeglarskim worku.

– Mamo, potrzebuję piętnastu złotych na kino. Michał też.

– Aleczku, nie widzisz, że jestem zajęta? Idź do taty. Kiedy idziecie do tego kina?

– Jutro.

– I dopiero teraz mi o tym mówisz?!

– Zapomniałem. To dostaniemy te pieniądze?

Sięgnęłam po portmonetkę. Szybko zakryłam kartkę, na której widniały dwa słowa: „Dragi Blaż".

– Synuś, przygotujcie się do szkoły i dajcie mi trochę spokoju. Muszę popracować.

Wybiegł z pokoju, machając trzema dziesiątkami. Wróciłam do tekstu.

Dragi Blaż!

Gdybym mogła zamknąć drzwi do pokoju na klucz, pewnie udałoby mi się szybciej Ci odpisać. Niestety, stoją one otworem dla wszędobylskich dzieciaków, które nie przepuszczają żadnej okazji, by urozmaicić mi życie. Krótko mówiąc, rzadko jestem sama i na tyle wolna, by w spokoju usiąść nad kartką papieru, a gdy uda mi się znaleźć czas, nie mam siły wykrzesać sensownych słów.

Książkę przeczytałam. Wielkie gratulacje. Wciągnęłam się tak, że chyba pierwszy raz w życiu udało mi się spóźnić do pracy. Tytuł „Zabieram cię w podróż" świetny, wieloznaczny i inspirujący. Masz doskonałe pióro, co nie jest dla mnie nowością, tym razem jednak sprawdziłeś się w nowej roli podróżnika, obserwatora i superojca dorastającego chłopaka. Trasa też fajna, może nie survivalowa, ale widokowa na pewno. Przyznaj, że oprócz „ciężkiej" pracy nad zbieraniem informacji poużywaliście, ile wlezie. No i trafiliście na czas połowu pereł. Przywiozłeś jakieś? Podobno perły przynoszą nieszczęście. Dlaczego zatem kobiety tak dobrze się z nimi czują? Śmieję się z przesądów, a sama im ulegam. Pierścionek po babci, bez którego nie wyjdę z domu, ulubiona figurka aniołka, która nie ma prawa się potłuc, czarny kot, pechowa trzynastka, pukanie w niemalowane drewno... A może człowiek z wiekiem zaczyna być bardziej zabobonny? W młodości więcej się robi, a mniej się myśli – i to jest piękne. Nadmierne myślenie powoduje tylko zmarszczki i dlatego na starość mamy ich tyle. No to sobie pofilozofowałam.

A teraz, schodząc na ziemię, jak Ci się żyje w nowym mieszkaniu? Ja też lubię wiosenne i letnie kawki na tarasie i wieczorne grille w ogródku, takie skromniutkie, żeby dym za bardzo nie przeszkadzał sąsiadom.

Weronika uważa się już za dużą dziewczynę i zaczyna chodzić na domówki. Zoran pewnie uskutecznia je już od dawna. Młodzi też by się chętnie wybrali, ale dwunastolatki mogą na razie najwyżej przypiąć się do kompa i tyle. Chociaż bardzo im się spieszy do różnych uciech.

Jeszcze raz dzięki, Blaż, za życzenia dla chomika. Nadal biega, ile wlezie. Widocznie taka jest moja legenda... Cokolwiek by się działo, Blażu, mój Chorwacie, miło się do Ciebie odezwać.

Twoja Ana

WERONIKA
LIPIEC 2009

Jeżeli podróż do Brestu była długa i monotonna, jazda do Sućuraju widokowa i też nie najkrótsza, to nasze bujnięcie się do Czarnogóry mogę nazwać wyprawą. Moi młodociani bracia nie buntowali się przed wyjazdem, przyzwyczajeni już do konieczności przemierzenia kilku tysięcy kilometrów, zanim zlegną nareszcie na plażach mórz południowych. Ja z braku innej możliwości musiałam im towarzyszyć. Koszmar jakiś. Nie był to szczyt marzeń, lepszy jednak rydz niż nic. Tym bardziej że moi braciszkowie zdążyli już mnie przerosnąć i nie sprawiałam przynajmniej wrażenia ich niani. W drodze mama skończyła z poleceniami: „Ikuniu, przykryj Michałka kocykiem", „Córciu, nalej Alkowi soku, bo wszystko poleje". Jakież było moje zdziwienie, gdy usłyszałam: „Chłopcy, opiekujcie się siostrą", „Alek, oddaj Ice poduszkę, bo dotyka głową szyby".

Jak zwykle przed wyjazdem starzy mieli dużo roboty i nie zdążyli przejrzeć mapy, by oszacować długość trasy. Jak się później okazało, miała się powtórzyć sytuacja z ubiegłorocznego wyjazdu do Bułgarii, gdzie zamiast około tysiąca pięciuset, jak nam się wydawało, kilometrów do pokonania zrobiło się dwa tysiące dwieście drogami, którym daleko do standardów autostrady. Summa summarum zamiast dwóch musieliśmy fundnąć sobie trzy noclegi, zanim znaleźliśmy parking na dwa tygodnie na samiuśkim południu Bułgarii. Mimo znużenia drogą wszyscy oceniliśmy wakacje jako bardzo udane, zwłaszcza że okraszone samochodową wycieczką do Stambułu i postawieniem nogi w Azji, po drugiej stronie Bosforu, oraz na tyle inspirujące, by i w tym roku porwać się na podobny dystans. Padło na Czarnogórę.

Rodzina, poinformowana wcześniej o naszych planach, wyposażyła nas w przewodniki – świetny pomysł na prezent imieninowy – i w lipcu zapakowaliśmy bagażnik pod korek i w drogę. Polska, Słowacja, Węgry – standard. Tym razem, zdając sobie sprawę, że trasa jest jednak dłuższa niż zwykle, pociągnęliśmy kilometry. Było już zupełnie ciemno, gdy udało nam się znaleźć nocleg na Węgrzech. Z rańca pognaliśmy na południe, by po minięciu Mohácsa przekroczyć granicę węgiersko-chorwacką. Zostawiliśmy za sobą Popovac, Osijek, Vinkovci, by w okolicach Županii poczuć bliskość Bośni i Hercegowiny. Tam jeszcze nas nie było. Wjechaliśmy w obszar Gór Dynarskich, gdzie jedyne płaskie powierzchnie, jakie nam dane było przemierzać, to ciągnące się wzdłuż strumieni doliny. Drogowskazy wskazujące kilkunastokilometrowe dróżki do ulokowanych na szczytach wzgórz monastyrów ostrzegały przed niebezpieczeństwem wpadnięcia do przepaści, a przewodniki kierowały do nich „osoby o wysokich kwalifikacjach z samochodami zaopatrzonymi w sprawne hamulce". Oglądaliśmy te cuda sztuki sakralnej z dołu, niechętni narażać życie w walce z ukształtowaniem terenu i minami, o których nadal wspominały przewodniki.

Po wielu godzinach drogi krajobraz człowiekowi powszednieje, pęcherz daje się we znaki, kark sztywnieje po śnie w niewygodnej pozycji, nogi dopominają się rozprostowania. Nie wspomnę o żołądku, który woła o ciepły posiłek, nie zadowalając się już snickersem i prażynkami. Tył RAV-a się buntuje.

– Jeść!

– Siku!

– No może wreszcie byśmy się zatrzymali!

– Już, szukamy miejsca – odpowiada przód.

Po kilku kilometrach kotliny wyjechaliśmy na bardziej przyjazne tereny. Mijaliśmy wioski z domami z kilku słomek, pordzewiałe wraki samochodów, psy wylegujące się leniwie na poboczach. Pierwszy napis zbliżony do reklamy żarcia przyciągnął nas jak magnes. Skromna budka z dwoma metalowymi stolikami i takimiż krzesłami kryła w sobie skarby. Wyszedł ku nam dorodny, z gęstą brodą i krzaczastymi brwiami Bośniak w niegdyś białym fartuchu i poprowadził tatę do sąsiedniej budki, która mieściła piekące się jagnię. Ojciec podniósł rękę, na wypadek gdyby zechciało nam się komentować jadło dostępne w tym przybytku. Jesteśmy u muzułmanów, będziemy jeść jagnię.

Cała moja rodzina nie zamierza oponować. Ja mam nadzieję na sałatkę szopską, okraszoną owczym serem. Grubas wielgaśnym nożem odkrawa grube plastry owieczki, mięsożercy rzucają się na nie niczym stado wilków, a ja pochłaniałam sałatkę – i w drogę! Pełni sił, choć przy posiłku zastało nas popołudnie, zmierzamy w kierunku granicy z Czarnogórą! Mamy za sobą już Tuzlę – pokiwaliśmy państwu Bożiciom, naszym sućurajskim gospodarzom z poprzednich wakacji – i zdruzgotane przez wojnę Sarajewo. Docieramy do Foĉy. Niewielkie przygraniczne miasto wita nas billboardami z informacją o kontyngencie wojskowym polskich żołnierzy stacjonującym w tamtym rejonie. Zielonego pojęcia o tym nie miałam, ale od czego jest tata. Do granicy piętnaście kilometrów, jak się okazało, piętnaście najgorszych kilometrów w naszym życiu. Do tej pory jestem wdzięczna losowi, że żyję. Droga wiodła półką skalną, tak że nasz pas graniczył ze skrajem urwiska. Szosa tylko miejscami pamiętała asfalt. W znakomitej większości była pokryta szutrem. Pobocza nie zabezpieczono płotkami, zjazd z drogi groził zsunięciem się w przepaść. O tym, że nie wszystkim się udało, świadczyły gęsto ustawione na poboczach pośmiertne tablice na cześć tych, którzy zginęli w toni rzeki Piva, burzącej się kilkaset metrów poniżej.

Wjechaliśmy w wydrążone i nadal drążone tunele w skałach Dumitoru. Widoki nie miały sobie równych. W życiu czegoś takiego nie widziałam i pewnie nieprędko zobaczę: piętnastokilometrowy kanion pomiędzy niemal dwutysięcznej wysokości skałami, kilkusetmetrowe przepaści, bajeczne barwy gór w promieniach zachodzącego słońca. Miło się opisuje *post factum*, ale powtórnie przeżyć tych dwóch godzin z Foćy do Humu nikt z nas już by nie chciał.

Po noclegu w okolicy stolicy Czarnogóry – Podgoricy – i pokonaniu jeszcze kilkudziesięciu kilometrów do celu, osiedliśmy w Ulcinj, miasteczku graniczącym z Albanią, w niewielkim apartamencie z widokiem na Adriatyk i cudem w postaci Stariego Gradu, pełnego restauracji podających lokalne przysmaki. Nieprzygotowani z historii i geografii nie wiedzieliśmy, że to skupisko muzułmanów, o czym przekonaliśmy się, niemal na każdym kroku napotykając strzeliste meczety. Wiele kobiet spowijało twarze chustami, liczni handlarze nawoływali do zakupów w ich kramikach.

Trafiliśmy na niemiłosierny, nienotowany od kilkudziesięciu lat upał, doskwierający szczególnie wtedy, gdy musieliśmy taszczyć do naszej kwatery, ulokowanej na solidnym klifie, dziesięciokilogramowe arbuzy.

Przy kolacji mieliśmy dostęp do karafki z winem. Nie pamiętam z jakim, ale mniejsza z tym. Grunt, że były procenty. A po niej leciałam z młodymi na deptak pełen knajp tętniących życiem długo w noc. Wracaliśmy około jedenastej, kiedy temperatura spadała do trzydziestu kilku stopni i można było położyć się do łóżek – oczywiście po przepędzeniu z pokoju jaszczurek.

Dni mijały nam na wylegiwaniu się na plaży, kąpielach, żarciu, piciu i wycieczkach. Wypuściliśmy się na północ, by przemierzyć całe wybrzeże Czarnogóry i dotrzeć do znanego nam już Dubrownika. Postanowiłam tu kiedyś wrócić. Wiedziałam, że jestem zakochana w tym miejscu.

ANNA
SIERPIEŃ 2009

Ostatni dzień urlopu. Od jutra zaczyna się prawdziwa ryra. Piękna sierpniowa pogoda. Jerzy z dzieciakami w Stępie, ja zostałam w Warszawie pod pretekstem doprowadzenia domu do ładu. Może zaprosić Lucynę? – przeszło mi przez myśl. Nie, odwiedzę rodziców. Otworzyłam drzwi na taras. Słońce wślizgnęło się do salonu, tworząc na dywanie żółtą plamę. Rodzice są w... Zapomniałam. I dobrze. Lucyna nie przyjdzie, bo Edytka. Sięgnęłam po komputer. Nie. W szafce w sypialni miałam lawendową papeterię. Wyjęłam papier listowy. Jeszcze kawa, przeczesać włosy, pomalować usta błyszczykiem, a, i wyłączyć komórkę. Zabrałam się do pisania.

Dragi Blaż!

Przepraszam, naprawdę przepraszam, że tak się zachowałam. Wiem, że to niedopuszczalne i nie powinnam do Ciebie wysyłać kartek z Chorwacji i Czarnogóry. Nie wiem, co powiedzieć na swoje usprawiedliwienie, może tylko to, że będąc niedaleko, chciałam dać znać. A może, sama nie wiem, nie mogłam się oprzeć? Dzieciakom bardzo się podobało. Weronika była zachwycona Dubrownikiem, czemu się nie dziwię, a ja przypomniałam sobie dawne klimaty. I tyle, Błaż, i aż tyle. Sam wiesz, że to nie miałoby sensu. A nawet gdyby miało, to co by z tego wyszło? Jeden wielki problem, Błaż.

Weronika za miesiąc zaczyna ostatnią klasę liceum. Przebąkuje, że zamierza iść na bałkanistykę. Nie mam z tym wyborem nic wspólnego. Nie wiem, skąd jej się to wzięło. Błaż, czy czasem los nie decyduje za nas? Czy, matko jedyna, nie decyduje już w poprzednim pokoleniu? Nie zrobiłam niczego, co by ją mogło naprowadzić na ten trop oprócz sporadycznych wspomnień o moim wyjeździe. Mimo to jest zdecydowana i nie zamierza odpuścić. Chorwackiego uczy się od jakiegoś czasu z własnej woli, chociaż nie rozumiem jej motywów. Twierdzi, że zauroczył ją Dubrownik, że musi tam pojechać, być, mieszkać. Nie sprzyjam jej pomysłom, bo wiem, że wiąże się to z jej studiowaniem poza Warszawą i Jerzy nie będzie zachwycony. Historia zatoczyła koło, niedaleko pada jabłko od jabłoni? Jest to zarówno niewytłumaczalne, jak i niewiarygodne.

Pisałeś, że wybrałeś się do Armenii. I jak było? Czekam na dziennikarską relację z dużą dawką Błażowego humoru. Przepraszam za swój jak zwykle przyciężkawy list pełen problemów zatroskanej matki.

Błaż, pozdrawiam Cię jak zwykle, pamiętam jak zawsze. Twój chomik w kołowrotku.

Twoja Ana

ANNA
WRZESIEŃ 2009

Z trudem opanowałam emocje. Weronika czasami zachowuje się jak jej młodsi bracia, no może przynajmniej jeden z nich. Zamiast uczyć się do matury, zalega na łóżku z książką do góry nogami. Nie daję po sobie poznać, że to zauważam. Podobnie jak bałagan jej w pokoju. Jestem w stanie zrozumieć to nieustanne malowanie paznokci, wyrywanie brwi, golenie, odchudzanie, godzinne rozmowy przez telefon. Wkurza mnie co innego: każda dyskusja na temat studiów kończy się awanturą. Czuję przez skórę, że nasza córcia szykuje dla nas jakąś niespodziankę. Zaproszenie do okrągłego stołu nic nie daje. Każda rozmowa Weroniki z ojcem kończy się kłótnią. Jerzy jest po prostu dość zasadniczy i nie może się powstrzymać przed wykładaniem zasad, formułowaniem oczekiwań i wymagań. Poza tym za brak wychowania niesfornych dzieci odpowiedzialna jestem ja i tylko ja. Dlatego nie potrafię stworzyć z Jerzym wspólnego frontu, nie chcę iść z dziećmi na wojnę. Wkurza mnie Weronika, wkurza Jerzy, wkurza brak porozumienia między nimi, wkurza moja rola bufora.

Poczułam blokadę w barkach. Nieposmarowana kromka chleba musi poczekać. Z kuchennego blatu spoglądają kawałki szynki dziadka, pasta makrelowa i ser królewski w plasterkach. Obok leży pomidor. Wyjmuję majonez, śledzie w oleju, cebulę. Jaka mocna! Łzy ciekną po policzkach, nie chcą przestać, to wszystko przez nią. Smaruj ten chleb, połóż na nim wędlinę, ser, pomidora, zanieś na stół w pokoju, wynieś puste talerze do zmywarki, włóż pastylkę, włącz. Weronika ogarnie się i pójdzie do swojego pokoju, chłopaki się pokłócą i wygnamy ich na górę, Jerzy będzie zmęczony i poszuka sobie odpowiedniej stacji w telewizorni. Ja... jak zwykle. W kuchni ogarnięte, przemyję jeszcze blat ściereczką, zgaszę światło w pochłaniaczu, wejdę na pocztę, zamknę kompa i spać.

– Mami, ty płaczesz? – Weronika zauważyła moje zmagania z cebulą.

– Nie!!! – dopiero teraz się rozryczałam.

– Co się stało? Znowu coś z ojcem?

– Nie, Ikuniu, nie. To moje fanaberie. Znasz mnie, zawsze muszę znaleźć problem.

– O co chodzi?

– Weroniko, zastanawiamy się z ojcem, gdzie się wybierasz na studia.

– I z tego powodu płaczesz? Sorry, ale nie wierzę.

– No to co szykujesz?

– Przepraszam za ten syf w pokoju i w ogóle. Możemy pogadać?

– Mów.

– Nie tutaj, chodźmy gdzieś.

– No, niby gdzie? – Propozycja wydawała mi się zachęcająca.

– Może do Czarnego Parasola?

Łzy po cebuli wyschły. Przypomniałam sobie, że bliźniacy mają jutro na dziewiątą, a właściwie gdyby nie mieli, to może Jerzy też by dupę ruszył i ich zawiózł – duch we mnie wstąpił.

– Jerzy, wychodzimy z Iką. Na którą jutro masz?

– A o co ci chodzi?

– Chcę się dowiedzieć, na którą idziesz.

– Na dziewiątą. A co?

– Możesz odwieźć Alka i Michała do szkoły?

– Mogę.

– Bo my wychodzimy z Weroniką. – Wstrzymałam oddech, spoglądając na Jerzego.

Ani drgnął, co świadczyło o tym, że albo było mu to nie na rękę, albo nie aprobował naszych konszachtów. Postanowiłam olać, mając na te konszachty niewątpliwą ochotę.

– Chłopaki, tata was jutro odwiezie. Spakujcie się.

– Yhm.

– Tato, ja muszę być jutro za dziesięć ósma w szkole. – Alek usłyszał naszą dyskusję.

– Dobra. – Jerzy klepnął układ.

Wszystko załatwione. Idę.

Wyszłyśmy z domu. Zamknęłam drzwi na klucz, wciągnąwszy w płuca wilgotne wrześniowe powietrze. Ogarnęła nas wczesnojesienna, pachnąca kasztanami ulica. Weronika włożyła kaptur, ja czułam potrzebę pozbycia się szalika, rozpięcia płaszcza, oddechu. Boże, czy to już te uderzenia gorąca?

– Przy oknie? – Weronika odgadła moje myśli.

– Przy oknie i z widokiem na knajpę. – Musiałam widzieć, co się dzieje.

Położyłam fajki na stole. W pomieszczeniu było duszno. Zdjęłam płaszcz, rozpięłam żakiet, odciągnęłam bluzkę od ciała, żeby wpuścić pod nią ździebko knajpianego powietrza. Od razu lepiej. Wystarczyło jeszcze przeczesać włosy, przeciągnąć usta pomadką, by poczuć odrobinę luzu.

– Co przynieść, mami? – Ika zbierała się do baru.

– Dla mnie warkę, ale z butelki.

– No to nic nowego. – Moja córka, puściwszy oczko, udała się zrealizować zamówienie.

– Weź popielniczkę – dogoniłam ją głosem.

Spojrzałam za siebie przez dużą witrynę. Światła przejeżdżających samochodów rozmywały się w gęstwinie kropel siąpiącego kapuśniaczku, skuleni przechodnie spoglądali pod nogi spod narzuconych kapturów i jesiennych parasoli. Dlaczego robią takie smutne parasole? – przemknęło mi przez myśl. Czy musimy dostosowywać nastrój do pory roku? Jakby nie wypadało rozweselić ponurą ulicę kolorowym dachem nad głową. Czarno-brązowe płaszcze skrywające skulone sylwetki piechurów, czarno-brązowe lub szare torby i torebki. Ja też nie jestem inna. Spojrzałam na swój wiszący w kącie czarny płaszcz i uśmiechnęłam się mimo woli.

– Z czego się śmiejesz?

Ika postawiła na stole dwie warki i spod pachy wyjęła popielniczkę.

– Uśmiecham się. Dobrze mi tu. Lubię obserwować ulicę.

– Wiem, wiem. Ale przede wszystkim chcesz mnie zapytać, gdzie się wybieram na studia. – Spojrzała mi prosto w oczy.

– Nie miałam takiego planu, ale gdybyś mogła uchylić rąbka tajemnicy...

– Mamo, bez podchodów. Przecież już gadałyśmy o tym nieraz, znasz moje zamiary. Chcę iść na bałkanistykę i nie próbuj mnie od tego odwodzić. Jeśli realizujesz jakiś perfidny plan zniechęcania, to daj sobie spokój.

Spojrzałam na jej nadąsany profil. Patrzyła w okno, ze zniecierpliwieniem wydychając powietrze, które w nadmiarze zalegało jej płuca.

– Mami, czy wy nie możecie zrozumieć, że ja naprawdę to chcę zrobić?!

– Córciu, rozumiem i nie chcę na ten temat z tobą rozmawiać. Zostawmy go. Niech będzie fajnie. Chociaż tata by chciał, żebyś została w Warszawie. Ja też, bo nie wyobrażam sobie ciebie daleko od nas. Skąd ci się wziął pomysł z bałkanistyką?

– Mamo, ja nie wiem, dlaczego cierpisz na bałkańską

alergię. Masz problem, to go lecz. Nie próbuj jednak mnie zniechęcać. Mami! Ja postanowiłam bez względu na wasze z ojcem zdanie. – Ika wkurzyła się nie na żarty.

Poczułam się pokonana przez własne doświadczenia, nieugięty charakter mojej córki i ironię losu.

– Koniec z tym, Ikuniu – zebrałam się w sobie. – Wróóóć. Zaczynamy od początku. Nie uważasz, że tu jest całkiem miło?

ANNA
WRZESIEŃ 2009

Kiedy tekst? – Naczelny wpadł do mojego pokoju z miną jak gradowa chmura. – Co się z tobą dzieje? Skład czeka, a ja jeszcze nic od ciebie nie mam! Za pół godziny u mnie! Z teksteeeem!

Nie zdążyłam się odezwać, a drzwi zamknęły się z trzaskiem. Tylko spokojnie, podpowiadało mi wieloletnie doświadczenie w pracy, w której wszystko jest na wczoraj. Tylko spokojnie, dasz radę. Adrenalina zadziałała pulsowaniem w skroniach. Ręce mi się spociły. Poczułam bezwład. Reportaż o facecie, który ugryzł psa, miałam oddać staremu tydzień temu i naprawdę chciałam to zrobić. Poczucie obowiązku towarzyszące mi w życiu jak cień pozostawało jednym z moich podstawowych natręctw. Choćby się waliło i paliło, porządek musiał być. Nie umiałam żyć bez poczucia ładu w domu, w pracy i w sprawach osobistych. Tysiące razy prosiłam chłopaków o zrobienie łóżka, tysiące razy tego nie robili, tysiące razy robiłam to za nich, bo nie mogłam zdzierżyć bałaganu w ich pokoju, gdy wracałam z pracy. Ich odporność na moje błagania nie miała sobie równych. Wkurzyła mnie myśl o bliźniakach. Ale to, z czym wyskoczyła ostatnio Weronika, wprowadziło mnie w rezonans.

– Mamo, tato, zdecydowałam, gdzie chcę iść na studia – zakomunikowała w końcu przy kolacji, artykułując decyzję, której wszyscy się spodziewali.

– No więc?

Cztery pary oczu spojrzały w jej stronę.

– Do Torunia.

– Dlaczego tam? – Mój mąż zdobył się na przerwanie ciszy, zatrzymując widelec z kęsem wołowej bitki pomiędzy talerzem a na wpół otwartymi ustami.

– Bo tam jest bałkanistyka – odpowiedziała spokojnie córka niezrażona ogólną konsternacją.

Widziałam, że przygotowała się psychicznie na obwieszczenie nam tej decyzji – nieznoszącej sprzeciwu, ostatecznej i kategorycznej.

– Ika, przecież wyremontowaliśmy twój pokoik – starałam się negocjować. – A co z przyjaciółmi? – brnęłam, znajdując kolejne, nic nieznaczące argumenty. Nie mogłam zrozumieć, że moja mała córcia ni z tego, ni z owego przestanie z nami mieszkać, wyfrunie z gniazda, pozostawiając pustkę po wieczornych pogaduchach, przerywając więzi, które – miałam wrażenie – są wieczne i dla nas obu bardzo ważne. – Co ja ci zrobiłam?! – nie wytrzymałam, wybiegając z pokoju.

– Mamo! Chcę studiować bałkanistykę, muszę. Nic przeciwko tobie, to dzięki tobie.

Spojrzałam na nią, ocierając jej łzy. Miała mnie, już jej sprzyjałam. Teraz nadeszła myśl, jak przekonać ojca.

– On to rozumie, mami. Poza tym przecież będziemy się widywać. Toruń nie jest na końcu świata. Nie martw się, wszystko będzie dobrze. – Mrugnęła i widząc, że się zreanimowałam, wyszła z pokoju. Po chwili drzwi ponownie się otworzyły. – Mami, naprawdę będzie dobrze. I w tym momencie rozpłakałam się jak bóbr.

WERONIKA
WRZESIEŃ 2009

Mamo! Prosiłam, żebyś pukała.

Mama bez pardonu weszła do mojego pokoju zupełnie jak do siebie. Nie można wyegzekwować podstawowych zasad wychowania. Czy ta babcia niczego jej nie nauczyła?

Szurnęłam pod łóżko lakier do paznokci, narażając świeżo pomalowane paznokcie na szwank. W rękach znalazła się książka do fizyki. Odwróciłam ją, bo zrządzeniem losu znalazła się do góry nogami.

– Ikuniu, co zjesz na kolację?

– Jadłam już.

Znowu męczy mnie o jedzenie. Czy to jest najważniejsze na świecie? Jedzenie, żarcie, wcinanie, regularne posiłki, wpychanie... Chce, żebym była gruba, opasła, nie zna się na diecie.

– Robię kolację. – Nie daje za wygraną. – Może ci coś przynieść?

– Będę chciała, to sobie sama wezmę. Uczę się, jutro mam klasówkę.

Powinno jej to wystarczyć, by zostawić mnie w spokoju.

– Ika?

– Coś jeszcze?

– Nic. Gdybyś czegoś potrzebowała, jestem na dole.

No, w końcu zamknęła te cholerne drzwi. Żeby człowiek nie czuł się bezpiecznie w swoim własnym domu!

– Zuza? Cześć. No, mogę gadać, mama poszła na dół. Do kiedy musimy się zdeklarować? Do jutra? Nie mów. Nie ma opcji, nie zostanę w Warszawie. Idź na tego swojego szwaba, ja tu nie zostaję. Człowiek, ty masz luz. Żadne kajtki ci po łbie nie skaczą. No, biorę polski i angielski. Do jutra. A, poczekaj, musimy pogadać o imprezie u Łukasza. Rozumiesz?

– Ika, rozumiem, rozumiem. – Zuzanna wydawała się szczęśliwa. – Co cię napadło z tym Toruniem?

– Muszę nabrać wiatru w żagle.

– To poczekaj do lata, gdy ze starymi pojedziesz na Mazury.

Paznokcie wyschły.

Jutro musiałam się zdeklarować w szkole, jakie przedmioty będę zdawać na maturze. Od tego zależało, gdzie będę mogła składać papiery na studia. Starzy mieli nadzieję, że złożę je na Uniwersytet Warszawski, ba, mieli pewność. Od niepamiętnych czasów była mowa o anglistyce, wszyscy uważali, że stanie się to, co ma się stać. Idę na bałkanistykę do Torunia. Tak zdecydowałam, choćby skały srały.

ANNA
WRZESIEŃ 2009

Klamka zapadła. Jerzy myśli, że Ika zmieni zdanie. Ja sądzę, że nie. Puzzle trafiły na swoje miejsce, poczułam nieuchronność losu. Moja córka, nie bacząc na piętrzące się ze strony rodziców komplikacje, postanowiła trwać przy swoim wyborze. Będę ją wspierać.

Kiedy dostałam ostatniego mejla od Blaża? Rok temu? Dwa lata temu? Nie, trzy. Przesłał mi swoją książkę. W pudełku po butach, w kąciku szafy cały czas przechowywałam poprzednie dwie. I choć buty, które niegdyś gościło, dawno już znalazły się na śmietniku, pudełko nie chciało zniknąć z garderoby. Z wyjątkową werwą dopadałam do niego, gdy tylko Jerzy pojawił się w pobliżu. Srebrny kluczyk do szafy towarzyszył innym, niezbędnym do codziennego funkcjonowania, przypominając mi o swoim przeznaczeniu. Był moim wyrzutem sumienia w chwilach, gdy kochaliśmy się z Jerzym, szczęśliwi radością, którą dawało nam codzienne życie, i niespełnionym marzeniem kobiety, której coś się w życiu uroiło. Rozważna czy romantyczna? Rozważne życie z Jerzym czy romantyczne z Blażem?

Skąd biorą się takie myśli, odegnane niczym obrzydliwie skrzeczące wrony znad opuszczonych przez liście topoli? Skąd męczące sny, budzące po nocach lęk, który długo nie pozwala zasnąć?

Ranek przygarnia ciepłem rutyny, zapachem kawy, trzaskającymi drzwiami do łazienki, pokrzykiwaniem spieszących się powitać dzień domowników, kręceniem ogona przez Aporta, któremu spieszy się wysikać.

Łapiąc te momenty, jestem i rozważna, i romantyczna. Co będzie za chwilę? Waga się porusza, wańka-wstańka zaczyna działać.

– Alek, wyłaź z łazienki! Jak długo będziesz tam siedział? – piekli się Jerzy.

– Tato, ja pierwsza! Alek, wyłaź! – denerwuje się Weronika.

– Mamo, pięćdziesiąt złotych potrzebuję na biwak – dorzuca swoje trzy grosze Michał.

Nie ma garderoby, nie ma pudełka po butach, nie ma nic. Dzisiaj.

ANNA
WRZESIEŃ 2009

Jerzy, porozmawiajmy. Proszę cię, porozmawiajmy. Mąż spogląda znad gazety, jakby nie wiedział, o co chodzi.

– Dobrze wiesz, że nie podoba mi się to wszystko – próbuje zakończyć nierozpoczętą jeszcze rozmowę. – Rozpuściłaś ją. Wydaje jej się, że może robić, co chce. Czy ty widzisz, jak ona z nami rozmawia? Komunikuje nam swoją decyzję i już. Porozmawiaj z nią.

Przerzucił program. Na ekranie pokazał się kanał Turbo TV, znak, że zakończyliśmy rozmowę. Trafił mnie szlag i bezsilność ogarnęła całe ciało. W duszy przyznawałam mu rację, też nie chciałam zgodzić się z nieuchronnym, ale czułam potrzebę walki o marzenia Iki jak o niepodległość.

Nie jest zły, kalkulowałam. W końcu się zgodzi, przyzwyczai się do myśli, że córka studiuje poza domem. Ale czy zaakceptuje to, że bałkanistykę?

Zabrałam się do tekstu. Facet, który ugryzł psa, okazał się nieciekawym gościem. Pies też. Musiałam wspiąć się na wyżyny techniki dziennikarskiej, by zadowolić naczelnego hiciarskim tekstem. Fuj!

– Masz?!!! – darł się stary przez cały korytarz.

– Kończysz? – odebrałam telefon od męża.

– Kiedy wracasz? Bo nie wiem, czy pamiętasz, że mamy dzisiaj angielski – dyscyplinował mnie Michał.

Mam, kończę, wracam, odwożę. Pozwolili mi na chwilę zapomnieć o problemach z Weroniką. Życie nie zna pustki, jedne problemy gonią drugie. Wyciągnęłam się w fotelu, splatając ręce za głową. Za oknem migały światła aut wiozących ludzi do rodzinnego zacisza.

WERONIKA
GRUDZIEŃ 2009

Długo się zastanawiałam, czy powiedzieć o tym Zuzannie. Przybiegłam do szkoły piętnaście minut przed ósmą, nikogo jeszcze nie było. Czujnie wyłożyłam zeszyt do niemca na parapecie okna na parterze, czekając na zrzynę. Długopis był w pogotowiu. Zuzy ni chu, chu.

– Dasz z niemca? – zagadnęłam Krzyśka, który pojawił się na horyzoncie.

– Już, sam bym skorzystał.

Zuza coś długo nie szła. Kurde, nikt nie miał z niemca. Do ósmej pozostały trzy minuty, Helga kręciła się pod klasą. Będzie zwała – pogodziłam się z porażką. Przychodź, Zuza, do diabła, bo zaliczę zgon.

– Laska, masz niemca? – pociągnął mnie za rękaw Kornel.

– Czekam na Zuzę – odparłam bez nadziei.

Helga otworzyła klasę, spoglądając złowieszczym, zwiastującym masakrę wzrokiem na naszą skupioną niczym stado kurczaków grupkę skazańców. – Proszę do klasy i wyjąć kartki – zarządziła tonem nieznoszącym sprzeciwu.

Helga była sucha jak wiór, miała orli nos i świdrujące bezczelne oczka pełne arszeniku. Nienawidziłam jej serdecznie. Nie dość, że niemiecki mimo moich skłonności lingwistycznych wydawał mi się obrzydliwy, to jeszcze ta baba, zwalczająca wszystkie kobiety. Do facetów w klasie to tylko Łukaszku, Krzysiu, dupysiu. A do lasek: „Czy pani Kowalkiewicz może przestać rozmawiać?", „Czy pani Grzębska będzie łaskawa zamknąć gazetę?", „Pani Jakubiec, następnym razem spotkamy się z rodzicami! Ile razy będę powtarzać, że lekcja to nie salon kosmetyczny!". Wielkie mi halo. Ledwie próbowałam przejechać błyszczykiem po ustach, i to w dodatku pod ławką. Głupia, stara lafirynda. Wcale się nie dziwię, że chłopaki kiedyś wstawili jej żałosnego malucha między drzewa i nie mogła go wyciągnąć!

– Kartki na ławki! – babiszcze podniosło głos.

Miałam ochotę wyjść. Olałam to, bo nie dość, że dostanę lutę, to jeszcze sprawowanie mi obniżą za lekceważenie nauczyciela. Nauczyciela bym nigdy nie zlekceważyła, ale Helgę? Świnia na pewno jest starą panną. Kto by taką chciał.

– Jakubiec, nie przeszkadzaj! – Helga wyostrzyła na mnie oko.

Nic nie robiłam, ale ona jak zwykle znalazła powód, żeby się przyczepić.

– Tej twojej koleżaneczki nie ma, a ty jeszcze przeszkadzasz.

Miałam ochotę ją zabić albo zmienić szkołę. Byłam wściekła, że Zuza nie przyszła. Mama się będzie pytać, co się stało. Ojciec stwierdzi, że znowu mam zły humor, jestem wulgarna, bo mu odpyskuję, że ma się nie wtrącać. A Zuza też jest do dupy, bo nie przyszła i nie mogłam jej powiedzieć, że Paweł z IIIc zaprosił mnie na studniówkę i się zgodziłam. Nie wiem, czy się będzie ze mnie śmiała, że pierwszy lepszy facet mnie zaprasza i ja się godzę, czy powie „super"?

Nasmarowałam, co umiałam, dzwonek przerwał katusze. Dobrze, że diablica jedna nie sprawdzała chociaż zadania domowego. Wylazłam z klasy, nawijając się na Pawła, którego poznałam wczoraj.

– Cześć – powitał mnie przeciągle. – Co robisz?

Nic nie robię poza tym, że myślę o chłopaku, który zaprosił mnie na studniówkę, wkurzam się na Zuzę, że nie mogłam jej o tym opowiedzieć, i dołuję się uwalona klasówką z niemca. A poza tym wszystko w porządku, pomyślałam i powiedziałam:

– Idę na zielone.

– Idę z tobą. – Paweł wyjął z kieszeni fajki i zakręcił paczką w powietrzu.

WERONIKA
STYCZEŃ 2010

Zawiozę was. – Mama jak zwykle jest niezawodna.
– Isiu, o której musimy wyjechać?

– No, wiesz, studniówkę mamy na ósmą, a u Pawła musimy być około siódmej, żeby zdążyć. Z Królewskiej na Zbójecką, wiesz, róg z Myśliwską, jest około dwudziestu minut. Ale w razie korków?

– Korków już nie będzie o tej porze. Ale dobrze, wyjedziemy wcześniej.

Zamierzałam szykować się od rana. O dwunastej obudziła mnie wymiana zdań pomiędzy braćmi.

– Dzisiaj twoja kolej! – wrzeszczał Alek na cały dom.

– A kto wychodził z nim wczoraj po obiedzie? – nie dawał za wygraną Michał.

– Polazłeś za Ikę, altruisto jakiś!

– Alt-co? Nie denerwuj mnie i idź za siebie.

– Mamo!!! – Michał opierał się przed wyprowadzeniem kundla na dwór.

– Jezus Maria, sama z nim wyjdę. – Mama próbowała ratować spokój domowego ogniska.

– Dlaczego ty masz z nim wychodzić? Przecież mamy dyżury, niech młody wylezie! – bronił sprawiedliwości Alek.

– Dość tych potyczek – mama ucięła wszelkie spory. – Idę.

– Daj ten klucz. – Michał stanął w drzwiach, lekko odsuwając mamę. – Kundel, na spacer! No już – pchnął go w zadek.

Codzienna nawałnica ucichła. Cholerny kundel poszedł na spacer, jeden z moich braciszków ugiął się przed obowiązkiem. Spokój do czasu, gdy trzeba będzie wynieść śmieci, posłać łóżko, polecieć po masło lub wykonać inne domowe obowiązki, które zazwyczaj wykonuje mama. Nie wiem, dlaczego ona to znosi. Ja bym tych młodych obrzydliwców pozamykała w klatkach albo udusiła. A ojca, który dba tylko o swój święty spokój, razem z nimi.

– Weroniko – usłyszałam głos Pawła w komórce. – Jestem w sklepie, wiesz... Potrzebuję twojej pomocy.

Coś się dzieje. Dziwne, jest w sklepie, a do tego potrzebuje mojej pomocy. To się jeszcze nie zdarzyło.

– Cześć, Paweł. O co chodzi?

– Jaką będziesz miała sukienkę na studniówkę?

– Ale na czym polega problem? – Nie mogę zrozumieć jego intencji.

– Chodzi o kolor. Jestem w sklepie i próbuję dobrać krawat. Wiesz, żeby pasował do twojej sukienki.

– Wrzosową.

Podziękował za podpowiedź, a ja poczułam, że sam tego nie wymyślił. Ale to nic. Dobrze, że będziemy ładnie wyglądali. Będziemy piękną parą. Zrobiło mi się ciepło na duszy, że chce się do mnie dopasować, że o mnie myśli, nawet jeśli chodzi tylko o krawat. Czy ojcu zależałoby, by dopasować krawat do sukienki mamy? On by nawet nie zauważył, gdyby krawat był poplamiony. Wiadomo, naukowiec, nie zwraca uwagi na takie drobiazgi.

Mówię to mamie, która przysiadła na moim łóżku.

– Ikuniu, mnie też to nieraz wścieka. Ale co na to poradzę? Najważniejsze, że jest porządnym człowiekiem. Kocha was i na nic nie skąpi.

– Mami, nie rozumiem cię. Taka fajna laska jesteś, a taka głupia.

Chyba za dużo powiedziałam, bo mama zapatrzyła się w przestrzeń. Wkrótce jednak otrząsnęła się i spojrzała na mnie przenikliwie. Spodziewałam się riposty.

– Córeńko, pogadamy za trzydzieści lat. Może wtedy przyznasz mi rację, że nie jest tak źle. A teraz szykuj się, za kilka godzin jedziemy.

ANNA
STYCZEŃ 2010

Weronika przygotowuje się do studniówki. Próbuję sobie przypomnieć swoją. Czy ja w ogóle byłam na jakiejś studniówce? Byłam! Włożyłam czarną długą spódnicę i białą bluzkę haftowaną na rękawach, nad którą mama pracowała wiele dni. Byłam pewna siebie, gwarantowany sukces. Jerzy stał u mojego boku, a czteroletni związek dawał mi poczucie stabilizacji tak bardzo mi potrzebnej.

A teraz Ika idzie na studniówkę. Mam dorosłą córkę, która za chwilę przystąpi do matury. To taki miły dzień, wieczór. Jestem wdzięczna, że zgodziła się, bym była jej i Pawła kierowcą. Chociaż trochę otrę się o ich emocje, blichtr wieczoru. Podjadę pod salę balową, wchłaniającą piękne pary gotowe przystąpić do pierwszego w życiu poloneza.

Ika wychodzi z pokoju, do którego nikt nie miał wstępu. Włożyła czarną długą sukienkę z jasnofioletowym szlakiem, dopełnioną wrzosowym szalem z czarnym akcentem. Widzę ją pierwszy raz, jak pan młody pannę młodą na weselu.

Po raz pierwszy poprosiła nas o pieniądze, a nie o radę. Poszły z koleżanką na miasto wybrać kieckę. I jak wybrały! Moja Weronika wyglądała olśniewająco!

Samochód czeka pod domem, Ika siada na tylnym siedzeniu, dając się zaprezentować szalowi.

Podjeżdżamy pod dom Pawła. Chudy dryblas w grafitowym garniturze, z którym – jak się dowiedziałam – córka zamierza bawić się na studniówce, zbliża się powoli do nas powłóczystym krokiem. Ika wypływa z auta, podchodzi do niego, zarzuca mu dłoń owiniętą szalem na ramię, odsuwając go delikatnie gestem oznaczającym pełen akceptacji dystans. Muska ustami jego policzek, prowadzi do samochodu. Dookoła roznosi się woń jej perfum – jaśmin przebijający się przez mroźny styczniowy wieczór. Obraz znika.

Podjeżdżamy pod dom Pawła. Chudy dryblas w grafitowym garniturze zbliża się do nas.

– Cześć, Ika. – Otwiera drzwi od jej strony. – Dobry wieczór pani.

– Dobry wieczór. Siadaj z tyłu, jedziemy – uśmiechnęłam się do dryblasa życzliwie.

Usiadł, w lusterku zauważyłam niepewny uśmiech. Spojrzał na Weronikę. Jechali na bal.

Tak jak chciałam, podjechałam pod salę i zostawiłam moją parę w gronie szkolnych przyjaciół. Zrobiłam kilka zdjęć, które z powodu drżenia ręki nie wyszły, zapakowałam się do RAV-ki i pojechałam.

WERONIKA
CZERWIEC–LISTOPAD 2010

Matura i po maturze. Nie najlepiej, nie najgorzej, dostanę się jednak tam, gdzie będę chciała. Na szczęście nie wybieram się na kierunek, na który ludzie ustawiają się w ogonku. Rodzice, szczególnie tata, w dalszym ciągu próbują mnie przekonać, bym poszła na uniwerek w Warszawie, ja jednak podjęłam już decyzję we wrześniu i nie zamierzam jej zmieniać. Trzeba było myśleć o tym, kiedy decydowali się na młodsze rodzeństwo dla mnie. Alek i Michał wystarczająco zatruwają mi życie, bym nie wiązała swojej najbliższej pięcioletniej przyszłości z nimi w sąsiednim pokoju. Halo, chłopcy, wasza Ika wybrała wolność!

Skąd ja biorę siły, by z nimi walczyć? Nie po to zdałam maturę, by ktoś mi teraz psuł szyki. Miałam w głowie plan i to był jedyny plan, nie ma alternatywnego. Jeśli się nie zgodzą, nie dadzą kasy, zarobię, myślałam pozytywnie, powodowana złością. Poczułam się silna i spokojna.

Pozostał jeszcze Paweł. Postarałam się dobrze przygotować do spotkania. W ruch poszły malowidła, dzięki którym oko zyskało na jakości, wrzuciłam czarną spódniczkę i bluzeczkę z całkiem, całkiem dekoltem, a na ramiona studniówkowy wrzosowy szal z czarnym akcentem. Może mu się dobrze skojarzy?

Spotkaliśmy się z Pawłem w pubie. Jak zwykle miał pachnącą żelazkiem koszulkę i dobrze dobraną wodę toaletową (jak on to robi???).

– Zdecydowałam jednak, że idę do Torunia – wyrzuciłam z siebie jak najprędzej, czując, że dostrzegę ten dziwny wzrok: połączenie zdziwienia, rezygnacji i smutku.

– Napijesz się? – usłyszałam w odpowiedzi.

– Piwo.

– Krzysiek! – zawołał do kelnera. – Dwa piwa. I jak to teraz będzie? – zapytał.

– Mamo, wyjazd do Torunia to nie koniec świata. Będę tu co tydzień i w ogóle damy radę, prawda, Pawełku? – uśmiechnęłam się zalotnie. – Przecież wiesz...

Przełknął to. Rodzice też. Wyjechałam. Byłam w Toruniu. Przywitała mnie cudowna jesień. Nigdy w życiu nie widziałam tylu spadających kasztanów, chociaż mieszkałam w Warszawie przy kasztanowej ulicy. Nigdy wcześniej też nie zauważałam czerwono-pomarańczowych irg, okraszających wypielęgnowane skwery, nie dostrzegałam pnącego się po latarniach dzikiego wina, kuszącego czerwono-rudym deseniem. Skąd się to wszystko wzięło? Czy musiałam wyjechać, by te obrazy zobaczyć?

Rok akademicki wciągnął mnie jak bagno. Nowi, nowe, nowi. I tak dalej. Uczyłam się życia i chodziłam na zajęcia. Pierwsze półrocze, pociągi, powroty do domu, powitania, pożegnania, poty, depresje. Byłam wkurzona nieraz na ćwiczeniowców, egzaminatorów, lataninę, niewygody, brak żarcia, brak forsy, brak fajek i... do dupy to wszystko. Tęskniłam za nim i, o dziwo, za rodziną. Co ja tutaj robię? – wiedzieć bym bardzo chciała. Tęskniłam za Pawłem, zastanawiając się nieraz nad jego towarzystwem. Fajny chłopak, jakaś koleżanka na pewno zawiesi na nim oko, myślałam. A niech sobie wiesza. W końcu ja też sroce spod ogona nie wypadłam. Matko! A niech tam! Jak będzie się źle sprawował, to mu pokażę! Na roku mam niejednego kolegę. Niech sobie nie wyobraża. W razie czego nie jadę na weekend do domu.

Pojechałam. Aśka i Nina jechały. W końcu jak długo można cierpieć na antymęską niestrawność. Poza tym pomyślałam sobie: Halo!!! Mama coś upichciła, tata się ucieszy, z bliźniakami pod wąsem też będzie miło się spotkać. No i Pawełek, kocham cię, słonko, i dlaczego ciebie tak długo nie było? Tęskniłem i nie wypuszczę cię z rąk do końca świata. Nie miałam wyboru. Pociąg, tor drugi na peronie pierwszym w Toruniu i *go home*.

WERONIKA
LISTOPAD 2010

O jejku, jak późno! – Wyskakuję z łóżka niczym pershing i lecę do łazienki. – Ninaaaa! Pospiesz się! Facet od ćwików mnie zabije. To już będzie trzecie spóźnienie. Jezu, co ty tam robisz!

– Wyluzuj. Zamiast tak krzyczeć, wstaw wodę na kawusię. – Nina ani myśli zagęścić ruchy. – Kończę robić oko.

Zgarniam pościel, układam narzutę, odruchowo przygładzając ją ręką, by rozprasować niewidoczne fałdy. Do licha z tymi natręctwami. Natura ludzka i siła przyzwyczajenia są silniejsze od rozumu. Wkurza mnie, że czasami rzeczy władają człowiekiem. Co mnie, u licha, obchodzi jakiś drobny bałaganik w obliczu zbliżającego się zagrożenia odejścia spod sali ćwiczeń z kwitkiem. To wszystko przez mamę i jej wieczne, systematyczne i cierpliwe mobilizowanie nas do porządku. W domu przechodziłam wszystkie fazy czynnego i biernego oporu, które miały doprowadzić do zwycięstwa nad jej gadaniem. Bez skutku. Studiowanie w innym mieście miało mnie wyzwolić spod rygorów dnia codziennego. A teraz co? Wygładzam jakieś fałdki na narzucie.

– Nina, wyłaź!!!! – wrzeszczę, skupiając na niej złość na własną bezsilność.

– No już – odpowiada mi, pojawiając się z ręcznikiem zawiązanym na głowie. – Po co te nerwy?

Pogoda za oknem nie zachęca do optymizmu. Od kilku dni ciągle pada, czasami dla odmiany siąpi. Okno z naszego pokoju wychodzi na część ogrodu, w której, jeśli się nie mylę, przekwitają różowo-szmaragdowe dalie. Grządki otulają zeschnięte liście jabłonki, która postanowiła chyba pozostawić sobie na zimę kilka kolorowych jabłuszek, dekorujących ją niczym świąteczną choinkę. Pokoik mamy mały, ale swój. Pokonawszy drewniane skrzypiące schody i krótki chodnik prowadzący do furtki, wychodzi się na wąską ulicę z przedwojennymi kamienicami. Niebrzydko i klimatycznie. Gdyby jeszcze tylko słońce wyjrzało zza chmur, nastrój miałby szansę podnieść się o kilka punktów w skali optymizmu. Spadające jesienne liście, zgrabiane przez gospodarza, próbują zasłać zielone jeszcze trawniki, opierające się upływowi czasu. Zlikwidować, spalić, wyrzucić na śmietnik.

Próbujemy z Niną poprawiać sobie nastrój polowaniem na jesienne wyprzedaże – jedyny ratunek dla w połowie pustych studenckich kieszeni. To jednak środek krótkotrwale działający. Szukam leku na tęsknotę o przedłużonym działaniu. Może imprezka w naszym kole studenckim?

Zapisałyśmy się do niego zachęcone perspektywą poznania starszych kolegów i wyjazdów na spotkania branżowe. W końcu człowiek musi być otwarty na wiedzę, do CV się przyda, a i skorzystać z bankiecików można. Pod warunkiem że będziemy sprawni w zdobywaniu sponsorów na dokarmienie i napojenie zmęczonych obradami studentów.

– Weronika, czas na nas. – Głos Niny przerywa mi rozmyślania. – Czekam na ciebie.

– Doba, dobra, już idę.

Po chwili wybiegamy z domu, by wrócić po parasolki. Muszę pomyśleć o płaszczu z kapturem.

– Nie, mamo, nie przyjadę.

Trudno odmawiać, gdy ktoś cię po prostu przymusza przez telefon codziennie. Nie jestem odporna na jej prośby. Przecież ona mi prawie nigdy nie odmawia, jeśli tylko może pomóc. Sama bym chciała przyjechać, ale mamy imprę, w dodatku całkiem klimatyczną. Wojtek zaoferował pomoc w poznawaniu toruńskich knajp. Już zdążyłam się przekonać, że tu jest nieźle. Dni adaptacyjne spędziliśmy na superanckim clubbingu, przeczołgując się po nieskończonej liczbie lokali okalających starówkę. W dodatku nowi studenci mieli zniżkowe piwo, co znacznie uatrakcyjniło trasę. Następnego ranka zaliczyłam zgon, ale wtedy czułam się jak harcerz na chrzcie albo kot w pierwszej licealnej. Teraz miało to być coś innego. Wojtek to prawdziwy przewodnik wstający o zmierzchu, gdy szkolne wycieczki już dawno policzyły barany.

Umówiliśmy się pod pomnikiem Kopernika, tak zwanym kopcem, o dwudziestej. Ogarniając wzrokiem kilka grupek czekających na swoje towarzystwo, szukamy Wojtka. Nina wypatrzyła go pierwsza – idzie w naszym kierunku, rozkładając ramiona.

– Dziewczyny! Ale wyglądacie!

Wieczorny Toruń błyszczy, kamieniczki podświetlone, ludzi pełno jak na Marszałkowskiej, humor niezły. Wzięłyśmy przed imprezką po piwku i coś tam jeszcze, żeby było taniej. Wojtek z Marem, którego właśnie poznałyśmy, oraz Aśką i Eweliną z towarzyszącymi im chłopakami zabiera nas do Kilera na Świętego Ducha. Leci jazzik, stare rockowe kawałki i niespodzianka: piwo do dwunastej po trzy złote. W knajpie jeszcze prawie nikogo nie ma. Siadamy przy barze. Wojtek zagaja ze znajomą barmanką, wchodzą kolejne osoby. Rozglądam się dyskretnie. Małolatów nie ma, miejscowy ochroniarz odcedza towarzystwo. Wypijamy kilka piwek, po czym Maro zagarnia nas do wyjścia.

– Jezu, po cholerę mamy gdzieś iść? – Nina opiera się inicjatywie poszukiwania kolejnych nocnych wrażeń.

– Laska, nie marudź, to niedaleko – zwodzi nas Maro perspektywą krótkiego spaceru.

Ja jestem chętna. Piwo szumi mi w głowie. Poloneza czas zacząć! Chłopaki prowadzą nas trzy kamienice dalej – jak dobrze, że nie trzeba brać taksy – lądujemy w Piekle. Pakujemy się na imprezę, *dance floor* pełen parek. Tańczymy, ale gdy wokół robi się pusto, czas zwijać żagle. Godzina jeszcze młoda, przybijamy do portu Zezowate Szczęście. Zero małolatów, któryś z gości gra na pianinie, *smooth* nastrój ogarnia wyobraźnię. Przypomina mi się Paweł. Właściwie dlaczego on jeszcze dzisiaj nie dzwonił? Aaaa, dzwonił, ale przecież mógł wysłać esa, skoro mnie nie zastał.

– Młoda, zatańczysz? – Głos Mara wyrywa mnie z nieprzyjemnych myśli.

– Jasne. – Wstaję, ogarniając sukienkę z bioder, sprawdzając jednocześnie, czy zauważył, że fałdka skromnie przykryła trochę za bardzo odkryte udo.

Lewą ręką poprawiam but, który zsunął się z nogi, gdy tupałam pod stołem w rytm muzyki. Wskakujemy na dwa metry kwadratowe podłogi, pogrążając się w pokazie tańca dla gości. Delikatne na początku ruchy zmieniają tempo, partner prowadzi mnie w kierunku bardziej wyrafinowanych figur, przegina do tyłu, wywija piruety, po których zaczyna mi się kręcić w głowie. Chcę przestać, ale oklaski każą tańczyć dalej. Trwam do końca występu, Paweł odleciał w zapomnienie, czuję tylko rytm, muzykę, nastrój.

Na drugi taniec chwilowo nie mam siły. Rozbawione towarzystwo porywa nas w dalszą podróż po knajpach. Spijamy piwko w Czeskim Śnie, z którego uciekamy szybko, bo nasi panowie dobrali się do piłkarzyków. Nuda. Bierzemy przyszłość w swoje ręce. Kumple kumpelek ciągną nas do Kadru i się opłaca – zniżka na piwo dla studentów! Wzięło się po kolejnym, chęć na następne też była, ale dekadencja zaczęła dawać znać o sobie. Łeb już zaczynał ćmić.

– Nina, ja na piechotę nie wracam – gadam do kimającej kumpeli. – Nina, obudź się, idziemy do domu. Nina!

– Aha – odpowiada bez przekonania.

– Woojteek! Gdzie są taksówki? – zdobywam się na ostatni gest zdrowego rozsądku.

– Zaprowadzę was. To niedaleko.

Do domu dotarłyśmy szybko, jedynie za 12,50. Jak tanio! Rewelacja. Jezu! Trzeba wyłączyć telefon. Spoglądam na wyświetlacz – kilka nieodebranych połączeń: mama, Paweł, mama. Chce mi się spać. Padam.

Nagrabiłam sobie. Ledwie zwlokłam się z łóżka w poszukiwaniu tabletki od bólu głowy.

– Co się tak rzucasz? – Nina wysunęła rozczochraną łepetynę spod kołdry. – Daj pospać. Matko, jaki bajzel!

– Od razu bajzel – żachnęłam się na jej niewybredną uwagę. – Szukam proszków – wyjaśniłam, grzebiąc w wysypanej na łóżko zawartości przepastnej torebki.

Sklepowe rachunki mieszały się z kosmetykami, a wkłady do długopisów, wizytówki, niezliczone ilości chusteczek do nosa uniemożliwiały mi znalezienie proszków. Mamo! Chyba nie mam! Puste opakowanie. Mój trud się jednak opłacił. Przebierając w gąszczu drobnych śmieci, znalazłam tę jedną, jedyną.

– Jestem uratowana! – krzyknęłam, na co Nina pokiwała z politowaniem głową i zanurkowała pod kołdrę.

Ostrożnie, z obawą, co zobaczę, podniosłam pikającą komórkę. Coś mi się kojarzyło, że już wczoraj badałam ten wyrzut sumienia, ale na czas spania udało mi się o nim zapomnieć. Teraz musiałam zmierzyć się z przykrą rzeczywistością. Połączenia nieodebrane – 21.

Trzy mama, czternaście Paweł, reszta od Lucka. Jakiego znowu Lucka?

– Nina, kojarzysz jakiegoś Lucka?

– A ty nie? – Brązowa czupryna ze złośliwym uśmieszkiem ponownie wysunęła się na powierzchnię. – Pamiętasz tego wysokiego, z którym wywijałaś w Zezie?

– To był Maro.

– Najpierw był Maro, a potem Lucek. Szalałaś tak, że nie mogłam cię wyciągnąć.

– Nic więcej nie mów. – Czułam, że zaczynam łapać moralniaka. – Nie pójdę na miasto przez najbliższe pół roku.

– Chyba że dzisiaj. Umówiłaś się z nim na wieczór.

– Nie podpuszczaj mnie. Nic nie pamiętam.

– No to nie pójdziesz, wielkie mi halo. Daj się wreszcie wyspać.

Teraz to już nawet etopiryna nie pomoże, chyba że podwójna dawka, a na to nie miałam co liczyć. Torebkowe śmieci takiej opcji nie przewidywały.

Powzięłam postanowienie poprawy. W bolącej głowie powstał plan naprawczy na najbliższe godziny: kąpiel w gorącej wodzie, umycie włosów, uporządkowanie torebki, telefon do mamy, telefon do Pawła, przygotowanie referatu z wiedzy o języku na poniedziałkowe ćwiczenia.

Za oknem nie było śladu po pięknej jesiennej pogodzie. Przygnane przez „niż atmosferyczny znad Zatoki Biskajskiej" wiatry strząsnęły na mokre od deszczu chodniki ostatnie liście. Nie zauważyłam, kiedy to się stało. Jeszcze w ubiegłym tygodniu w drodze do Warszawy widziałam w okolicy Skępego korytarze lasów mieniących się kolorami jesieni. Z przyjemnością przypomniałam sobie, że zasłużyłam się starszym superprezentami z drogi. Mamie przywiozłam worek kurek, które przerobiła na znakomity sos z duszonymi porami. Tacie kupiłam ryby w occie w knajpie U Dąbka, pochodzące z miejscowego jeziora. No, nie jestem taka zła, uspokoiłam się na wspomnienie własnej wspaniałomyślności. Niestety, dobre uczynki mają krótki żywot. Do głosu wróciła rzeczywistość. Za oknem szaruga, łyse drzewa, pożółkłe modrzewie, wyleniałe akacje, koszmar.

Dowlokłam się do łazienki. Z lustra spoglądały czyjeś niebieskozielone oczy z resztkami wczorajszego makijażu. Wokół twarzy zwisały długie, jasne, nie najświeższe włosy, żeby nie powiedzieć: strąki. Uśmiechnęłam się krzywo i machnąwszy w myślach ręką, zrobiłam zwrot do łóżka. Nina ma rację. Grunt to się wyspać. Wszystkie smuteczki odlecą. Zresztą co ja zrobię w takiej kondycji? Zgarnęłam zawartość torebki na gazetę i wsunęłam się pod kołdrę.

Telefon znowu się odezwał. Kliknęłam na przycisk „wyłącz".

WERONIKA
LUTY 2011

Spodobał mi się pomysł Pawła wyjazdu na Erasmusa. Pół roku na zagranicznej uczelni, świat u stóp! Zima trzymała, jakby się wściekła. Buty wiecznie mokre, chodziłam okutana szalikiem, chroniąc usta przed mroźnym powietrzem wdzierającym się do płuc. Grunt, że wszystko zaliczone. Co prawda babka ze wstępu do bałkanologii i filologii słowiańskiej nie za bardzo lubiła studentki, przelewając swoje uczucia na naszych nielicznych kolegów, ale udało się i ją przejść. Po zdaniu egzaminu z chorwackiego polazłyśmy z Niną do Focusa. Piwo po 3,50, pizza studencka za 6,50.

– No to luzik.

Nina rozparła się na wygodnej kanapie, pozostawiając mi miejsce na fotelu.

Jakiś Murzyn wyczyniał wygibasy na ekranie telewizora, otoczony długowłosymi blond laskami, wykręcającymi wszystkie części ciała w rytmie salsy. Wrzeszczał tak, że nie słyszałyśmy swojego głosu.

– Przesiądźmy się pod okno – zaproponowałam.

W narożniku było ciszej, ale zimniej. Musiałyśmy narzucić na ramiona płaszcze.

– No, nareszcie dobrze.

Zimne piwko zapanowało na stole.

– Jeszcze prosimy o popielniczkę! – zawołałam kelnerkę, delikatnie podnosząc wskazujący palec.

Mimo że odwróciła się w naszą stronę, nic nie wskazywało na to, że spełni moją „gorącą prośbę".

– Zołza, sama przyniosę, poczekaj chwilę.

Oddaliłam się w kierunku baru.

– Kiedy wracasz do domu? – przerwałam Ninie wysyłanie esa, postawiwszy popiołkę na stole.

– Jutro wpadnę do kuzynki do Olsztyna, zrobimy mały balet i potem do Nidzicy, do staruszków. A ty?

– Ja chyba też jutro. Paweł miał do mnie przyjechać, ale coś mu tam wypadło.

– No to za udany semestr! – stuknęłyśmy się piwem.

– Wiesz, co kombinuję? – postanowiłam zrobić pierwszą odsłonę.

Nina spojrzała na mnie z uwagą.

– Tylko nic nie mów, zanim nie skończę. Myślę o wyjeździe na Erasmusa. Pół roku za granicą, wykłady, egzaminy po angielsku, świetne referencje do CV i w ogóle przygoda. Kobieto, świat stoi otworem, a my tu będziemy siedzieć w zaścianku?

– Genialny pomysł! A co z Pawłem?

– Też chce jechać. Właściwie to on podsunął ten pomysł.

– A ja?

– Jedziesz z nami, bez jaj.

Atmosfera się powoli rozgrzewała. W zgiełku coraz pełniejszej sali, pośród woni piwa i fajek coraz wygodniej rozsiadałyśmy się w przepastnych fotelach, spoglądając na przejeżdżające zimową ulicą samochody, obserwując grupki ludzi oblegające drzwi zatrzymujących się autobusów, pieszych biegnących załatwiać swoje niecierpiące zwłoki sprawy. Dostrzegłyśmy siebie gdzieś daleko stąd, najlepiej w cieplejszym miejscu, z dala od szarzyzny i nudy codzienności.

– Coś trzeba robić! – podchwyciła temat Nina.

– Bierzemy się od poniedziałku. W weekend pogadam z Pawłem i przeszukam Internet – skonkretyzowałam plany.

– Ty najlepiej też posurfuj.

Po kilku piwach należało się zebrać. Śnieg tak przysypał ulice, że nic, tylko trzeba było wzywać taksówkę. A tam dyszka na pół, nie majątek.

Zasypiałam jedną nogą w Warszawie, jedną przy Pawle, a gdybym miała trzecią, stałaby na odległym uniwersytecie, który przygarnie polską studencinę w ramach przyjaznego programu Erasmus... Ouuuu, spać, spać, spać.

WERONIKA
LUTY 2011

Mama czekała na dworcu. Już na Zachodniej czułam się jak w domu. Jak zawsze wypatrywałam znajomej sylwetki na peronie i znowu się nie zawiodłam. Wytaszczyłam toboły pełne brudnych ciuchów i zsuwającego się z ramienia kompa, by za chwilę odczuć radość ze spotkania.

– Jesteś, córuś! – Mama nie kryła radości. – Daj, pomogę ci.

– Poradzę sobie, mami. No dobra, weź komputer. Gdzie masz samochód? Tam gdzie zawsze?

– Od głównego wejścia. Dorwałam miejsce, akurat ktoś wyjechał. Ale najważniejsze! Witam studentkę drugiego semestru! – piała z zachwytu mama, prowadząc mnie do auta.

Nie będzie kawki w Tarasach? – pomyślałam zdziwiona zmianą tradycji, jaką wprowadziłyśmy przez ostatnie pół roku. Pewnie kolacja czeka.

– Weronika! – usłyszałam głos Pawła biegnącego w moim kierunku z mamy samochodu.

Miał dla mnie białe frezje, moje ulubione. Teraz zrozumiałam tę niespodziewaną zmianę planów. Poczułam się jak w domu. Z okien samochodu mimo wszechogarniających stert zbrylonego śniegu i kilometrowych korków Warszawa nie wydawała mi się nawet ponura. Po niecałej godzinie dotarliśmy do domu. Paweł został na kolacji, jak zwykle przygotowanej specjalnie dla mnie. Na stół wjechała zapiekanka z brokułami, ryba po japońsku i kupa innych frykasów – miła odmiana po monotonnej studenckiej diecie rodem z fastfoodowych przybytków.

Brudne ciuchy wylądowały w pralce. Umówiliśmy się z Pawłem na sobotę.

– Zadzwoń do dziadków – mama pilnowała domowego savoir-vivre'u.

– Mami, teraz? Mogę za chwilę? Paweł wychodzi.

– Nie przeszkadzam. – Usunęła się w głąb pokoju. – I jeszcze raz gratuluję ci, Pawle, zdanej sesji.

W sobotę spotkaliśmy się w chińskiej knajpie na Żoliborzu. Nasze miejsce w kącie pod kolorowym lampionem było wolne. Jedynie facet przy sąsiednim stoliku klikał w klawiaturę laptopa. Wzięłam swój ulubiony dziki ryż z warzywami, bambusem i kapuścianą surówką z szafranem. Paweł zdecydował się na wołowinę na ostro (fuj!).

– Jesteś. – Usiadł blisko mnie i mocno przytulił. – „Warszawa, jaka jest, taka jest" – zanucił słowa piosenki Sydneya Polaka – „ale nie taka znowu zła".

– Paweł, nie bierz mnie pod włos. I tak tu nie wrócę na studia, nie sil się. Ma być fajnie czy chcesz się kłócić?

– A ja? – brnął dalej. – Co ze mną?

– A co ma być z tobą? – zaczęłam się niecierpliwić.

– Nie pytałeś mnie o zgodę na studiowanie w Warszawie, ja też nie potrzebuję twojego pozwolenia. Przestań wracać do tego tematu. Jest dobrze, a może być tylko lepiej.

Kelnerka przyniosła sztućce, na których widok soki żołądkowe zaczęły się intensywnie wydzielać, a gdy rozłożyła serwetki i postawiła na stole sos sojowy, musiałam powstrzymać ślinotok. Miałam wrażenie, że wszyscy dookoła słyszą moje burczenie w brzuchu.

– Masz coś na myśli? – Paweł zainteresował się moim optymizmem.

– Wyjedziemy na Erasmusa, razem! Co, jak co, ale ten twój pomysł wyjątkowo mi się spodobał i zrobiłam już rozeznanie. Mogę jechać na drugim roku, i to do Chorwacji!

Paweł się zasępił. Zorientowałam się, że pojawiły się jakieś komplikacje.

– Iku, ja mogę jechać dopiero na trzecim. Mógłbym robić na Erasmusie materiałoznawstwo albo budownictwo wodne, ale najpierw muszę zaliczyć to u nas, a mam to dopiero w czwartym semestrze. W dodatku w Austrii, Belgii, Hiszpanii i w kilku innych miejscach, ale nie w Chorwacji, nie mamy kontaktów.

Jaśminowy ryż nie smakował jak zwykle, warzywa z bambusem pływały w zbyt dużej ilości sosu. Nawet kapusta wydawała mi się za twarda. Szkoda. A mogło być tak fajnie razem. Błyskawicznie przestawiłam się z myślenia „jedziemy razem na Erasmusa" na „jadę na Erasmusa".

– Poczekasz? – Głos Pawła przypomniał, że siedzimy w knajpie we dwoje.

– Paweł, musimy dziś o tym rozmawiać? Jestem taka jakaś zmęczona. Zamówmy sobie wino.

Wracaliśmy do metra, brodząc w zimowym błotku. Trochę szumiało mi w głowie. Nie wiem, czy to za sprawą wina, czy planowanego wyjazdu do Chorwacji. Nic się nie stanie, Pawełku, myślałam, głaszcząc jego policzek. To tylko pół roku. Na następnego Erasmusa pojedziemy razem. No właśnie, to jest genialne rozwiązanie! Przecież nic nie stoi na przeszkodzie, żeby pojechać jeszcze raz. Od przyszłego tygodnia bierzemy się z Niną za załatwianie. Nie ma to jak ulga po podjęciu decyzji.

– Pavao! – wyrwało mi się na placu Wilsona, może trochę za głośno.

– Ciszej, pliz!!! Co ty powiedziałaś?

– Twoje imię po chorwacku, Pavao.

– Niech będzie. – Mojemu chłopakowi nie bardzo się spodobało.

Co tam! Trzeba używać życia i korzystać z możliwości. *Don't worry, be happy*! A ten smutas obok mnie to kto? Dlaczego ludzie w ogóle są tacy smutni? Paweł!!!

– Trzymaj się mnie, bo ślisko.

Paweł grymaśnie wydął usta, ale odprowadził mnie do domu, gdzie czekała miła, czysta pościółka...

WERONIKA
LUTY 2011

D iabli nadali ten weekend. Paweł zdołował się z powodu moich erasmusowych planów, do których nie mógł się podczepić. Mama wystawiła kolację, ale nie było czasu pogadać. Jedynie dziadkowie się zachowali – rzucili trochę kasy. Zawsze coś, w sumie jednak smętnie. Miałam ochotę już wyjechać na uczelnię, zabrać się za załatwianie Erasmusa. Wzięło mnie jak cholera, o niczym innym nie mogłam myśleć. Wymieniałyśmy z Niną esy równie gorące jak moje myśli.

Bramka 2000
Nina: „Znalazłam! Możemy jechać do Dubrownika, Wydział Komunikacji Masowej. Słuchaj, co oni tam piszą. Będziemy studiować news pisania, produkcji i nadawania programów radiowych i telewizyjnych oraz kampanii PR, program przeznaczony jest dla wszystkich

zainteresowanych kwalifikujących się do pracy w dziennikarstwie i public relations. Nawet dziennikarstwo śledcze!".

Ja: „Mogę nawet to śledcze dziennikarstwo, byle jechać. Nina, to dobra wiadomość!".

Nina: „A może wolałabyś chorwacki system polityczny? Hi, hi, hi".

Ja: „A może bym wolała zeszłoroczny śnieg?".

Nina: „No, dobra, żart. Są warsztaty: pisanie do tygodników i magazynów".

Ja: „Od jutra bierzemy się za załatwianie, przy dobrej organizacji od września jesteśmy w Dubrowniku! Przejrzałam na stronie UMK formalności krok po kroku. Sporo załatwiania, ale grunt, że możemy jechać na drugim roku! Nie mogę w to uwierzyć, sama perspektywa jest powalająca. Mówiłaś komuś?".

Nina: „Co ty! Wolę nie zapeszać!".

Ja: „Ja w sumie też nie. Mama była tam w zamierzchłych czasach, czułam nimb Chorwacji w naszym domu, unosił się, generalnie krążył cały czas. Może nie powinno się powtarzać ścieżek rodziców, ale co tam, podoba mi się ten Dubrownik, mówię ci, atmosfera nieziemska".

Nina: „No to heja, kończę, bo mnie tu rozrywają".

Poleciałam spakować rzeczy. Na biurku leżały wyprasowane już przez mamę bluzki, spodnie, złożone gatki i inne drobiazgi. Czas się zbierać.

WERONIKA
LUTY 2011

Nareszcie na starych śmieciach. Wizyty domowe mają swoje walory, ale wrócić do studenckiego ciepełka nie zaszkodzi. Nina też przyjechała podkurzona i wzięłyśmy się za gotowanie makaronu z brokułami. Gdy człowiek, a nawet kobieta, coś zje, zaraz poprawia mu się humor. Odrobina czosnku, posypka z parmezanu i do piekarnika. Ja miałam cytrynowego redd'sa, Ninka przywiozła wiśniową nalewkę wujowej roboty (chwała ci, wujku Waldku). Przy takiej uczcie można pogadać.

– Ja nie wiem, moi starzy ciągle się kłócą – relacjonowałam Ninie obserwacje z domu. – Mama narzeka, że robi za kuchtę, ojciec niezadowolony i nie wiadomo, o co mu chodzi, koszmar.

– Moi też nie lepiej. Kłócą się o politykę. Ojciec chce budować dom, matka nie chce. Nie do wytrzymania.

– Ty przynajmniej nie masz braci. Alek za dużo się uczy, Michał za mało. Michałek lata po pubach, a stary dąsa się z tego powodu po całych dniach. Dobrze, że mnie zostawia w spokoju, bo wiesz, mnie zawsze Paweł odprowadzi. A poza tym co on wie? Powkurza się za mój niewyparzony język i tyle. Najgorzej, że stresuje mamę. Nie tak, nie owak, zmęczony, sfrustrowany, ja nie mogę. Gdyby Paweł mi się tak stawiał...

– No, no, twój facet chodzi na dwóch łapkach. – Nina wyraźnie prosiła się o guza.

– Paweł? – zdziwiłam się, jakbym po raz pierwszy usłyszała jego imię. – Też się dąsa, o Erasmusa. Nina, chciałabym z nim jechać, ale on może dopiero na trzecim roku. Co poradzę? Mam ochotę jechać. – Spojrzałam na nią wyczekująco i doczekałam się jedynej słusznej reakcji:

– Dawaj komputer, poszukamy, jak to trzeba załatwić. Jedziemy i załatwione. Może jeszcze naleweczki?

– Czekaj, poczęstuję cię żołądkową gorzką. Dostałam od Mikołaja Michasia pod choinkę.

– Zdrowie Michałka! – Nina podniosła kielonek. – A ten twój brat to??? Masz zdjęcie?

– Młodsi cię interesują? Brzydal taki, patrz.

– No, no, nie taki brzydal znowu. A lubi „starsze panie"?

– Pogadamy, jak będzie pełnoletni.

– Czyli musisz jeszcze trochę poczekać.

– Jezu! Te bachory są już takie stare? A mnie się ciągle wydaje, że malują kolorowanki.

Rozgrzane alkoholem zaszalałyśmy w Internecie. HP-ek wydrukował instrukcję obsługi Erasmusa, która miała stać się dla nas ewangelią na najbliższe miesiące.

Po pierwsze: należy podjąć decyzję, że chcemy jechać (grudzień-styczeń, podjęta).

Po drugie: sprawdzić na stronie WWW naszego wydziału, jakie uczelnie są partnerskie (sprawdziłyśmy, są w Chorwacji).

Po trzecie: dokonać wyboru, gdzie chcemy jechać (wybrałyśmy, do Dubrownika).

Po czwarte: iść do koordynatora do spraw Erasmusa na wydziale (trzeba zidentyfikować gościa).

Po piąte: wysłać mejle do koordynatorów z wybranej uczelni z pytaniem, czy jest możliwość, żeby nas przyjęto (mamy taką nadzieję).

Po szóste: po otrzymaniu zgody na przyjazd wybrać takie przedmioty, by na semestr wypadło 30 ECTS.

Po siódme: wypełnić formularz zgłoszeniowy *on-line* oraz wniosek o skierowanie na studia zagraniczne (pikuś).

Po ósme: formularz, wniosek, podanie do dziekana o zgodę na wyjazd, certyfikaty językowe złożyć w dziekanacie do 19 marca 2011 oraz odbyć rozmowę kwalifikacyjną na wydziale. Po rozmowie (mamy nadzieję, że przebiegnie pozytywnie) znajdziemy się na liście osób zakwalifikowanych na wyjazd.

Po dziewiąte: ułożyć *learning agreement*, czyli listę przedmiotów, które będziemy studiować w Chorwacji z przynależnymi im punktami ECTS.

Po dziesiąte: uczestniczyć w jednym ze spotkań informacyjnych dotyczących wyjazdów na temat procedury wyjazdu, rozliczenia powrotu, ubezpieczenia.

Po jedenaste: koordynator wydziału lub dziekan do spraw studenckich wyśle do uczelni partnerskiej nasze dokumenty.

Po dwunaste: uczelnia partnerska odeśle list zapraszający (wow! w czerwcu dowiemy się, że jedziemy!).

Po trzynaste: wykupić bilet, Kartę Euro26 lub ISIC oraz EKUZ (Europejską Kartę Ubezpieczenia Zdrowotnego).

Po czternaste: zaliczyć semestr i zdać indeks do dziekanatu.

Po piętnaste: podpisać umowę w Biurze Programów Międzynarodowych, w której należy się zobowiązać do odbycia i rozliczenia pobytu w ramach Erasmusa.

Popatrzyłyśmy na siebie z ukosa. Widniejący na horyzoncie piętnastopunktowy tor przeszkód spowodował poszerzenie źrenic, ale tylko na chwilę. Ja pierwsza się odezwałam:

– Czuję się, jakbym już tam była.

– Myślisz, że nam się uda?

– A co się ma nie udać? We wrześniu jedziemy do Dubrownika.

WERONIKA
LUTY–KWIECIEŃ 2011

Nasz wydziałowy koordynator do spraw Erasmusa nie mógł się bardziej nieodpowiednio nazywać. Sylwester Wielgas nie był postawnym, pełnym radości z powodu początku karnawału mężczyzną, ale niedużym nerwowym facetem, którego wychudzoną twarz dopełniały wąskie, zgryźliwe usta.

– Dzień dobry, panie doktorze – skinęłyśmy głowami, wsunąwszy się do jego pokoju po usłyszeniu zdecydowanego „Proszę wejść!".

Wielgas spojrzał na nas z nieukrywaną niechęcią człowieka, któremu przeszkodziłyśmy w pełnieniu ważnej funkcji lub wykonywaniu równie istotnych zadań.

– Panie do mnie?

A do kogo, skoro w tym pokoju możemy zastać tylko pana, panie koordynatorze wybitny? – pomyślałam. No ładnie się zaczyna, sympatyczny, nie ma co.

– Tak, panie doktorze, my w sprawie Erasmusa – wyjawiłam

cel naszego wtargnięcia i żeby nie przeciągać sceny, wyrąbałam: – Chcemy wyjechać we wrześniu do Dubrownika.

– Widzę, że macie panie konkretne zamiary. – Kwaśny uśmieszek wykrzywił mu usta. – No dobrze, proszę usiąść. Skąd takie plany na pierwszym roku? Jesteście panie chociaż po sesji?

Lekcję odrobiłyśmy wcześniej. Wiedziałyśmy, że W. zasypie nas lawiną pytań, pragnąc zniechęcić do starań o wyjazd. W końcu po co sobie taki kłopot brać na głowę? Przeprowadzać rozmowy kwalifikacyjne, nie daj Boże korespondować z obcą uczelnią... Mamy siedzieć na pupie i się uczyć, to jest powinność studenta, a nie zawracać ludziom głowę fanaberiami. W. wszystko to miał wypisane na twarzy. My nic.

Z układnym służalczym i jednocześnie profesjonalnym uśmiechem przedstawiłyśmy konusowatemu Wielgasowi listę profesorów uniwersytetu w Dubrowniku, do których chcemy wysłać mejle z prośbą o zaproszenie, dołączając rejestr przedmiotów mających nam zapewnić trzydzieści punktów ECTS.

– Panie doktorze, w ramach przedmiotów obowiązkowych planujemy kurs języka chorwackiego, hiszpańskiego i angielskiego, a poza tym historię krajów bałkańskich, historię literatury chorwackiej, warsztaty dziennikarskie, edycję programów telewizyjnych i dziennikarstwo śledcze. To zapewni nam trzydzieści trzy punkty.

– Widzę, że się panie przygotowały – stwierdził niechętnie. – Ale z tego, co wiem, Chorwacja nie jest tania... – Z braku riposty na nasz perfekcyjnie opracowany plan studiów chwycił się ostatniej szansy.

– Wiemy, ale rodzice zdecydowali się pokryć niezbędne koszty.

– A jaką średnią macie panie po pierwszym semestrze? Na szczęście nie było się czego wstydzić. Dostałyśmy zgodę na aplikowanie o zaproszenie do Dubrownika, które okazało się mimo naszych obaw nieskomplikowane. Chcieli nas! Po niecałym tygodniu przyszły oczekiwane odpowiedzi z Zakładu Masowej Komunikacji na Wydziale Media i Nauki Społeczne Uniwersytetu w Dubrownikuuuu!!! Profesor Dobić chciał nas widzieć na Erasmusie. Po rozmowie kwalifikacyjnej z koordynatorem i prodziekanem, która okazała się bułką z masłem, mogłyśmy spokojnie kompletować garderobę na wyjazd i pilnować terminów wypełniania i wysyłania stosownych dokumentów w celu dopięcia wszystkiego na ostatni guzik.

Z radości poleciałyśmy do Focusa.

– Tylko nic nikomu na razie nie mówmy – klarowałam Ninie, która najchętniej stanęłaby pod pomnikiem Kopernika w centrum starówki i obwieściła całemu światu nasze plany. – Wiesz, strzeżonego... – Chyba się starzeję. Zaczynam jak mama przypominać sobie ludowe przysłowia. – W każdym razie nie zapeszajmy, okej?

– Dobra, powiemy po sesji. Ale będzie za...! Byłaś tam, powiedz coś.

– Kobieto, to jest raj – rozanieliłam się na wspomnienie rodzinnej wyprawy. – Dwa razy tam byłam i ciągle mam ochotę wracać. Z jednej strony góry schodzące do Adriatyku, z drugiej widok na morze, już sama nie wiem, czy niebieskie, czy zielone. Piniowe lasy, plantacje oliwek i to stare miasto, otoczone dwukilometrowym murem obronnym, a w środku wąskie uliczki, kupa zabytków, pałace, kamienice, knajpy w każdym domu. Wszystko z kamienia, kupa turystów, chorwackiego nie usłyszysz. Bosko! A jak ci się znudzi, to możesz odwiedzić sobie marinę z takimi jachtami, że milionerzy by się nie powstydzili. Jezu, nie wierzę, że tam jadę! Powiem ci, że bardziej mi się podoba niż Wenecja.

– Nie dołuj mnie. W Wenecji też byłaś?

– Na wycieczce szkolnej.

Zamyśliłam się. Pierwszy raz jadę na własny rachunek. Załatwiłam sobie i jadę. Choć w głębi duszy czułam, że pępowina nadal działa. Bo dlaczego wybrałam Dubrownik? Dlatego że mi się podobał? Z pewnością był super. Dlatego że stałam się cząstką wielotysięcznego międzynarodowego tłumu turystów chłonących atmosferę tego cudownego miejsca czy też gnana atmosferą książki, którą mama trzyma w pudełku po butach w swojej szafie i nigdy mi jej nie pokazała? Miałam do niej żal za brak zaufania. Tyle razy rozmawiałyśmy, wydawało mi się, szczerze, a nigdy nie wspomniała o swojej utkniętej w kącie szafy tajemnicy. Domyślać się to jedno, wiedzieć to drugie. Mama i tajemnice? Nigdy w życiu. Mami to pewność, czasami zrzędliwość, porządek, stabilność, wypady na pogaduchy, kolacja na stole, choinka na święta, obrona przed humorami taty, ale żeby tajemnice? Nigdy w życiu. A jednak. Pamiętam dzień, w którym skrzętnie skrywana książka wpadła mi w ręce. To było we wrześniu w trzeciej licealnej. Wybierałam się na imprezę z kumplami.

– Mami, pożyczysz mi swój czerwony szal?! – krzyknęłam, otwierając drzwi do sypialni rodziców. – Mami, słyszysz?

Na dole stuknęły drzwi.

– Alek, nie wiesz, gdzie jest mama?

– Wyszli.

– Aha – bąknęłam pod nosem, penetrując już zawartość maminej szafy.

Nie czułam się komfortowo, sama nie tolerowałam grzebania w moich rzeczach. Ale co ja mogę zrobić w sytuacji, gdy się spieszę, a oni sobie wychodzą? Gdzie ten szal? Nie włożyłaby go między swetry. Na półce z bluzkami z krótkim rękawem też nie leżał. Chyba nie między butami? Taki niby porządek, a jak człowiek chce coś znaleźć, to nie ma. Odsunęłam dwa polarowe kocyki, które razem kupowałyśmy w Pepco. Kosztowały po dziewięć dziewięćdziesiąt i były takie ładniutkie, że namówiłam mamikę na ich zakup. Jakie ładne! Kolorowe pastelowe paseczki, chyba jeden wezmę do siebie. Ile będą czekać na użycie? Rozwinęłam turkusowy, by przyjrzeć się mu dokładnie. Drugi osunął się na podłogę, ukazując krawędź pudełka po butach. Było szare, zmatowiałe, podobne do tego, w którym rodzice przechowywali zdjęcia. Chowają te zdjęcia po kątach, a czasami może by człowiek obejrzał. Rozejrzałam się wokół, czy przypadkiem moi braciszkowie nie kręcą się w pobliżu. Postanowiłam zamknąć drzwi, rzuciwszy w ich kierunku:

– Chłopaki, a gdzie rodzice poszli?

– Powiedzieli, że będą o dziesiątej – to niezawodny Alek.

Podniosłam wieczko pudełka. „Skoda, że ćebie tu ne ma" – na dnie leżała książka w czerwono-czarnej okładce opatrzona takim tytułem.

Powoli przewracałam kartki. Tekst był napisany po chorwacku, ale po półrocznej nauce języka mogłam go, choć z trudem, odczytać. Im bardziej zagłębiałam się w jego treść, tym bardziej mnie wciągał. Jak złodziej, który nie może odejść z miejsca kradzieży bezcennych brylantów, utknęłam na kolanach przed otwartą szafą, łapiąc chwile wolności przed aresztowaniem. Słowa, sczytywane z kartek, zwaliłyby mnie z nóg, gdybym stała.

– Zuza, dzisiaj nigdzie nie wyjdę – zbyłam moją kumpelę po raz kolejny dzwoniącą na komórkę. – Źle się czuję, przepraszam, jutro ci to wytłumaczę.

Matko! O co tu chodzi? Czy ja śnię? Czy to książka o mamie? Mojej mamie? Czułam, że nie zdążę przeczytać całości do przyjścia rodziców. Zamknęłam ją, przygładziwszy ręką okładkę. Gdy otwierałam drzwi do swojego pokoju, usłyszałam z dołu głos mamy:

– Ikuniu, jadłaś kolację?

ANNA
KWIECIEŃ 2011

Jestem zmęczona. Nogi nie chcą mnie wnieść na dwa stopnie dzielące ścieżkę od drzwi do naszego domu. W sumie remont by się już przydał. Ile w końcu ma już ta chałupa? Zaraz, trzynaście.

Całe szczęście, że postawiliśmy ją w szeregu identycznych klocków, co może nie wygląda zbyt pięknie, ale przynajmniej dwie ściany nam grzeją sąsiedzi. Ogródek przed domem mikroskopijny, prawie w całości wyłożony kostką upstrzoną gdzieniegdzie skalniakiem. Jeżeli można porównać jego powierzchnię do ręcznika, ten za domem ma wymiary najwyżej sporego koca. O ile Jerzy ma czasami zapędy do dbania o niego – kosi trawę i podcina krzewy – o tyle ja urodziłam się bez tych talentów. Lubię porządek, przyciętą murawę, wytrzebione chwasty i kwitnące kwiaty, ale nie chce mi się poświęcać całego wolnego czasu na pielęgnację ogrodu, tym bardziej że kilka lat temu musiałam zdrowo udzielać się w tej dziedzinie w Stępie, uprawiając wszystko, co da się zjeść i przetworzyć. Stara już jestem. Czy to możliwe? Ika często przyjeżdża na weekendy, zostawiając mi niewątpliwą przyjemność dbania o domowe ognisko, celebrowania rodzinno--towarzyskich okazji, starania się o wszystko i wszystkich. Szefowanie działowi gospodarczemu wydłuża mi czas pracy o kilka godzin. Poważnie myślę o zmianach. Może książkę jakąś napisać, tym razem dla dorosłych? Świetny pomysł, ale kiedy to zrobić?

Coraz częściej dochodzę do wniosku, że późno mieliśmy dzieci. Wcześniej się nie udało, nie wyszło. Ale nic to, to tylko zmęczenie, chwilowa niemoc. Rano wstanę, wskoczę na stepper, mojego stalowego przyjaciela zajmującego poczesne miejsce w piwnicy, wypiję kawę z ekspresu, ze śmietanką, koniecznie pierwsza musi być ze śmietanką, dla dobra żołądka, i walczymy. Samochód, korki, redakcja, problemy, gwar, gaszenie pożarów, czwarta kawa, telepanie serducha, napady gorąca, do widzenia, pani Krysiu, zakupy, kolacja dla rodziny, sprzątanie ze stołu, zapuszczanie zmywarki, kilka słów z Jerzym, zaganianie chłopaków do spania około pierwszej w nocy, a potem tylko rozmalowanie się i spanie, pomyślałam: s a p a n i e, co byłoby może bardziej zgodne z prawdą. Czy ja się już do niczego nie nadaję?

– Zapraszamy. – Ika otwiera mi zamaszyście drzwi, gdy z marnym skutkiem próbuję znaleźć w torbie klucz.

Oczywiście nigdy nie mogę na niego trafić. Cholerny klucz zawsze się gdzieś zadzieje. Okropne damskie torebki, diabła z rogami pomieszczą, a głupiego klucza nie można w nich znaleźć. Szlag mnie trafia, gdy wyjmuję po kolei trzynaście zmiętych chusteczek jednorazowych, dokumenty, wizytówki, o, tych nie brakuje, portmonetkę, rozrzuconą zawartość kosmetyczki, krople do oczu, szczotkę do włosów, kalendarz i Bóg wie co jeszcze.

– Czeeeeść – witam Ikę, uwolniona od dalszych poszukiwań. – Jest tata?

– Tak. Wchodź, daj torbę.

Jak przyjemnie, gdy ktoś otworzy ci drzwi, czeka.

– Mami, rozbierz się i zapraszamy do pokoju. – Ika przejawia niespodziewaną aktywność.

Michał zdejmuje ze mnie płaszcz, Alek gestem majordomusa pokazuje kierunek – salon.

– Zapomniałam o jakiejś okazji?

– O niczym nie myśl, niczym się nie martw. – Michał prowadzi mnie do stołu. – Przygotowaliśmy kolację.

Ika gromi go wzrokiem z przesłaniem: „Ty szczególnie!".

– Chcę wam, kochani rodzice, o czymś powiedzieć.

Córka sadza nas przy, o dziwo, zastawionym stole. Jest w ciąży? – myślę. Zmęczenie ucieka przepędzone przez niepokój.

– Jadę na Erasmusa. Do Dubrownika!

Nie jest w ciąży, ulga. Ale jeden niepokój ustępuje miejsca drugiemu. Do Dubrownika?! Boże, historia zatacza koło. Dwadzieścia lat temu. Już dwadzieścia?

Za wybuchem radości czai się jej niepewność, jak to przyjmiemy. Jerzy, rzecz jasna, nie poddaje się euforii, wypytując o szczegóły. Ika spokojnie tłumaczy mu, co i jak, wiedząc, że jego aprobata jest konieczna. W końcu chodzi o kasę.

– Siostra, ale będziesz miała gitesko! – wkręca się do rozmowy Michał.

– Co ty o tym sądzisz? – zwraca się do mnie Jerzy, odrywając od kłębowiska myśli.

Dlaczego wcześniej nic mi nie powiedziała? Nie ma do mnie zaufania, zaczęłam się oskarżać. Dlaczego wybrała Dubrownik? Jak to dlaczego? Bo studiuje bałkanistykę, to proste. A jeśli dorwała książkę Blaża? Niemożliwe, nigdy nie grzebie mi w szafie. A nawet jeśli? Stara sprawa, nic nieznaczący epizod i tyle. Przestań myśleć o sobie, myśl o córce. Przegnałam demony przeszłości.

– To pewne, Ikuś?

– Mamy z Niną zaproszenie, wyjedziemy we wrześniu, oczywiście po zdanej sesji.

Chociaż to dobre, że przyłoży się do nauki.

Jerzy zobowiązał się sprawę przemyśleć, widać jednak, że nie będzie stwarzał problemów. Na stół wjechał komputer z plikami zdjęć z naszej wycieczki do Dubrownika. O ile rodzinne zwiedzanie tego miasta nie obudziło wspomnień z mojej dziennikarskiej wyprawy, o tyle nabierający realnych kształtów wyjazd Weroniki spowodował obsunięcie się lawiny. Urodziłam Ikę, krótko potem chłopców, łatwo udało mi się zapomnieć. A podobno to kobiety są romantyczne. Widać nie wszystkie.

Spojrzałam na gromadkę moich bliskich, żwawo rozprawiających przy stole. Dorobiłam się fajnej rodzinki, niczego nie żałuję. Dlaczego zatem uwiera mnie myśl o pierworodnej wypuszczającej się nad lazurowe wody Adriatyku? Intuicyjne podążanie ku niespełnionemu?

Bzdura, nic nie wie. Przeznaczenie? Nadinterpretacja. Jestem głupia jak but, skarciłam się w myślach. Dorabiam ideologię. Po prostu spodobały jej się Bałkany, a ja to nieświadomie podsycałam. I dobrze, niech jedzie, w końcu to nie koniec świata. Jak zwykle przejmuję się na zapas, a nie ma czym. Posiedzi w fajnym miejscu, podciągnie język, same profity. A ty, pogroziłam sobie w myślach palcem, nie rozdrapuj przeszłości, a przede wszystkim nie przenoś jej na swoje dzieci.

– No, młodzieży, już po dwunastej. Stary ojciec chce się położyć. – Słowa Jerzego spadły niczym grudniowe igiełki deszczu, schładzając gorące myśli, które uciekły w popłochu i poczuciu winy. – Córka, zorientuj się, ile będziesz miała stypendium. Przeanalizujemy z mamą, czy stać nas na resztę. Ale myślę, że możesz planować wyjazd.

– Dzięki, tati! – Weronika pognała na górę odebrać komórkę. – Pa, mami!

Dzięki, tati. Pa, mami. No, dobrze, że Jerzy się zgodził i nie robił problemów. Mogę w spokoju pozbierać ze stołu.

WERONIKA
SIERPIEŃ 2011

Ala, zdejmij buty, zabrudzisz pokład! – Rafał powstrzymał Alkę przed zbezczeszczeniem osiemsetki Solin, którą wynajęliśmy w przystani Pod Dębem nad Jeziorem Nidzkim.

Za dwa tygodnie będę już oglądała Adriatyk z murów dubrownickiego Stariego Gradu. Teraz czeka mnie towarzyski rejs po Mazurach, który wymyśliliśmy z Pawłem na pożegnanie.

Pod koniec sierpnia nie było jeszcze tak tanio jak we wrześniu. Spodziewaliśmy się też stadek licealistów, spuszczonych z rodzicielskiej smyczy, ale oblegających tatusiowe jachty. Niestety, do Dubrownika wyjeżdżałam już na początku września, zatem ten termin na wynajęcie łódki odpadał. Skrzyknęliśmy się w trzy pary: Grzesiek z Alką, Rafał z Zuzą i my z Pawłem. Nasz jacht miał ponad osiem metrów długości i nosił bajeczną nazwę Venecja. Jego konstruktor chwalił się, że jest wygodny, stateczny i „dzielny". Mam nadzieję, że będzie dostatecznie dzielny, by bezpiecznie wozić towarzystwo, które do bardzo doświadczonych nie należało. Dziewczyny widziały w nim jedynie bardzo ładną sylwetkę i przestronne wnętrze, a i to, że w kabinie nie trzeba się schylać. Wrażenie zrobił kibelek, zawód sprawił brak prysznica.

– To gdzie ja będę myła włosy? – odezwała się Zuza inteligentnie. – Nie widzę też lustra.

– Matko! – Grzesiek, „doświadczony" żeglarz, rok po kursie, złapał się za głowę. – W jeziorze się wykąpiesz albo wykupisz mycie w porcie.

Spojrzeliśmy z Pawłem na załogę, której męska połowa ukończyła kurs w ubiegłym roku, a żeńska zastanawiała się, jak nie poślizgnąć się na pokładzie. Będzie się działo. Paweł przejął kontrolę nad naszą grupką żeglarzy.

– No, dobra, ludzie, przestańcie się kłócić. Słuchajcie mnie dokładnie: nikt nie włazi na pokład w butach, pokład myjemy parami, co dzień kolejna, rzyganie po zawietrznej, to znaczy z wiatrem, a nie pod wiatr. Ustalamy dyżury przy wynoszeniu kibla. Mężczyźni sterują, panie robią żarcie – uśmiechnął się zadowolony z dobrego dowcipu.

– To ja, Pawełku, mam inną propozycję – wtrąciłam się. – Od teraz ja jestem mężczyzną i steruję, a ty robisz żarcie.

– Tylko żartowałem, kochanie – odpuścił wobec mojej grzecznej prośby. – Przecież wiemy, że jesteś tu najbardziej doświadczoną żeglarką.

– Bez kpin, proszę.

– Pardon. Dawać rzeczy, będę je od was odbierać – zmienił temat.

– Zajmujemy dziobową! – olałam utarczki słowne i podałam Pawłowi nasze torby, by zarezerwować najlepsze miejsca.

– To my obok tej kuchenki, żeby mieć bliżej na dwór. – Ala wybrała miejsce w kambuzie, żeby miała bliżej do kokpitu. – A gdzie rzucić torby?

– Wsuń do hundkoi – wydałam dyspozycję. – To ta dziura pod kokpitem w końcu jachtu. Widzisz takie pomarańczowe? To są kapoki. Nie przywalaj ich! Jak je wyjmiesz, gdy będą potrzebne?!

Kompletna porażka z nimi. Nic nie wiedzą i jeszcze się wymądrzają. Trzeba ich było wysłać do SPA, tam poprowadzono by ich za rączkę i podano drinka.

– Ładny ten nasz jachcik, ale gdzie on ma żagle? – pogrążyła się ostatecznie Zuza.

– Kobieto! – nie wytrzymałam. – Ty żartujesz? W porcie ma mieć rozwinięte żagle? Zwinięte są, widzisz? Ten duży to grot, a mały – fok. Jutro je zobaczysz. I niech wszyscy uważają na bom, ten długi drąg, można nim nieźle zarobić w głowę. Teraz jest podciągnięty, ale w czasie pływania lata na wszystkie strony.

– Dziewczyny, przestańcie. – Paweł wyraźnie upatrzył dla siebie funkcję kapitana żeglugi szuwarowo-błotnej. – Rozstawmy stolik i „cztery piwka na stół i popielniczka pet" – zanucił szantę. – Jeszcze jedno. Pety wrzucamy do pustej puszki po piwie, a nie za burtę.

– Paweł, dosyć komenderowania! – Już mnie wkurzył.

– Będziesz wydawał rozkazy, gdy przejmiesz stery. Jeśli ci na to pozwolimy.

– I ty, Brutusie, przeciwko mnie? – łasił się niczym niedopieszczone kocisko. – Załoga, toast za rejs. Puszki w górę.

Ranek zastał nas z lekka zmiętych po wczorajszym opróżnieniu skrzynki piwa i lżejszych o dziesiątaka na głowę za kibel na przystani. To jest chore, żeby za jednorazowe sikanie płacić złotówkę. Ból.

Pokład, pokryty masą ziemi i igliwia naniesionych na butach z licznych wycieczek za potrzebą, trzeba było umyć. Los wyznaczył Grześka i Alę. Mieli niefart wyciągnąć zapałkę bez łebka. Paweł wziął się za ster, Rafał miał odcumować łódź, odepchnąć, wskoczyć i nie wpaść do wody. Z powodu strefy ciszy (nie wolno używać silnika) powolutku wypłynęliśmy na jezioro pchani przez zefirek. Udało się wciągnąć grot, zabraliśmy się za foka. Lepiej przywiało i Venecja skierowała się do leśniczówki Pranie, gdzie mieliśmy szczery zamiar się zatrzymać i odwiedzić miejsce letnich pobytów Gałczyńskiego.

– Matko, obijacze zwisają! Taki wstyd! – krzyknęłam, aż dziewczyny się poderwały. – Chować je, te niebieskie balony do ochrony burt.

– A co, stanie im się coś?

– Tobie się coś stanie, jeśli ich zaraz nie schowasz! – krzyknął Paweł zza steru. – Nie rozumiesz, że to wstyd pływać z obijaczami na wierzchu?!

Dopóki towarzystwo się nie nauczyło podstawowych zasad obsługi jachtu i nie ruszyło tyłków do roboty, dopóty bez przerwy się kłóciliśmy. Pranie zostało z boku, nikomu się nie chciało cumować przy kiepskiej kei, znowu zrzucać szmaty, naskakać się przy osprzęcie, by za piętnaście minut stawiać grot. A potem zawisnął nad nami landszafcik. Słońce świeci, wiatr wieje, a gdy przywieje, ścigamy się z innymi łódkami. Zaliczyliśmy Krzyże, cumowaliśmy w Karwicy, nawet pognaliśmy do Czapli. Pod koniec pobytu w nieopisanym tłoku przedarliśmy się przed śluzę Guzianka na Bełdany, by przedostatni nocleg w czasie rejsu zafundować sobie w Kamieniu. W drodze powrotnej halsowanie szło jak z nut: prawy foka szot luz, lewy foka szot wybieraj, popraw icka, chroń dziób, chroń rufę, zwrot przez sztag, zwrot przez rufę, uważaj na achtersztag, pilnuj topenanty – załoga chodziła jak w zegarku.

Ostatnie spanie na łódce, znajoma przystań Pod Dębem. Skrzynka napełniona piwem, na stoliku kanapki, chipsy... Dekadencja powrotów, schyłek lata. Pomyślałam o moim bliskim wyjeździe do Dubrownika. Paweł w doskonałym humorze, ludzie też rzucają dowcipami. Mają jeszcze miesiąc wakacji, ja ruszam za pięć dni.

– Chodź do nas, kochanie. Nie siedź taka zamyślona, sterniczko niezastąpiona – obudziłam się z odrętwienia, usłyszawszy głos Pawła. – Chłopaki, zaprosimy moją dziewczynę do klubu? – przypomniał scenę z „Pożegnania z Afryką".

– Czy pani da się namówić na porcyjkę piwa? – podjął temat Rafał.

– Dziękuję, tak – odpowiedziałam słowami Blixen.

Wychyliłam kilka łyków i demonstracyjnie zeszłam z pokładu, by pozostać w konwencji filmu.

– Co ty? Wracaj! – krzyki załogantów dopadły mnie w drodze do przystani.

– Zaraz wracam. Do toalety nie można już iść?

Fajny wypad, mimo że się nie zapowiadał. Jadę, zostawiam Pawła. Dobrze się trzyma, chociaż wiem, że nie w smak mu puścić mnie samą. Miało być inaczej, razem. Nie wyszło. Żeby go nie denerwować, esemesy od Niny starałam się odbierać na boku, a napastowała mnie bez przerwy. Co tam, to tylko pół roku. Pawełku, będę tęsknić, ale teraz nie mogę się już wycofać, choćby ze względu na nią. Nie zrobię jej tego.

Co ja gadam! Tak naprawdę to sama mam wielką ochotę jechać. Paweł, przetrwamy to jakoś i przyjedziesz do mnie.

– No, nareszcie. Gdzie ty byłaś?

– W świątyni dumania. – W przenośni i dosłownie, pomyślałam. – Ludzie, jak fajnie. Popatrzcie na księżyc. Musimy spotkać się tu w przyszłym roku – rzuciłam, starając się brzmieć optymistycznie.

– A może północne Mazury? – rzucił ktoś.

– Nie, środkowe. Śluzy Karwik jeszcze nie przerabialiśmy. Patrzcie, jak przeanalizowali mapę. Nawet wiedzą, gdzie jest Karwik.

– Nie smędzić – to głos Alki. – Puszeczki w górę.

Zaszumiało od gadania, piwa, księżyca nad Nidzkim. Smutno, że to już koniec. Nie, fajnie, że wyjeżdżam. Smutno, że zostawiam Pawła. Daj sobie spokój z tymi sentymentami, to do ciebie niepodobne – przemyka mi przez myśl.

– Chodźmy do ogniska, słyszę szanty – przerwałam towarzystwu nadciągający bełkocik.

– Idziemy do ogniska na kiełbaskęęęę! – Rafał już wybierał się na pomost.

– A masz kiełbaskę?

Poszperał po kieszeniach, wyciągając resztki drobnych. Kilka grosików wpadło mu do wody.

– Nie rozmieniaj się na drobne. – Ala podniosła pakę śląskiej wyciągniętą z kambuza. – Mamy zapasy.

Włożyłam do kieszeni paczkę mieszanki studenckiej – nie mogą zapamiętać, że jestem wegetarianką – i pognaliśmy do ogniska. Wymknęłam się z imprezy niezauważona. Śpiworek w dziobowej był ciepły i miękki.

WERONIKA
WRZESIEŃ 2011

Z Warszawy wyjechałyśmy ze dwadzieścia godzin temu, zostawiając za sobą dotychczasowe życie. Polska, Słowacja, potem zasnęłam, obudziłam się w Chorwacji, gdy nasz kierowca tankował.

– Nina! Jesteśmy w Chorwacji. Czujesz to?

– Czuję, że w Chorwacji bolą mnie nogi. Stopy mi napuchły.

– To daj je do góry. Ja tam lecę na fajkę. Nie wiadomo, kiedy będzie następna okazja.

Wyciągałam kolejne kanapki, które mama mi poutykała do wszystkich wolnych kieszeni torby podróżnej, ważącej chyba z pięćdziesiąt kilogramów. „Mami, w życiu tego nie zjem", opierałam się przed wyjazdem. Teraz nie mogłam znaleźć ani jednej. Może zostały chociaż snickersy albo bounty! Wszystko pochłonęłam w drodze.

Poleciałam do kosza na stacji benzynowej wyrzucić skórki mandarynek, opakowania po sokach i inne śmieci. Nina leżała na podłodze autobusu z nogami na siedzeniu.

– Wstawaj, ruszamy. Już tylko sto pięćdziesiąt kilometrów. Patrz i chłoń widoki. Z prawej Adriatyk, z lewej góry. Cudo!

Nina zebrała swoje grzeszne ciało i przykładnie usiadła na fotelu.

– Patrz! – złapałam ją za łokieć. – Zaraz będziemy mijać Drvenik, skąd z rodzinką płynęliśmy promem na Hvar. Za kilkadziesiąt kilometrów przejedziemy przez terytorium Bośni i Hercegowiny, trzeba przygotować paszporty.

Nina tylko kręciła głową z pełną akceptacją. Mnie ruszały znajome widoki. Będę studiować w Dubrowniku! To nie może być prawda! Rozumiem, wakacje, wycieczki, zwiedzanie, ale żeby pół roku w tym mieście! Małe dwie godzinki i zostawię za sobą wszystko, rodzinny kołowrotek, wyjazdy do Torunia, znajomych, Pawła. Od przekroczenia polskiej granicy nie odpowiadałam na jego esemesy. Wiadomo, kosztują. A, co tam. Zaproszę go do siebie, nie można mieć wszystkiego naraz. Mimo wszystko czułam się niemal jak zdrajca, egoistka mająca na względzie jedynie własne dobro. A skąd mam wiedzieć, czy gdyby on miał taką okazję, toby nie skorzystał? No. Też potrafi się postawić i nie zawsze mnie wspiera, podbuntowałam się w myślach. Wątpliwości rozmyły się w lazurowej toni Adriatyku. Ogarnęło mnie zmęczenie.

– Ika, obudź się. – Głos Niny przedarł się przez senne marzenia. – Dojeżdżamy!

Autobus zakończył ponaddwudziestodwugodzinną trasę. Mimo zbliżającego się wieczoru na dworze czuło się podmuch ciepła. Wyszłyśmy na zewnątrz, pochłaniając okoliczne widoki. U góry rozpościerał się obraz Stariego Gradu.

– Nina, masz komórkę do Buddy? – natychmiast otrzeźwiałam po podróży.

– Czy to wy jesteście z Polski? – zapytała nas czarnowłosa dziewczyna. – Jestem Nikolina. Jak podróż?

– Okej. Weronika, Nina – przedstawiłyśmy się. – Wyglądamy jak Polki?

– Poznałam was po bagażach. Chodźmy, zaprowadzę was na kwaterę.

Dotarłyśmy na ulicę Sv. Durda, gdzie mieściło się nasze lokum. Boże mój, ulicę dochodzącą niemal do głównej bramy Stariego Gradu, w samym centrum Dubrownika. Cudo! Prywatna kwatera u Chorwatów wynajmujących pokoje studentom.

– Będzie wam odpowiadało? – Nikolina starała się być uczynna.

– Jeszcze jak! – Nasze miny zdradzały emocje.

– Wiecie, że to kosztuje dwa tysiące czterysta kun?

– Tak.

– Rozpakujcie się, wypocznijcie po podróży. Jutro zapraszam do Student Centre. Dam wam wizytówkę, Kralja Tomislava 7. To niedaleko, można przejść piechotą, dowiecie się wszystkiego. Aha, i na razie nic nie płaćcie. Jutro zapraszamy na spotkanie studentów Erasmusa, wszystko wam wytłumaczymy. Macie co zjeść?

Na widok naszych niepewnych min zadziałała:

– Tanio jest w centrum handlowym SR przy Obala Stjepana Radicia. Zjecie za niecałe dwadzieścia kun. Macie kuny?

– Nie bardzo.

– Pożyczę wam sto. Macie mój telefon i do zobaczenia w Student Centre o dwunastej. Rozumiemy się?

– Tak, dobrze się rozumiemy. Dziękujemy.

– *Dowidenja.*

– *Dowidenja.*

– Ty, ja ją rozumiałam – stwierdziła Nina, gdy Nikolina opuściła nasz pokój.

– Ja też – dodałam.

Rzuciłyśmy się na łóżka.

– Wygodne, co? – Nina spojrzała na mnie z diabelskim uśmieszkiem.

– Nooo. Ika, jesteśmy tu. Dasz wiarę?

Po krótkiej wojnie poduszkowej nabrałyśmy apetytu.

– Olać układanie rzeczy w szafach! Chodź na fajkę na taras. Mamy taras! Wstawaj z wyra, patrz, jaki widok! – Nina wyraźnie się ocknęła po podróży.

Wyszłyśmy na balkon. Musiałabym być poetką, by opisać, co ujrzałam. Zobaczyłam spokojny Adriatyk, wyspy na horyzoncie, z boku kamienne mury Stariego Gradu. Czad, po prostu czad! Z obręczy zachwytu wyrwał mnie sygnał komórki.

– A, cześć, mamuś. Dojechałyśmy szczęśliwie, jesteśmy w kwaterze. Tak, czuję się dobrze. Kanapki zjadłam. Jest super. Idziemy na kolację. A co u was? Jak tata? Co

u chłopaków? Nie kpię sobie, tylko pytam, mami... O Boże, czym ty się martwisz? To jest najlepszy krok w moim
życiu. Paweł z tobą gadał??? Nie denerwuj mnie! Mami,
naprawdę wszystko jest w porządku, a Pawła zostaw mnie
i się tym nie przejmuj. Słuchaj, mami, tu jest pięknie, nie
może być lepiej. Będę dbała o siebie, tak, włożę czapkę
i szalik. Mami, tu jest dwadzieścia pięć stopni, ale jeśli
chcesz, włożę szalik. Ja też całuję. Do usłyszenia. Pa, mami.

ANNA
WRZESIEŃ 2011

Odwiozłam Weronikę do autobusu. Były razem z Niną. Nina przyjechała z Olsztyna. Miały duże torby. Nie potrafiłam myśli ubrać w słowa. Kwadratowe słowa, kanciaste myśli. Proste zdania. Zamęt. Weronika wyjeżdżała do Dubrownika. Udawałam, że wszystko jest w porządku.

– Pamiętaj, córuś, daj znać zaraz po przyjeździe. Pogoda dobra, powinnyście mieć bezpieczną podróż. Wychodźcie na przystankach rozprostować nogi. Nie wyłączaj komórki i dzwoń. Nie martw się kosztami.

Gadałabym jeszcze więcej, gdyby nie zbliżająca się godzina odjazdu.

Pomachałam na pożegnanie, Ika odmachała, zadowolona, szczęśliwa, pełna nadziei. Autokar odjechał zgodnie z rozkładem, prowadzony przez dwóch kierowców w białych koszulach z niebieskimi krawatami. Moja córka pognała na południe, podążając tropem swojej matki sprzed dwudziestu lat.

Kobieto, jaka ty jesteś głupia, dyscyplinowałam swoje myśli. Jakim twoim tropem? Dzieciak korzysta z Erasmusa, a ty jechałaś na ryrę, na wojenkę. Stare dzieje. Dla dzieci prehistoria, dla mnie bumerang. Poczułam się głodna. Czas wracać do domu robić kolację dla rodziny. Już tam pewnie przedeptują.

– Lucynka – wykręciłam znienacka numer. – Masz ochotę na drinka w Almie?

Wybrałam knajpkę niedaleko domu, żeby pozbyć się samochodu. Za niecałe pół godziny siedziałyśmy w przytulnym wnętrzu urządzonym w stylu śródziemnomorskim. Nie wiem, jak ona to zrobiła, ale stawiła się na nagłe wezwanie. Stolik przy oknie był wolny, czekał na nas.

– Co się dzieje? Przecież dziś wtorek? – spytała, zaniepokojona moim niespodziewanym zaproszeniem.

– Wtorek dobry jak każdy inny dzień. Nic się nie dzieje. Po prostu chciałam się z tobą zobaczyć i mam ochotę na White Russian – tłumaczyłam się niezgrabnie, robiąc dobrą minę do nieco gorszej gry. – Dobra, mam chandrę. Ika wyjechała dzisiaj na pół roku do Dubrownika.

– Wiem. I to jest powód do chandry?

– Czy wybrałyście już panie? – wtrącił się do rozmowy kelner.

– To co zawsze, Lucynko?

– Może być.

– Po dwa razy pappardelle z łososiem i White Russian – zamówiłam. – Aha, do drinka mleko zamiast śmietany. Dziękuję.

– Widzę, że masz napad głodu. Niedobrze z tobą – przeszła do rzeczy Lucyna. – Gadaj.

– Martwię się tym wyjazdem Iki.

– Dojadą! Pogoda dobra, nie obawiaj się.

– Nie o to chodzi. Czuję się w jakimś stopniu winna temu jej zainteresowaniu Bałkanami. Starałam się nigdy nie robić z nich fetyszu, choćby z uwagi na Jurka, ale mam wrażenie, że najbardziej skrywane emocje i tak znajdą ujście.

– Ale o co tobie chodzi, dziewczyno?! – Lucyna spojrzała na mnie z rezygnacją. – Powinnaś być zadowolona, że córka idzie w twoje ślady. Podoba jej się to co tobie, jeszcze może zostanie dziennikarką!

– Boję się, że ona będzie chciała tam zostać, że za bardzo jej się spodoba.

– Czarnowidzka. – Lucyna jak zawsze bagatelizowała wszelkie wątpliwości. – Popijaj i zakąszaj – wskazała na sałatkę, która tymczasem wjechała na stół – będziesz łatwiejsza. Bo coś czuję, że z ciebie się robi stara zrzędliwa baba.

Ma rację. Robię się nieznośna. Zaczynam żyć życiem dzieci. Martwię się jedynie napełnianiem koryta domownikom, a gdy próbują działać samodzielnie, staram się zasiać wątpliwości. Jestem starą babą, która będzie teraz rozpamiętywać zamierzchłe czasy i przypominać sobie minione romanse. Bez sensu, przecież nic już nie czuję do Blaża, a wymiana listów od czasu do czasu jeszcze nikomu nie zaszkodziła.

– Możemy prosić o to samo? – wskazałam kelnerowi

na puste kieliszki. – Jerzy? – odebrałam komórkę. – Tak, Ika odjechała planowo. Teraz jestem z Lucyną w Almie, posiedzimy. Zróbcie sobie kolację. Masło? Jest tam, gdzie zawsze. Weźcie szynkę i pasztetówkę wędzoną kupiłam. Z psem byłam około czwartej, niech któryś z chłopców wyjdzie. No to pa. To Jerzy.

– Na tapczanie leży Jerzy i czeka na kolację, bo mu się należy – zadowolona ze swojego dowcipu Lucyna roześmiała się trochę za głośno.

– Głupia jesteś.

– A ty robisz z siebie gejszę.

– Wiesz, co ci powiem? Musimy zacząć myśleć o sobie. – Trzeci drink rozjaśnił mi umysł. – Chłop cię zgnębi, a brak chłopa... też cię zgnębi. Dobrze mówię?

– No to jak w końcu? Dobrze, że Ika wyjechała, czy nie? – zadała sakramentalne pytanie Lucyna. – Bo ja to widzę tak: z jednej strony „baba z wozu, koniom lżej", a z drugiej „pańskie oko konia tuczy". Co ty na to?

– W sumie... sama nie wiem. Poczekamy, zobaczymy.

Wieczór wypadł wyśmienicie. Lucyna zawsze potrafi mnie odprężyć, a razem z White Russian radzą sobie znakomicie.

WERONIKA
WRZESIEŃ 2011

Nikolina zjawiła się po nas około dziewiątej. Dobrze, że udało się wstać po czwartym dzwonku komórkowego budzika i nie przyjąć jej w nocnych koszulach. W pokoju jeden wielki, delikatnie mówiąc, nieporządek. Pospiesznie wpychałyśmy rzeczy do toreb, próbowałyśmy ulokować narzuty na tapczanach.

– Nie denerwujcie się. – Budda wzięła nasze nieskoordynowane działania za niepewność wynikającą z nowej sytuacji. – Jak spałyście?

– Wspaniale i trochę zbyt długo... Usiądź, może na tym krześle, już zabieram rzeczy – próbowałam pełnić honory gospodyni.

– Spokojnie, przygotujcie się, jest czas. – Nikolina skorzystała z zaproszenia. – O dziesiątej mamy spotkanie erasmusowców na wydziale. Wszystko wam powiemy, jak i co, gdzie jeść obiady, robić zakupy, przedstawimy was wykładowcom. Dostaniecie kasę z dotacji i będziecie mogły zapłacić za stancję. Na razie jeszcze nie będziecie się umawiać na zajęcia, przynajmniej nie dzisiaj. Po południu wszyscy przejdziemy się po Dubrowniku i będziemy się integrować. Gotowe?

– Tak, możemy iść. – Nina obciągnęła sweterek. – A ty?

– Ja też. Moment, nie mogę znaleźć komórki. – Wrzuciłam do torebki pomadkę, długopis i kartkę. Telefon po chwili też się znalazł.

Wskoczyłyśmy do autobusu i za chwilę wysiadłyśmy na Ćira Caricia. Jednopiętrowy budynek przypominający raczej pensjonat dla turystów, od północy widok na zatoczkę, dookoła białe okna z okiennicami w różnych odcieniach Adriatyku. W holu kłębił się tłumek pewnie takich jak my. Wzięli nas do niedużego pomieszczenia pod tytułem Aula i dowiedzieliśmy się, że każdy z nas dostanie po 300 euro dotacji, że możemy zjeść 60 dofinansowanych posiłków miesięcznie w restauracji IVKA, Maestoso lub bistro RIVA po 7 kuna (normalnie kosztuje 19,30, ale uczelnia dopłaca 12,30; nieźle!), że arbuz kosztuje 4 kuna za kilogram (w sumie... lubię arbuzy), gałka lodów 5, piwo Adria w dwulitrowej plastikowej butelce 15,5 (mniej więcej 7,5 zł za dwa litry, to wychodzi jakieś 1,9 zł za pół litra), prezerwatywy Durex w markecie Kerum 18,40, 10 jajek 15,49 (drogo!), wódka 0,7 litra w Konzumie 50 (ponad 25 zł, nie najgorzej), chleb 7 kuna (niemało, bo 3,5 zł, u nas było taniej). Notowałam jak oszalała, przeliczając w głowie kuny na złotówki, czyli dzieląc mniej więcej na połowę.

– Nie jest źle, bankructwo nam nie grozi – zapodałam Ninie wnioski z rachunków.

– Słuchaj dalej, pani Weroniko. Mówią o dokumentach do karty studenta.

Po dwóch godzinach nasiadówki z pustym brzuchem tęsknie wyczekiwałyśmy wyprawy do marketu, by sprawdzić ceny osobiście.

– Mamy dobre wyniki w wioślarstwie, zapraszamy do ćwiczeń – reklamował z podium chorwacki student. – Organizujemy Semper Primus, największe studenckie mistrzostwa Europy w wioślarstwie.

– Słyszałaś? – Nina kuksnęła mnie w bok.

– Coś w Europie – powtórzyłam ostatnie zasłyszane słowo. – Patrz, jakie mają tanie piwo.

– Kobieto!!! Nie zajmuj się piwem. – Nina puknęła się w czoło, wyrażając dezaprobatę dla moich zainteresowań. – Patrz na ten męsko-wioślarski okaz, co teraz gada. Ja nie mogę!

– Noo, niezły. Nie jestem w temacie. A o co chodzi?

– Mówi, że mają tu jakieś zawody wioślarskie, można zacząć trenować. Chcesz trenować wioślarstwo?

– Źle się czujesz?

Spojrzałam na Chorwata, który kończył gadkę, puściwszy oko do sali. Odgarnął z czoła niesforny kosmyk czarnych włosów, podnosząc jednocześnie prawą dłoń w geście „niech moc będzie z wami".

– Może i się wezmę za to wioślarstwo, Nina...

– Cała ty. – Nina machnęła ręką. – Reagujesz jak facet, gdy mu się spodoba babka.

– No, już widzę faceta, który leci za laską do zakładu kosmetycznego albo do kuchni. Ale przystojniak z niego.

– O, tak. Dobrze trafiłyśmy. I dobrze, że Pawła nie zabrałaś. Z drzewem do lasu...

– Nie przypominaj mi! Muszę do niego wysłać esa. Już się pewnie denerwuje. – Nacisnęłam na klawisze komórki.

– O osiemnastej przy studni Onufrego – usłyszałyśmy na zakończenie spotkania.

Krzesełka zaczęły szurać, nad głowami uniósł się szum rozmów. Przesunęłam nogi, by przepuścić kogoś przeciskającego się między rzędami. Wyłączyłam komórkę. Nina gadała z ryżawym blondynem, którego natura zapomniała obdarzyć brwiami. Sztywna atmosfera początku zebrania organizacyjnego zaczęła ustępować miejsca luźniejszej konwersacji. Ludzie rozeszli się w grupkach narodowych. Co bardziej ambitni mieli jeszcze pytania do gospodarzy. Rozejrzałyśmy się w poszukiwaniu rodaków. Nikogo poza nami nie było.

– Okej. Lecimy do Konzumu – zadecydowałam. – Nina!

– Poznaj Stiega, jest ze Szwecji.

Ryżawy blondyn podał mi rękę.

– Cześć. – Uścisnęłam jego potężną dłoń. – Fajnie cię poznać, jestem Weronika. Będziesz przy Onufrym? – próbowałam przerwać Ninie pogawędkę. – Bo my teraz idziemy coś zjeść.

– Będę, spotkamy się na pewno.

– Co ty taka w gorącej wodzie kąpana? – Nina wsiadła na mnie po odejściu ryżego. – Spieszymy się gdzieś?

– Wyluzuj, jeszcze go zobaczysz. Jeść mi się chce. No, no, ledwo oczy przymknę, a ty już wyhaczasz faceta.

– Wiesz co, Ika. – Nina spojrzała na mnie z politowaniem. – Z pustym brzuchem robisz się zrzędliwa. Zajmij się lepiej swoim wioślarzem.

– A żebyś wiedziała.

– Żeby Paweł widział.

– Za mądra to nie jesteś.

– Ty też.

– No to sobie pogadałyśmy – podsumowałam. – Lećmy do Konzumu, bo padnę z głodu niczym ludy Trzeciego Świata po klęsce suszy.

Mimo ambitych planów uwarzenia obiadu z prawdziwego zdarzenia, co dla Niny oznaczało ziemniaki, mięso i surówkę, a dla mnie jajecznicę z pomidorami (zrezygnowałam z powodu gigantycznej ceny jajek), zdecydowałyśmy się na maksi maca z colą. Było smaczne. Żołądki pełne, zero zmywania, mnóstwo czasu na poobiednią drzemkę przed wieczornym zwiedzaniem Dubrownika.

Zrobiłyśmy zakupy na rano. Chwała Bogu, że nie jadam kiełbasy, bo nawet Ninie wydała się nieapetyczna – salami niby z osła, a tak naprawdę z owcy czy kozy. Ostatecznie zaopatrzyłyśmy się w bułki, masło (słone i drogie), twarożek, niestety nie tak dobry jak u nas, żółty ser i pomidory, które wydawały się stosunkowo tanie – kilogram za pięć złotych. Na szczęście nie musiałyśmy kupować wody – dobra leciała z kranu. W poczuciu radzenia sobie w sytuacjach ekstremalnych odespałyśmy autobusowe niewygody.

Mimo wrześniowego popołudnia wiaterek znad Adriatyku otaczał niczym jedwabna chusta. Słońce składało się do snu, opuszczając miasto powoli, z nadzieją na spotkanie kolejnego dnia. Oparłyśmy oczy na wyspie Lokrum i zalewie Żupy Dubrownickiej. Gdzieniegdzie pojawiały się białe żagle jachtów szukających drogi do przystani w obawie przed wieczorną flautą. Pod balkonem kwitł krzyczący feerią barw krzew oleandra wciśnięty między mirty. Przydałoby się poczytać przewodniki, pomyślałam. Coś wiem, ale i tak bardzo mało. Podobno rośnie tu szałwia, rozmaryn, tymianek? Choćbym zobaczyła je na skwerze, i tak bym ich nie rozpoznała.

– Idziemy? – Nina była gotowa. – Ile będziesz się przyglądać?

– Kończę esika do Pawła. Poszło. Mam nadzieję, że...

– Ja też mam nadzieję, pani Weroniko! – Nina weszła mi w słowo.

– Chyba nie rozumiem.

– Że będzie fajny wieczorek zapoznawczy! No, nie patrz tak. Zaczarował cię Adriatyk? Idziemy na imprezę!

Pokręciło mi się w głowie. Jasne, przecież idziemy na imprezę. Widoki widokami, ale impreza imprezą. W drogę więc.

WERONIKA
WRZESIEŃ 2011

Już sama miałam do siebie pretensje o te zachwyty, które wyrywały się z ust na każdym kroku. Kobieto, to nienormalne. Tu jest bosko, ale przyjechałaś na studia, a nie na wycieczkę.

– Jest bosko! – Nina wbiegła na zwodzony most prowadzący na Stari Grad.

Druga nie za mądra. I jeszcze robi wstyd.

– Jest cudnie, Ika. Jest pięknie! Patrz, jakie to wszystko stare.

– Bardzo mądre stwierdzenie. – Rozejrzałam się, czy wokół nie ma Polaków.

Po godzinie już wiedziałyśmy, wyedukowane przez kolegę vodiča, że mury wokół miasta powstały w dziewiątym wieku. Ich wysokość w niektórych miejscach sięga dwudziestu pięciu metrów, a szerokość – sześciu. Minęliśmy wieżę z renesansowym łukiem i rzeźbą świętego Błażeja, patrona Dubrownika, potem jakiś klasztor, nie pamiętam pod czyim wezwaniem, chyba świętej Klary, i na podwórzu znaleźliśmy się na naszym miejscu spotkania. Nareszcie! Wielka fontanna Onufrego, która ciągnęła wodę dla piętnastowiecznych mieszkańców Dubrownika prosto ze źródła. Ale dla nas najważniejsze jest to, że otwiera wyłożony kamieniem deptak, nazwany przez miejscowych Placa, a przez Wenecjan, stacjonujących tu czasowo w dwunastym wieku, pogardliwie Stradum (uliczysko). Obecne, niemożliwie po deszczu śliskie, ulice, wyłożone błyszczącym w słońcu kamieniem zostały wyłożone po trzęsieniu ziemi w końcu siedemnastego wieku, gdy całe miasto legło w gruzach. – Może dosyć na dzisiaj? – nasz vodič, niezły gaduła, dał nadzieję na oddech. – Co byście powiedzieli na integrację w jakimś nastrojowym miejscu?

– Jeść, pić? – tłumek zaszumiał wielojęzycznym głosem.

– Jak dzieci, za rączkę i do knajpy – podsumowałam.

– Swoją drogą, Nina, mam na dzisiaj dosyć zwiedzania. Myślę o wodopoju.

– Czyżby? Coś by się wypiło, ale żeby od razu truć się wodą z któregoś tam wieku? Sorry.

– Idziemy, tam jest wszystko. – Krsto zagarnął erasmusowy tłumek ręką. – *Go.*

Była nas spora grupka i przytulne wnętrza starigradzkich knajpek nie miały szans pomieścić wszystkich, za to zdrowo wywiałyby kasę.

Ryży Skandynaw dziwnym trafem wciąż znajdował się przy Ninie. Kurczę, ta to ma fart. Już podłapała absztyfikanta. Co prawda nie podobał mi się jego uśmiech, zadowolonego z siebie pewniaczka, ale chłop to zawsze chłop. Krsto pędził wąską uliczką w stronę bramy, ciągnąc za sobą kilkudziesięcioosobowy sznurek umęczonych erasmusowców, mających do pokonania ze sto pięćdziesiąt stopni w górę. Nic dziwnego, że ma kondycję. Też bym miała, biegając tędy codziennie raz w górę, raz w dół. Już się wydawało, że osiągnęliśmy szczyt, ale to nie był koniec drogi. Jakieś niecałe pół godziny później stanęliśmy przy Frana Supila, przed drzwiami największej dubrownickiej dyskoteki. Ciekawe, jak wrócimy, przeszło mi przez myśl. Chyba jednym z tych wszechobecnych skuterów, zawsze znajdujących drogę w korkach.

Dyskoteka jak dyskoteka – kolorowa, błyszcząca kula pod sufitem migająca milionem światełek – ale za to widok imponujący. Na dole ścianę wypełnia chyba fototapeta morza, wysepek i jachtów. Mamo, żagielki się ruszają!

Napaśliśmy oczy, trzeba było pomyśleć o żołądkach.

– Coś mi się wydaje, że na wykwintną kuchnię wybierzemy się później. – Nina jak zawsze gra rolę mistrza ciętej riposty. – Teraz może pizza?

– Kochani, nie będę dłużej was zanudzał. Idziemy do baru, zamawiamy, co chcemy – próbował przekrzyczeć szum głosów Krsto. – Radźcie sobie i dobrej zabawy. I jeszcze jedno, dziś mamy muzyczny wieczór 1992. Wielu z was wtedy się urodziło. Zatańczcie do piosenek, których słuchali wasi rodzice, gdy wy jeszcze pływaliście w wodach płodowych.

Nikt go nie słuchał. Piwo wyjechało na stoły. Po dwóch kolejnych pierwsze osoby wybiegły na *dance floor*. DJ rzucał nazwiska wykonawców i tytuły piosenek. Czasem udawało mi się w ogólnym zgiełku i wesołości któreś wyłapać.

– Całkiem taneczne te kawałki – zagadnęłam Ninę, a ona spojrzała na mnie przepraszająco, uciekając właśnie pląsać ze Stiegiem.

– Skąd jesteście? – zagadałam do dwóch spokojnych dziewczyn siedzących obok i sączących piwo z sokiem. Co za profanacja!

– Renée. – Pierwsza wyciągnęła rybią dłoń.

– Beatrice.

Ta na szczęście miała mocniejszy uścisk.

– Z Francji. – Beatrice wydawała się śmielsza.

– My z koleżanką z Polski.

– Wiemy, Varsovie!

– Tak, mieszkam w Warszawie. A wy?

– Pochodzimy z Saint-Renan. To takie niewielkie miasteczko w pobliżu Brestu. W Breście studiujemy.

– Byłam z rodzicami w Breście. Pamiętam piękne plaże, wysokie brzegi i dom, w którym straszyło.

Dziewczyny były zachwycone moimi konotocjami z Brestem, ja, że wiedzą, gdzie jest Warszawa. Pogadałyśmy łamaną angielszczyzną z francuskim akcentem, ile się tylko dało.

– No, chodź tańczyć, smutasie. – Rozbawiona Nina próbowała odciągnąć mnie od szklanki piwa.

– Zaraz, puszczę esa do Pawła.

– Co? Jesteś niezadowolonaaa? – Stieg nie dał jej dokończyć zdania.

A co tam.

– Idę do baru, przynieść wam coś?

Pokazały, że nie.

SMS do Pawła: „Jestem z grupą na kolacji zmęczona zwiedzaniem. Ogólnie się rozkręca. A co u ciebie?".

SMS od mamy: „Iku, nie dajesz znać. W porządku? U nas codzienny zamęt, ale w piątek idziemy do Staszków na brydża. Nadzieja. Kocham cię, córuś, daj znać".

SMS, to Paweł: „Wyskoczył mi fajny wieczór, ale pewnie twój jest lepszy. Może mi się trafi jeszcze jeden wyjazd na Mazury. Całuski".

Brydż, Mazury, jak się zakręcili beze mnie. A ja tu piję jakieś drogie piwo i przyglądam się stadu nawiązujących kontakty napaleńców. Nie może być. Zachciało mi się ryczeć.

– Karlovačko raz – zapodałam.

Kelner sięgnął po kija.

– Nie, wezmę drinka. Orahovica z wodą. Nie lej jeszcze! Bez wody.

Zaśpiewała Wynonna Judd, wprowadzając salę w wir muzyki country. Oj, znałam to dobrze, mami nieraz puszczała, wkurzając mnie nieźle tymi rytmami. Pewnie przypominały jej hippisowskie czasy. Niee, uświadomiłam sobie nagle. Przypominał się jej pobyt w Chorwacji. Wow! Ale odkrycie.

– Daj jeszcze jedną orahovicę, pliz.

Kelner napełnił kielonek, spoglądając mi w oczy.

– Fajna z ciebie laska. Sama?

– Chwilowo.

Taki policzek. Sama. Połknęłam orzechówkę (dużo nie było, na dno ledwo leją) i poszłam na parkiet. Wreszcie zrobiło mi się dobrze. Demony zniknęły wchłonięte przez wirujący tłum. Zapamiętałam się w tańcu. Podniosłam włosy, pozwalając im falować, dałam się porwać rytmom. A co tam! Ważne, żeby było dobrze. Teraz się bawimy.

– Myślałem, że już nigdy nie wyjdziesz tańczyć – czyjeś słowa wyprowadziły mnie z transu.

Otworzyłam oczy. Matko, stał przede mną ten wysoki, z ciemnymi, długimi do ramion i falującymi włosami. Chorwat od zawodów wioślarskich.

– Dobrze się bawisz?

Szum w głowie pomógł mi odzyskać rezon.

– A nie widać?

– Zatańczymy? – Nie dawał za wygraną.

– Przecież tańczymy.

Na dobre mi odbiło, żeby tak się odzywać do przystojniaka.

– Jestem Lovro – przedstawił się. – Słyszałem od kogoś, że Polki są piękne, ale teraz mam okazję się o tym przekonać.

Poleciała jakaś ballada Mary Carpenter czy Johna Andersona. Takie tam starocie. Mój Chorwat (pomyślałam tak o nim; o dżisus!) delikatnie przyciągnął mnie do siebie i tańczyliśmy.

– Skąd wiesz, że jestem z Polski?

– Wiem. Jestem waszym opiekunem. A poza tym byłaś dzisiaj rano na uczelni. Swoją drogą lubisz wiosłować?

– Raczej żeglować.

– Rozumiem, żeglarze nie są zadowoleni, gdy muszą wiosłować.

Był dowcipny, chwali mu się. Faktycznie puścić w ruch pagaje to nic przyjemnego.

– Usiądźmy, kręci mi się w głowie – poprosiłam.

Nina przepadła ze Skandynawem, orzechówka rozsadzała czaszkę.

– Odwieźć cię? – Lovro zauważył chyba moją niedyspozycję.

– Nie piłeś?

– Przyjechałem skuterem, nie piłem.

Rozejrzałam się za Niną. Nie wydawała się chętna do wyjścia, a zresztą na skuterze są tylko dwa siedzenia. Niech sobie idzie ze swoim ryżym na piechotę.

– Wiesz – powiedziałam Lovrowi na pożegnanie – kpiłam, że wrócę do domu skuterem, i nieoczekiwanie się spełniło?

– Dobranoc, Weronika, do jutra.

Może mi się wydawało, ale spojrzał na mnie tak...

Jestem zmęczona i chyba podchmielona. Otworzyłam okno, a na dworze ciągle ciepło. Z oddali dochodził szum Adriatyku.

WERONIKA
WRZESIEŃ 2011

Orientation week, tydzień przeznaczony na wzajemne poznawanie siebie, Dubrownika i okolic, dobiegał końca. Trzeba przyznać, że miejscowi studenci zajęli się nami z dużym zaangażowaniem. Oprowadzili po uczelni, pokazali trzy knajpki, w których mogliśmy jadać posiłki za pół ceny, przegonili po zabytkach starówki i zasugerowali, gdzie można się fajnie integrować wieczorową porą. Dni schodziły głównie na wypoczynku i samodzielnym włóczeniu się po okolicy. Na Stari Grad miałyśmy na tyle blisko, że nie trzeba było łapać transportu. Szybko załatwiłyśmy bilety miesięczne na autobus, bo nasz wydział mieścił się już dość daleko, a codzienne kupowanie biletów mogłoby nas doprowadzić do poważnego zubożenia. Z zakupami otrzaskałyśmy się migiem. Przeliczanie kun na złotówki odbywało się automatycznie. Codziennie biegałyśmy do SR-ka, poszukując promocji i innych korzystnych okazji.

Jedzenie nie było złe, choć trochę tęskniłyśmy za polskim chlebem (tu był tylko pszenny i szybko się kruszył) i jogurtami (chorwackie są jakieś słodsze). Nina narzekała na kiełbasę, która – jakkolwiek by się nazywała – przypominała salami. Dla mnie lodówka mogła świecić pustkami, tylko składniki do szopskiej znajdowały w niej poczesne miejsce. A jeżeli i ich zabrakło, w bocznych drzwiczkach tkwiło wino, zazwyczaj *domace*, które nabywałyśmy na miejskim targowisku. Z braku laku smarowałam wtedy długą bułkę oliwą, nacierałam czosnkiem, kładłam pomidora, jak miałam, to ser i po posypaniu bazylią wkładałam ją do piekarnika. Na wielkie gotowanie w naszym skromnym gniazdku raczej się nie zanosiło, dlatego im prostszy przepis, tym lepiej.

Słońce grzało solidnie jak na wrzesień. Na szczęście mądrze zabrałyśmy z sobą kostiumy kąpielowe, nie zważając na sugestie mamy, żeby zaopatrzyć się w czapki i szaliki, bo pewnie będzie wiało od morza. Swoją drogą zastanawiałam się nieraz, skąd u mamy takie wyobrażenie Chorwacji, że się tu przeziębię? Była w Dalmacji dłuższy czas, i to w Dubrowniku, i co? Wtedy mieliśmy jeszcze epokę lodowcową?

Lovro już się nie pojawił ani nie odezwał. Ten Niny Skandynaw wiecznie do niej wydzwania. Laska nie może się opędzić. Puknęłam się w myślach w czoło. A co słychać u Pawła? Kiedy wysłał ostatniego esa? Godzinę temu, wow! Nie słyszałam dzwonka.

SMS od Pawła: „To nic, że wyjazd na łajbę nie doszedł do skutku. Bez ciebie i tak by się nie udał, moja Ikuś. Sam się dziwię, że czekam na rok akademicki. Chyba mam już ochotę się czymś zająć. Warszawa jest smutna bez ciebie! Kocham cię, nie zapominaj".

SMS do Pawła: „W Dubrowniku gorąco, wręcz parno. Wybieramy się z Niną na plażę. Znalazłyśmy nawet piaszczystą, bo wszędzie pełno skał i kamieni. Na morzu żaglówki. Woda ciepła jak w lipcu. Musisz do mnie przyjechać. Czekam na internet i skype'a. Będzie niebawem. Też cię kocham, Pawełku".

Poszło. Leżałam na łóżku z komórką w rękach. Siedzi w Warszawie i tęskni, ja tu leżę i myślę o nim. Jest cudownie, ale czegoś brakuje, może kogoś. Wyobraziłam sobie nasz dom z mamą, tatą i bliźniakami. Zabawne, ale tak o nich mówiliśmy, jakby byli jednym organizmem. Moi bracia Alek i Michał, przystojne szesnastolatki, jak uznała Nina, gówniarzyki przeistaczające się w młodych mężczyzn. Mama kręcąca się po kuchni, pisząca w wolnych chwilach te swoje książeczki dla dzieci, ojciec ciągle zajęty, pracujący nawet w weekendy, kundel plączący się pod nogami, zakupy, odkurzanie, sprzątanie łazienki, wyjazdy do Stępy, dom. A do tego jeszcze Paweł.

– Idziemy na plażę? – rzuciła Nina.

– Trzeba się ruszyć, jedzenie już się chyba uleżało. Którą proponujesz?

– Myślę, że na Banje. Podjedziemy autobusem, ale przynajmniej nie będziemy skakać po skałach. Capakabany nie lubię. Te betonowe nabrzeża i bachory na zjeżdżalniach, daj spokój.

– No dobra, schodzę.

– Tylko nie dosłownie!

– Już, przestań dowcipkować i przynieś ręczniki z tarasu. Pewnie wyschły na pieprz – skończyłam przekomarzanie.

Trzeba się ruszyć, bo mnie tu jakieś problemy ogarniają. „Wynocha", przepędziłam nostalgię z pola widzenia i potem było już tylko dobrze...

Zachodzące słońce chowało się za wyspą Lokrum, tworząc płomienną poświatę nad zielenią wzgórza. Żagle jachtów bieliły się na połyskującej wodzie Adriatyku. Mury Dubrownika piętrzyły się dumnie, zachwycając szarością kamienia. Turyści, miejscowi, amatorzy morskiej kąpieli osaczyli plażę, wylegując się na ręcznikach. Zapanował przedwieczorny spokój.

– Wiesz – zaczyna Nina. Pewnie szykuje się jakaś mądra myśl. – Gdybym chciała trafić do raju, to wiesz, gdzie bym przyjechała?

– Wiem.

– No to gdzie?

– Do Dubrownika!

– Zgadłaś!

– Gdyby nie to, że myślę tak samo, tobym powiedziała, że brakuje ci piątej klepki.

Nie miałam już na nią sił.

– Ej, popatrz, kogo widzę na horyzoncie! – Moja niemądra koleżanka nagle się ożywiła. – To ten twój, jak mu tam?

– Żaden mój, a na imię ma Lovro.

Przyjrzałam się dokładniej. Rzeczywiście Lovro układał ręcznik na plaży jakiejś czarnowłosej lasce. Po chwili reszta roześmianego towarzystwa razem z nimi wbiegła do wody, śmiesznie unosząc nogi, gdy napotkały ostre kamienie. Przyglądałam się tym idiotycznym igraszkom. Polewali się wodą, skakali pod fale, rzucali piłką. Dziecinada.

– Ninaaa, zimno już jakoś. Może pójdziemy?

– Jeszcze trochę – nie dawała za wygraną. – Piętnaście minut. Kimnę chwilkę, okej? Możesz rzucić mi ręcznik?

Wstałam, by ściągnąć jej ten cholerny ręcznik z płotka.

– Weronika! – usłyszałam czyjś głos.

Odwróciłam odruchowo głowę. Lovro szedł w moim kierunku z rozpostartymi ramionami.

– Jaka niespodzianka! Chodź, poznaj moich znajomych.

Zwlokłam się i powoli podążyłam w stronę jego towarzystwa.

– To Sanja – przedstawił mi czarną długowłosą. – A to mój przyjaciel Milan z Jeleną. Korzystamy z ciepła. Przyłączycie się do nas?

– Nie, dziękuję, właśnie mamy wracać do domu z koleżanką – wykręciłam się niezbyt zgrabnie.

– Mam nadzieję, że się niebawem spotkamy. – Lovro z uśmiechem puścił do mnie oczko.

– Mhm – warknęłam i pomachawszy im, poszłam w kierunku Niny.

Świnia, siedzi na plaży z dziewczyną i próbuje ze mną. Pięknie, pięknie. A ja też jestem głupia jak but. Nabrałam się na skuter i niezłą gadkę. O, żeż ty.

– Nina, idziemy! Zbieraj się, zimno się zrobiło. Nie patrz tak, tylko ruchy!

– Co ci się stało? – podniosła głowę.

– Nina, nie mam humoru. Jak chcesz, to zostań. Ja idę.

WERONIKA
WRZESIEŃ 2011

No i skończyła się laba. Mimo prażącego słońca, mimo turystów spacerujących po Placa i oblegających twierdze, baszty, pałace i kościoły, mimo białych żagli krążących wokół Lokrum i Lopud poczułam koniec wakacji. Zaczęły się wizyty na uczelni, wybieranie przedmiotów, zapoznawanie się z planem zajęć. Opalona, wybyczona, wykąpana w Adriatyku popadłam w rok akademicki.

Początek studiów w Toruniu kojarzył mi się ze spadającymi kasztanami, liśćmi mieniącymi się kolorami jesieni, przepakowywaniem walizek, a potem już tylko pluchą i zawijaniem się w długaśne szale w obawie przed przeziębieniem. Tutaj wystarczyła bluzeczka z krótkim rękawem i kawałek spódniczki. Kostium kąpielowy stale suszył się na tarasie, a ja codziennie darłam sałatę na szopską. Nasi gospodarze uporali się z Internetem i wreszcie miałyśmy okno nie tylko na Adriatyk, ale cały świat.

Po pierwszej byłyśmy wolne. Zapisałyśmy się na zajęcia. Historię krajów bałkańskich prowadził podstarszawy docent, który pewnie sporą jej część znał z autopsji. Wysoki facet z pokaźną siwą brodą wydawał się sympatyczny. Przewidywałyśmy, że „sinobrody" wilk morski nie zrobi krzywdy dwóm owieczkom z Polski. Historię literatury chorwackiej miałyśmy z nawiedzonym doktorem, wyglądającym raczej na poetę aniżeli naukowca.

– Panie chcecie się do mnie zapisać? – spytał, gdy poprosiłyśmy go o wciągnięcie na listę.

– To chyba oczywiste, skoro o to prosimy. – Pomyślałam, może nie zrozumiał. – Panie doktorze, chciałybyśmy chodzić na pana zajęcia – powtórzyłam, starając się mówić po chorwacku.

– Tak, oczywiście, oczywiście. – Sprawiał wrażenie, jakby odpłynął myślami w przestrzeń.

Spojrzałyśmy niepewnie z Niną na siebie.

– Jesteście z Polski?

– Tak, panie doktorze.

– Znacie Gorana Bregovicia?

– Oczywiście, u nas jest bardzo znany. Kilkanaście lat temu razem z Kayah wydali płytę – recytowałyśmy, co wiedziałyśmy.

Co prawda dla mnie to zamierzchłe czasy, byłam wtedy dzieckiem, ale mama słuchała na okrągło. Trudno było nie zauważyć.

– To dobrze, co prawda jest tylko półkrwi Chorwatem, matka była Serbką, ale zawsze. Jesteście panie przyjęte.

Reszta poszła gładko. Ćwiczeniowcy od public relations, edycji programów telewizyjnych i dziennikarstwa śledczego (od razu urosłyśmy, zapisując się na tak znakomity przedmiot) okazali się dorabiającymi na uczelni praktykami, dla których czas to pieniądz, a rozmowa ze studentem powinna ograniczyć się do niezbędnego minimum.

– Są jeszcze miejsca, nazwiska poproszę. Jesteście panie z Polski, świetnie. We wtorek o dziesiątej, zapraszam. Jest ktoś jeszcze na korytarzu?

I po zawodach.

Zapisałyśmy się też na chorwacki, angielski (przyda się) i hiszpański (obleci). No, zabukowane, trzydzieści trzy ECTS będą.

– Weronika, pardon, ale nie pójdę z tobą do domu. Umówiłam się ze Stiegiem.

– *No problem.* Może wejdę na skype'a?

Skierowałam się do autobusu. Pogoda jak zwykle była piękna. Zobaczę, może Paweł będzie w domu. A jeśli nie, pójdę się przekąpać. Wszystko załatwione. Skąd ten nieciekawy nastrój? Powinnam chyba wybrać się na Erasmusa z Pawłem. Skąd mogłam wiedzieć, że Nina tak szybko znajdzie towarzystwo. Napisałam esa do mamy: „Cześć, mamuś, co tam słychać? Zapisałyśmy się na zajęcia. Mam już internet, możemy spotykać się na skypie. Jak ci idzie pisanie? Całuski dla rodzinki, nawet dla dwóch trutni". Zaraz odpisze, zawsze odpisuje.

Dojechałam do domu, komórka milczy. Zjadłam szopską, w lodówce stała resztka *domace*. Nie odmówiłam sobie łyka. Nic. Co ta mama robi? Przypomniałam sobie o skypie. Wcześniej zdążyłam już wpisać numery Pawła i mamy na liście kontaktów. Kliknęłam na niebieskiej ikonie S na ekranie kompa, sprawdzając, czy moi rozmówcy są dostępni. Mamy nie było. Pewnie poszła po zakupy albo gada z Lucyną. Telefonik Pawła mienił się pomarańczową barwą. Gada z kimś. Ciekawe z kim. Mam nadzieję, że nie z którąś ze swoich rozlicznych koleżanek, traktujących jego ciekawość ludzi jako przyzwolenie do zwierzania się z najskrytszych przeżyć. Nie aprobowałam Pawła w roli konfesjonału, prowokując go do wyrażania samozadowolenia z posiadania zazdrosnej dziewczyny. „Zależy ci na mnie, Ikuś", śmiał się, czym doprowadzał mnie niezmiennie do pasji. „Zobaczysz, ja też znajdę sobie bliskich kolegów", próbowałam się odgryźć. „Ciekawe, czy tobie wtedy będzie przyjemnie". Nie wspominałam o kumplach ze studiów, z którymi udała się niejedna impreza. Po co ma za dużo wiedzieć. Nie robiłam zresztą nic złego, a zbyt długi język ściąga jedynie niepotrzebne kłopoty. Pomarańczowy znaczek zmienił kolor na zielony, co oznaczało, że mogę się łączyć.

– Drrrrn – usłyszałam dzwonek telefonu.

Paweł odebrał.

– To ty, kochanie! Nie spodziewałem się, tak się cieszę.

– Ja też. Od rana mam Internet, ale załatwiałam zajęcia na uczelni i dopiero wróciłam. Co porabiasz?

– Rozmawiam z tobą. No, dobra, nie denerwuj się. Siedzę w chałupie. Z Mazur nic nie wyszło i tak jak ci esemesowałem, czekam na rok akademicki, bo mi się już nudzi bez ciebie. A ty?

– Ja już zaczęłam. Zaklepałyśmy sobie zajęcia i od poniedziałku zaczynamy. Pogoda piękna, codziennie się kąpię, nie wiem, którą plażę mam wybrać. Opaliłam się.

– Masz kamerkę? Chciałbym to zobaczyć.

– Jeszcze nie – nie wiadomo czemu skłamałam. Nie miałam ochoty na rozmowę z wizją. – Ale szybko załatwię – minęłam się z prawdą po raz drugi.

Będę musiała to zrobić. Wiedziałam, że nie odpuści w tej kwestii. Pogadaliśmy z pół godzinki, klepiąc trzy po trzy na bieżące tematy. Dobrze, że jest ten skype.

– Pawełku, mama próbuje się dodzwonić. Pogadamy jutro? Ja też tęsknię. Nie wiem, co będę dziś robiła. Piątkowy wieczór, pewnie kogoś poderwę – pozwoliłam sobie na żart. – Ty też? No pewnie, że żartowałam. Zdzwońmy się jutro po południu. Rano polecę nad morze z Niną, jeśli nie będzie miała innych planów. Zresztą mam tu jeszcze tyle do zwiedzania, że nie będę się nudzić. Papuśki.

– Mama? – odebrałam telefon. – Byłaś w księgarni po książki dla młodych? A co, oni nie mogą sobie sami kupić? Nie jestem złośliwa, ale ty na pewno nadopiekuńcza. A co u taty? Wiadomo, zajęty jak zwykle. Jedziecie do Stępy na weekend? – Świetnie, chłopaki będą mieli wolną chatę, pomyślałam. – No, nie przesadzaj, że już przygotowujecie się do zimy. Tutaj lato w pełni. A jak książeczka? W listopadzie będzie w księgarniach, super. Zapakuj mi jedną i wyślij, dawno nie czytałam książeczek dla dzieci. A tak swoją drogą brakuje mi polskiego słowa pisanego. Już chcesz kończyć? Obiad. A co macie na obiad? Nie jestem głodna, wręcz przeciwnie, jadłam. Dzisiaj szopską. Tak, inne rzeczy też jem, nie martw się. Również cię całuję i nie daj się wykorzystywać facetom. Cześć, do poniedziałku.

Dobrze, że w domu wszystko w porządku. Z Pawłem pogadałam, skype działa. I co dalej robić z tak miło rozpoczętym piątkowym popołudniem? Może się przespać? Nie, jakoś mi gorąco. Iść na plażę? Samej się nie chce. Poczułam głód. To przez mamę, pomyślałam. Uważa, że szopską się nie najadam. I wykrakała. Żołądek przywierał do kręgosłupa. A niech tam, idę na pizzę. Zrujnuję się ździebko, ale przynajmniej sobie dogodzę.

Zmieniłam ciuchy, czując potrzebę, by ładnie wyglądać, oczywiście dla siebie. Narzuciłam białą powiewną bluzkę do dżinsowej spódnicy, ozdabiając całość kolorowym powiewnym szalem z deseniem w łączkę. Przypomniał mi się mamy szal, którego szukałam w jej szafie, a znalazłam książkę. Niestety nie udało mi się jej doczytać do końca. Zniknęła z pudełka po butach. Nie mogłam się oprzeć wrażeniu, że mimo pozornego codziennego ładu i przewidywalności jakaś tajemnica ciąży na naszej rodzinie. Przyjdzie na to czas, usprawiedliwiałam milczenie mamy, licząc na przełamanie barier. Bo dlaczego ukrywa tę książkę? Dlaczego tata nie przepada za Bałkanami i nie był zachwycony moimi studiami? Nie będę jednak teraz się nad tym zastanawiać.

Przeliczyłam kasę, w portmonetce było sto kun. Wystarczy. Jak szaleć, to szaleć. Z przyjemnością przeszłam moją Durda na starówkę, szukając pizzerii. Południowy upał zelżał, wpuszczając jedynie słabe podmuchy wiatru do otoczonego murami Stariego Gradu. Zwilżyłam twarz przy fontannie Onufrego. A potem trafiłam do jedynego przejścia nad Adriatyk w południowej części murów – bramy świętego Szczepana.

Znalazłam się na skałach poza murami, zaanektowanymi przez uroczą restaurację. Z tarasów rozciągał się widok na pokrytą leśnym płaszczem wyspę Lokrum. Wystarczyło zejść kilkadziesiąt metrów, by znaleźć się nad brzegiem morza. Usiadłam pod parasolem. Chyba z pizzy nici, ale za to widoki mam niezłe. Ceny w menu bowiem gotowe były przegonić każdego studenta. Może wezmę *blitvę*. W końcu to tylko ziemniaki z boćwiną. Nie powinny dużo kosztować. Co mnie tu przyniosło? – denerwowałam się na siebie w myślach.

– Czy pani już wybrała? – kelner przyszedł po chwili.

– Weronika! – usłyszałam znajomy głos.

Podniosłam głowę znad karty dań.

– Cześć, Lovro.

Obok mnie stał mój kierowca skutera oczywiście z czarnowłosą. Z ramion zwisały im ręczniki świadczące o odbytej właśnie kąpieli.

– Możemy się przysiąść?

Spojrzałam, wzrokiem wskazując puste krzesełka przy moim stoliku.

– Bądź naszym gościem, Weroniko – uśmiechnął się szeroko, odsuwając dziewczynie krzesło, żeby mogła wygodnie usiąść. – Prosimy pana za kilka minut, zaraz coś wybierzemy – zwrócił się do kelnera. – Zdecydowałaś się już?

A ty bezczelny! Popsuł mi popołudnie swoją obecnością. Chcesz płacić, to zapłacisz. Przeszukałam pospiesznie listę najdroższych dań.

– Myślę, że może *brudet*?

Wybrałam potrawę z ryb i owoców morza, która kosztowała jak na moje standardy krocie. Wyglądała smacznie.

– Doskonały wybór. Do tego weź polentę – pochwalił Lovro. – To taka kaszka z mąki kukurydzianej, sera i sosu pomidorowego. Lubisz?

– Lubię wszystko, co nie jest mięsem – odparowałam, nie wiedząc, czy mam być zadowolona z oszczędności, czy niezadowolona z obecności czarnowłosej.

– Trzy razy to samo – złożył zamówienie Lovro. – I do tego białe wino.

Siedziałam lekko spięta, chwaląc uroki krajobrazu i ciepło zbliżającego się wieczoru.

– Jest tak ładnie i mamy piątkowy wieczór. Dałabyś się zaprosić na małą wspinaczkę? – zapytał.

Spojrzałam na niego, nie rozumiejąc.

– Wziąłbym cię na wzgórze Srd, z którego rozciąga się widok na Dubrownik. To tutejsza atrakcja. Naprawdę warto.

– A Sanja? – wyrwało mi się. Co za bezczelność! Chce się ze mną umówić, mając u boku dziewczynę.

– Ona jest jeszcze małą dziewczynką i musi iść do domu. Moja siostra ma dopiero siedemnaście lat, a ja jej pilnuję. Obiecałem mamie. – Puścił oczko. – Pójdziemy?

Spojrzałam na Lovra. Patrzył zalotnie i jednocześnie pokornie proszącym wzrokiem.

– Nigdy tam nie byłam. Chętnie – zdecydowałam się, choć miałam wątpliwości: dlaczego wcześniej nie wspomniał o siostrze? Chciał sprawdzić moją reakcję na obecność dziewczyny u jego boku? Pewnie jest przebiegłym podrywaczem. Ale co tam! Nic mi się nie stanie, jeżeli obejrzę Dubrownik z góry. Przecież to nic zdrożnego.

Umówiliśmy się. Lovro miał przyjść po mnie o dwudziestej.

WERONIKA
WRZESIEŃ 2011

Wychodzisz? – Nina, która pół godziny temu zlądowała w domu po randce ze Stiegiem, zdziwiła się nie na żarty.

– Chyba widać – odparłam, malując rzęsy w pośpiechu.

– Ta bluzka czy ta?

– Widzę, że coś jest na rzeczy – zaśmiała się tajemniczo.

– A co na to Pawełek?

– Nic, mamusiu, nie wkurzaj mnie. Nie zapisałam się do zakonu. Idę na spacer.

– To tak się teraz nazywa?

– Nina! – nie wytrzymałam. – Latasz po całych dniach i nie interesuje cię, co ja wtedy robię. A jak przychodzisz, przeobrażasz się w przyzwoitkę. Daj sobie luz, bo nie mam nastroju tego wysłuchiwać. Przynajmniej do czasu, kiedy tu razem mieszkamy. Odbiło ci czy co? Randka się nie udała? Może w ogóle dam ci numer do Pawła, żebyś mogła mu uprzejmie donieść?

– Sorry, siostro, nic więcej nie powiem. Poza tym, że baw się dobrze. A tak w ogóle to może byśmy jutro poszły na babski wieczór do jakiejś klimatycznej knajpki? – proponowała zalotnie.

– Zobaczymy, co się da zrobić – odpowiedziałam, opanowując resztki gniewu. Przyszła koza do woza.

– Ja z tym Pawłem żartowałam.

– Nina, gdyby było inaczej, nie rozmawiałabym teraz z tobą. Idę na spacer, bo nie lubię sama przesiadywać nawet w pięknym Dubrowniku.

– Jeszcze raz sorry. Weź tę w kolorze pudrowego różu. – Wskazała na bluzkę bez rękawów.

– Za blada. Wolę wrzosową, bardziej zakrywa mi oponki.

– Gdzie ty masz oponki? Ale okej, wrzosowa też jest super.

Przyjrzałam się sobie w lustrze. Nieźle. Opalenizna całkiem, całkiem korespondowała z odcieniem wrzosu. Na szyję narzuciłam mój ulubiony jedwabny szalik w kolorową łączkę. Jeszcze usta przejechać błyszczykiem i gotowe. A jutro wypad z Niną na Stari Grad. Też fajnie. Wszystko się zaczynało układać.

Lovro pojawił się punktualnie. Czułam się trochę niezręcznie, idąc z nim w kierunku murów starego miasta, które mieliśmy obejść od północnej strony, by znaleźć się u podnóża wzgórza Srd. Miałam wrażenie, że wszyscy patrzą na jasnowłosą dziewczynę, która poderwała przystojnego Chorwata. Dobrze, że tu nie ma Pawła.

– Zapraszam cię na rogacicę. – Lovro wskazał bramę Pile prowadzącą na starówkę. – Warto się trochę wzmocnić przed wspinaczką. A może jesteś głodna?

W zasadzie byłam, student jest zawsze głodny, ale odmówiłam z grzeczności.

– Dziękuję, wystarczy ta rogacica.

– Co ci tu najbardziej smakuje? – zapytał, gdy czekaliśmy na drinka.

– Szopska. Wiem, że to bardziej bułgarskie danie, ale w Chorwacji też jest bardzo dobra.

– Szopską proszę! – Lovro skinął na kelnera, zanim zdążyłam interweniować. – A dla mnie *ćevapčići*. Nie oponuj, jestem głodny, a nie lubię jeść sam – uśmiechnął się, nie ukrywam, uroczo.

Jak tak dalej pójdzie, to nasza wspinaczka spali na panewce.

Pojedliśmy, przepłukaliśmy żołądki dwoma kieliszkami tej rogacicy, która rozgrzewała i rozjaśniała umysł. Zaczął zapadać zmierzch. Słońce chowało się za horyzontem, a morze delikatnie przypominało o swojej obecności, głaszcząc plaże spokojną falą. Na ulicach zapalały się latarnie. Turyści i wolni od codziennej krzątaniny mieszkańcy miasta sadowili się w bezpiecznych fotelach przytulnych knajpek. Spoglądałam na pałac Sponza, gotycko-renesansową budowlę z sukiennicami i rzędem rzeźb na dachu.

– Podoba ci się? – Lovro przechwycił moje spojrzenie.

– Tak, przypomina mi nasze krakowskie Sukiennice.

– Tu wiele budowli jest zrekonstruowanych, ale akurat pałac Sponza oparł się trzęsieniu ziemi w siedemnastym wieku i jest autentyczny. Chwała Bogu, ostatnia wojna też go nie naruszyła. A nie wszystkie budynki miały takie szczęście. W czasie oblężenia Dubrownika zniszczono ponad dwie trzecie miasta.

Chciałam coś dopowiedzieć. Wiedziałam, że mama tu była w czasie oblężenia, ale nie znałam żadnych szczegółów.

– Skąd to wszystko wiesz? – zdobyłam się na inteligentne pytanie.

– Studiuję tu piąty rok. Choćbym nie chciał i tak bym się dowiedział.

– A co potem? – zapytałam, zmieniając czujnie temat.

– Jeszcze nie wiem. Podoba mi się tu, ale mama z siostrą mieszkają w Zagrzebiu. Chciałaby, żebym wrócił. Waham się. Trochę wiosłuję, żegluję, lubię morze. Jest takie otwarte.

Nic nie powiedział o ojcu. Niezręcznie było mi pytać. Może przy trzecim kieliszku orahovicy?

– Ojciec – ciągnął, jakby odczytując moje intencje – nie mieszka z mamą. Ułożył sobie życie. Ale mam z nim kontakt.

Czułam, że zakończył zwierzenia.

– Ja mieszkam z rodzicami w Warszawie. Mam braci bliźniaków. Tata pracuje na uczelni, mama w gazecie i pisze książeczki dla dzieci. Moi bracia za rok zdają na studia. To wszystko. A, zaczęłam studia w innym mieście, w Toruniu. To cała moja historia.

– Niecała. Przyjechałaś do Dubrownika. Nic nie dzieje się przypadkiem.

Nie wiem, o co mu chodziło, ale wyczułam, że trzeba się ruszyć z miejsca.

– Idziemy na Srd?

– Jasne, poczekaj, proszę, zaraz wrócę.

– Nie będziesz zawsze płacił – żachnęłam się, gdy uregulował rachunek. – Ile dałeś? Zwrócę ci.

– Następnym razem – spojrzał na mnie zalotnie.

Szliśmy w stronę Cavtatu i dotarliśmy do dzikiego parkingu pod skałami. Wąska i kamienista ścieżka prowadziła na wzgórze o wysokości ponad czterystu metrów.

– Nie schodź ze ścieżki. Możesz wejść na minę – ostrzegł mnie Lovro, a ja znowu przypomniałam sobie mamę i ogarnęły mnie wyrzuty sumienia, że nigdy się nie interesowałam jej pobytem w Dubrowniku.

Niewyremontowana do tej pory kolejka linowa przypominała o oblężeniu. Po półgodzinie wspinaczki dotarliśmy do asfaltowej drogi, która prowadziła do górnej stacji kolejki i białego krzyża, skąd rozciągał się wspaniały widok na Stari Grad. Nieprzyzwyczajona do górskich wędrówek otarłam pot z czoła. Lovro też musiał odgarnąć czarne kędziory, zasłaniające mu oczy. Ma zielone oczy jak kot, przeszło mi przez myśl. Piękne. Ale już nie patrzę.

– Zobacz.

Stanęliśmy przy barierce.

– Na dole masz Stari Grad.

Mienił się światłami. Cudowna kamienna konstrukcja, cacko.

– Po lewej – kontynuował Lovro – z Adriatyku wyłania się wyspa Lokrum. Widzisz na horyzoncie te kontury? To majaczy obraz Włoch.

Objął mnie ramieniem, nie opierałam się.

– Spójrz na prawo. Wyspy Elafickie, za nimi półwysep Pelješac i wyspa Korčula, a na lewo od nich Mljet.

Stałam bez ruchu. Nie wiedziałam, co powiedzieć. Widok zapierał dech. Jeszcze nigdy nie widziałam tak pięknego krajobrazu. Byliśmy sami, delikatny wietrzyk pobudzał zmysły.

– Zimno ci.

Lovro zdjął marynarkę i narzucił na moje gołe ramiona.

– Jeszcze ci zimno – przytulił mnie przyjacielsko, patrząc tymi zielonymi oczami prosto w moje. Odgarnął włosy, które opadły mi na policzek. – Jesteś bardzo ładna i ciepła, Weroniko. Oczywiście to z powodu mojej marynarki – zażartował. – Wracamy?

Spojrzałam na niego. Czekał. Wsunęłam dłoń za jego opadające na ramiona włosy, delikatnie obejmując go za szyję. Patrzyliśmy na siebie przez chwilę, by stało się to, co miało się stać. Pocałował mnie jak nikt nigdy do tej pory.

WERONIKA
PAŹDZIERNIK 2011

Od ostatniego spotkania z Lovrem minęło kilka dni, które upłynęły mi na ukrywaniu się przed kolejnym spotkaniem. Nie odpowiadałam na jego esemesy, nie odbierałam telefonów. Na ciekawskie pytania Niny odpowiadałam zdawkowo, ograniczając się do relacji ze spaceru po Starim Gradzie, smakowania rogacicy i wspinania się na wzgórze Srd. Nie wspomniałam, jak dobrze nam się rozmawiało, jak wspaniale czułam się w jego towarzystwie. A o pocałunku kończącym wieczór ani mru-mru.

Co mi się stało? – karciłam się w myślach, powtarzając niczym mantrę dosadną samokrytykę. Jaka ty jesteś głupia, zdradliwa i nielojalna. Ledwo pożegnałaś Pawła, już rzucasz się w ramiona innego. Nie twierdzę, że na dobrej imprezie nie zdarzyło się czulej pobawić z jakimś chłopakiem, ale to mi nigdy nie przeszkadzało, ot, takie sobie igraszki, element tańca. Tym razem jednak czułam się niekomfortowo, jak gdybym zrobiła coś złego, zdradziła

Pawła. Ale nieodpowiadanie na esy też nie stawiało mnie w dobrym świetle. Byłam tchórzem, nie dość, że zdrajcą, to jeszcze tchórzem.

Najbardziej niebezpieczne w tej sytuacji było to, że Lovro mi się podobał nie tylko jako niewątpliwie nieziemsko przystojny mężczyzna, ale i człowiek, który potrafił z niezwykłym ciepłem i dowcipem mówić o swojej rodzinie, zaopiekować się mną, zauważyć, że jest mi zimno, odprowadzić pod dom i pobrać opłatę jedynie w postaci pocałunku. Już wiem, dlaczego on się tak dojrzale zachowuje! Po prostu jest ode mnie o trzy lata starszy, dojrzalszy. Paweł za trzy lata też będzie taki.

Radość z odkrycia nie trwała długo. Nie, Paweł nigdy nie będzie taki. On po prostu jest inny. Czasami odnosiłam wrażenie, że woli porozmawiać z moim ojcem na tematy chemiczne, aniżeli wysłuchać mnie. To dobrze, że fajnie mu się gada z tatą. Cieszyłam się z ich dobrych kontaktów, czując się jednocześnie nieco pominięta. O co jestem zazdrosna? O Pawła, ojca, ich relacje? Zawsze mogę pogadać z mamą, wyskoczyć do knajpki i popaplać. Jasne, ale wtedy gdy sama będę chciała, a nie jako antidotum na męskie dysputy.

Nic złego nie zrobiłam, dziewczyny robią gorsze rzeczy. A poza wszystkim nie jesteśmy z Pawłem mężem i żoną – nakręcałam się na maksa. Niech też się trochę postara, a nie traktuje mnie jak małżonki z czterdziestoletnim stażem. Ale w głębi ducha czułam, że przeginam, bo ani Paweł nie przesadzał, ani ja nie byłam taka święta. Lecz jak długo można się samobiczować? Leżałam, gapiąc się w sufit.

– Ika, otwórzmy *domace* i pogadajmy, co? – Nina przerwała moje rozterki. – Nie wytrzymam z tobą. Leżysz, myślisz, a to na dłuższą metę szkodzi zdrowiu.

– Daj mi spokój.

– Czy ty myślisz, że jestem tak głupia, na jaką wyglądam? – zaśmiała się ironicznie. – Spałaś z nim?

– Z kim?

– Ze świętym tureckim! Z Lovrem, Ika, z Lovrem. Widzę, co się z tobą dzieje, dziewczyno. Komórka dzwoni ci na okrągło, a ty chodzisz struta. Wygadaj się cioci Nince i będzie po wszystkim.

– Nina, nic z tych rzeczy, o których myślisz. Nie spałam z nim i nie zamierzam. A ty spałaś ze Stiegiem? – zrewanżowałam jej się pięknym za nadobne.

– Jasne. Nie rób takich wielkich oczu, pani romantyczko. I powiem ci, że nic ciekawego. Faceci. Tylko im jedno w głowie.

Nie tylko im, pomyślałam. Gdybym jej nie znała, mogłabym pomyśleć o niej niezbyt pochlebnie. Ale moja przyjaciółka była bezpośrednia do bólu. O seksie rozmawiała ze swobodą równą wymianie poglądów na temat zjedzonego obiadu czy nowej sukienki. Zgadzałam się z mamą, której powiedziałam co nieco na temat charakteru Niny. „Weronikuś", powiedziała mi kiedyś, „dziewczyna poszukuje. Gdy znajdzie tego jedynego, gdy porazi ją prawdziwa miłość, przestanie żartować na temat uczuć. Wierz mi". Ale co mam teraz myśleć?

– Nina, nie mam ochoty gadać na ten temat – skwitowałam jej podchody.

– Sorry, chciałam tylko pomóc. Ale jeśli nie, to może wyskoczymy gdzieś?

– Dawaj!

Pomysł był przedni. Co prawda miałam ochotę pogadać przez skype'a z Pawłem, ale zrezygnowałam wobec tak kuszącej propozycji. W końcu kiedy dostałam od niego ostatniego esa? O dziewiątej rano? Kpina. Będzie miał ochotę gadać, da znać. Ja się nie będę wyrywać z propozycjami. Od rana też nie przyszedł żaden esemes od Lovra. Wygląda na to, że zrezygnował, i dobrze. Widocznie się zniechęcił, a facet musi być cierpliwy, podsumowałam w myślach, wsparta drugim kieliszkiem *domace*. Jutro idę na wydział i nie będę się ukrywać. Nic się takiego nie wydarzyło, nic się więcej nie wydarzy. Najważniejsze, by nie zajść za daleko. A ja już wybrałam i nie żartuję na temat prawdziwych uczuć.

– Nina, wstawaj, skoro mamy iść.

– Widzę, że wracasz do żywych. I dobrze. Już myślałam, że będę miała z tobą kłopoty. Dzisiejszy wieczór sponsoruje brak facetów! A wiesz, Wojtek do mnie pisał...

– Nina!!!

Wyprowadziła mnie z równowagi. Głupia nie jest, ale próbuje ze mną. Wyobraża sobie nie wiadomo co. A zresztą to moja sprawa i nie zamierzam się jej zwierzać. Co ja jestem? Koleżaneczka z „Seksu w wielkim mieście"? Jak ma ochotę się spotykać ze swoim Skandynawem, jej sprawa, ale wara od mojego ogródka. Przyzwoitka się znalazła. Zabrzęczała komórka, to es. SMS od Lovra: „Próbuję się z tobą skontaktować, ale chyba masz wyłączoną komórkę.

Chciałem zaprosić cię osobiście, ale się nie dało. W sobotę mamy regaty wioślarskie Primus Semper w porcie Gruz. Jestem kapitanem naszej drużyny. Przyjdźcie z koleżanką pokibicować. Będzie dobra zabawa! Trzymaj za nas kciuki. W ubiegłym roku przegraliśmy ze Splitem. Cześć i do zobaczenia".

Nina spoglądała na mnie, gdy odczytywałam wiadomość. Już chciała coś powiedzieć, ale symbolicznie przyłożyła rękę do ust.

– No co, pani ciekawska, chcesz pewnie wiedzieć od kogo? – burknęłam zadziornie. – Lovro zaprasza nas na zawody wioślarskie w sobotę. Będzie startował w reprezentacji uniwersytetu.

– Idziemy – rozochociła się nie na żarty.

– Idź, każdy może przyjść. Ja jeszcze nie wiem, czy się wybiorę.

– Głupia jesteś? Będzie dobra zabawa. Nie pamiętasz, jak opowiadał o tej imprezie? Najpierw się ścigają, a potem... Kochana, nie przepuszczę okazji do balowania w jakimś klubie marynarskim czy żeglarskim. Jeden pies.

Właściwie dlaczego miałabym nie pójść? I po to były te wszystkie telefony? A ja jak zwykle wyobrażałam sobie nie wiadomo co. Zaprosił mnie z koleżanką, to jasny sygnał. Załatwia sobie publikę... Najwyraźniej myślenie szkodzi. Ale przynajmniej z czystym sumieniem mogę odpisać Pawłowi.

SMS do Pawła: „Cześć, kochanie. U nas ciepło mimo późnego wieczoru. Zajęcia spoko, krzywdy nam nie zrobią. W sobotę idę oglądać regaty wioślarskie. To tutaj wielka feta. Pardon, że nie odpisywałam. Po zajęciach trochę spałam i niedawno wstałam. A co u ciebie? Będziesz miał ciężki rok? Na skypie pogadamy, gdy nie będzie Niny. Dam ci znać. Tęsknię".

SMS od Pawła: „Ja też, Weronikuś. Będę miał niezłą ryrę w tym semestrze. Przynajmniej mi szybko zleci do twojego powrotu. Kocham cię".

– Naklikałaś się? – Nina cierpliwie wyczekała na zakończenie mojej korespondencji z Pawłem. – Wychodzimy?

– Okej. Godzinka w knajpianym ogródku nie zaszkodzi. Tylko żadnych pytań!

– No wiesz, ciocia Nina jest dyskretna i dobrze wychowana. Jak nie, to nie. Ale gdybyś chciała mi się zwierzyć... – zachichotała prowokująco.

Spojrzałam na nią zdegustowana. Pobiegłyśmy do Nautiki.

WERONIKA
PAŹDZIERNIK 2011

Sobota przywitała Dubrownik pięknym słońcem. Przez kilka ostatnich dni swobodnie poruszałam się po uczelni bez obawy spotkania Lovra. Nie mówię, że nie spoglądałam tu i ówdzie, ale absolutnie nie po to, żeby z nim gadać. Zajęcia toczyły się swoim trybem, goście od warsztatów public relations i edycji programów okazali się tak samo równi i bezpośredni jak przy zapisach na zajęcia. Przypominali mi mamę, gdy przeistaczała się w medialne zwierzę. Sprawy zawodowe przeobrażały ją z rodzinnej kuchty w pełnej pasji dziennikarkę. Nina na szczęście nie do końca zerwała ze Stiegiem, dzięki czemu od czasu do czasu miałam chwilę na skype'owe pogaduszki z Pawłem i rodzinką. Czas leciał i minął już miesiąc od naszego przyjazdu do Dubrownika. Z jednej strony cieszyłam się na świąteczną wizytę w domu i spotkanie ze wszystkimi, z drugiej czułam upływający czas, który przybliżał mnie do powrotu z Erasmusa. Słońce, już nie tak upalne jak na początku września, dawało jednak power do życia i zachęcało do wstania z łóżka każdego kolejnego dnia. Tutejsi koledzy chwalili pogodę, która w tym roku wyjątkowo długo utrzymywała lato, pozwalając na kąpiele w ciepłym Adriatyku i konserwowanie oliwkowej opalenizny. Ale tłumy turystów wyraźnie się już przerzedziły. Drzewa pinii, mirt, pistacji i cyprysów nabrały ciemnozielonej barwy, a ja, ilekroć stawałam na naszym tarasie, nie miałam wątpliwości, że trafiłam do raju, a przynajmniej do jego przedsionka. Dobrze, że tu jestem, myślałam. A gdy nie było Niny, wypowiadałam to głośno. A zaraz po tym przypominał mi się tytuł książki – „Szkoda, że ciebie tu nie ma". Korciło mnie, by zapytać o nią mamę, ale ciągle brakowało mi śmiałości. Zrobię to po przyjeździe z Dubrownika, postanowiłam. Koniec z tym. Nie da się budować szczerości na niedopowiedzeniach. Może opowiem jej też o Lovrze. Ale o czym tu opowiadać? Żenada.

– Nina! Ktoś puka! Otworzysz?! – krzyknęłam, domalowując rzęsy. – To chyba gospodarze.

– Nie, to na pewno Krsto i Maro. Umówiłam się, że wpadną po nas.

Nina jak zwykle przedsiębiorcza.

Złapałam z łóżka porozrzucane rzeczy i ciepnęłam do szafy. Okruchy ze stołu zdmuchnęłam na podłogę. Ostatni maz tuszem po rzęsach, przeczesać włosy palcami i gotowe. Nina wprowadzała chłopaków do pokoju, oczywiście nie martwiąc się o porządek.

– Idziemy, dziewczyny?

Krsto patrzył, gdzie się rozsiąść.

– Zapraszam tutaj – wskazałam mu moje łóżko. – Może się czegoś napijecie?

– Wino poproszę. – Maro skorzystał z zaproszenia.

– Może być białe?

– Macie? Ja tylko tak sobie powiedziałem. Nie wiedziałem, że macie takie fachowe, od ludzi.

– A co ty myślisz? Że zaopatrujemy się w supermarkecie, kiedy wszyscy wabią domowym?

– Szacunek, dawaj *domace*.

Nalałam chłopakom i oczywiście nam.

– Może jeszcze po szklaneczce?

– Czemu nie, zawsze warto mieć dobry nastrój, a zwłaszcza dziś, kiedy trzeba będzie kibicować naszym. Lovro taką odprawę zrobił załodze, że padną, a wygrają.

– To on taki groźny? – spytałam, starając się ukryć nadmierne zainteresowanie.

– Lovro? Pewnie. Lepiej z nim nie zadzierać. Potrafi być zawzięty i lubi osiągać cel. Pamiętasz tę laskę z ubiegłego roku? Jelenę? Łaziła za nim, łaziła i myślała, że go sobie wychodzi. I nawet byli chwilę razem, ale on nie da sobą kręcić. Woli sam zapolować.

Jak dobrze, że skończyłam z nim, zanim jeszcze zaczęłam, odetchnęłam z ulgą w myślach. Byłabym pośmiewiskiem na uczelni jak ta Jelena.

– Dosyć tego obgadywania, panowie. – Nina w wersji wyjściowej wyłoniła się z łazienki. – Wszystko słyszę. Faceci to jednak plotkarze.

W porcie Gruz zebrało się mnóstwo ludzi. Po nabrzeżu kręciły się załogi z chorwackich i słoweńskich uniwersytetów, przygotowując swoje łodzie do startu. Publika zajmowała dogodne pozycje. Ludzie nawoływali się, panował doskonały nastrój.

Rozgrzani winem witaliśmy się z kolegami z roku, umawiając się na imprezę po zawodach. Nikolina przywołała nas gestem ręki. Wskazała wolne miejsca przy samym nabrzeżu.

– Idziemy. – Nina pociągnęła mnie za rękaw.

– No, nie wiem. Może lepiej tu zostańmy – opierałam się, widząc, że mogę zbytnio zbliżyć się do Lovra.

– No, chodź! Lovro też tam jest. Patrz, kiwa do ciebie.

Poszliśmy. Co za niefart! Ledwo zdążyłam przywitać się z Nikoliną, a pojawił się Lovro.

– Nareszcie jesteś. Nie mam wiele czasu, muszę iść do chłopaków, zaraz zaczynamy. Będziesz trzymała kciuki za mnie?

– Jasne, będę wam kibicować. Dajcie innym do wiwatu – siliłam się na swobodę.

– Spotkamy się po zawodach?

– Owszem, idziemy z Niną do klubu.

– To dobrze, bo chciałbym ci coś ważnego powiedzieć. Obiecałem sobie, że zrobię to, jeśli wygramy. Dlatego musimy wygrać. – Ścisnął mocniej moje ramię. – Trzymaj kciuki za mnie, Weroniko. – I znowu tak spojrzał, cholera.

Łodzie ustawiły się rzędem na starcie, mając do pokonania tor o długości tysiąca dwustu jeden metrów. Dwanaście załóg ulokowało się w środku portu Gruz, który pękał w szwach od kibiców. Wszyscy nastrajali się do wspierania okrzykami swoich kolegów. Chwila koncentracji. Nabrzeże wstrzymało oddech. Chorągiewka sędziego opadła i wyścig się rozpoczął. Nasi wystartowali dobrze, idąc łeb w łeb z załogą z Vukovaru. Za chwilę doszedł ich Split. Na trybunach rozległ się wrzask. Zdzieraliśmy gardła, kibicując ile sił w strunach głosowych. Tłum usiłował biec nabrzeżem, ale nikt nie nadążał za wioślarzami. Nasi zostali nieco z tyłu za załogą ze Splitu, Vukovar nie dawał rady rywalom. Było wiadomo, że wyścig wygra jeden z tych dwóch zespołów. Matko! Nasi zostają z tyłu.

– Załoga ze Splitu wysunęła się o pół łodzi do przodu!!! – wrzeszczał do megafonu komentator. – Już niemal o długość łodzi!!! Załogi mają jeszcze czterysta pięćdziesiąt metrów do mety! Ale co się dzieje! Dubrownicka łódź odrabia straty. Uderzenia wioseł stają się coraz mocniejsze, bardziej zgrane. Miejscowa siódemka zrównała się z piątką. O zwycięstwie rozstrzygną ostatnie metry. Coś niesamowitego, płyną tak równo, że w grę będą wchodziły centymetry. Ostatnie pociągnięcia wiosłami, przeszli linię mety. Ze swojego stanowiska nie mogę państwu powiedzieć, kto wygrał. Już wiem! Sędzia na mecie daje znaki, że wygrała drużyna... – tłum wstrzymał oddech... – uniwersytetu w Dubrowniku. Brawo, chłopaki! Gratulujemy gospodarzom.

Jako osoba niebywająca na zawodach sportowych nie zdawałam sobie sprawy, jak ludzie mogą cieszyć się ze zwycięstwa. Podniósł się niemiłosierny wrzask i zaczęło się zbiorowe obściskiwanie. Kto miał, otwierał butelki z winem. Pozostali korzystali z cudzych zapasów.

– Po raz pierwszy od jedenastu lat wygrali nasi. – Krsto

przytulał mnie w euforii. – Cofam wszystko, co powiedziałem o Lovrze. Supergość! – wrzasnął mi do ucha i poleciał ściskać się z kimś innym.

Tłum powoli zaczął się przerzedzać. Niesione falą ludzi powędrowałyśmy do portowego klubu, który dzisiejszego wieczoru powinien być dwa razy większy. Mimo wczesnej pory DJ zaczął już puszczać muzykę, a ciała zadowolonych gości poddawały się jej rytmom. Nina, nie czekając na Stiega, pognała tańczyć z Marem. Krsto gestem zaprosił mnie do tańca, gibając się w rytmie electric swingu.

– Przepraszam, tę panią ja proszę – usłyszałam głos Lovra. – Krsto, chyba zwycięzcy należy się jakaś nagroda. Zatańczysz ze mną, Weroniko? – zapytał, czekając na odpowiedź.

– Jeżeli taka nagroda cię satysfakcjonuje, a mnie nic nie kosztuje, możemy zatańczyć ten jeden raz.

Skończył się electric swing i zaczął grać jakiś chorwacki zespół, którego nie znam. Potem trafił się spokojniejszy kawałek.

– Nigdy bym się na to nie odważył, dlatego powziąłem postanowienie, że jeżeli wygramy, coś ci powiem – zaczął Lovro, spoglądając mi prosto w oczy i nie zwracając uwagi na mój dystans. – Dlatego w ostatnich dniach niemal nie bywałem na uczelni. Ćwiczyliśmy po kilka godzin dziennie. Gnałem moją załogę tak, jak gdyby od tego zależało moje życie. Może zresztą zależy.

Przestraszyłam się. Może coś się stało? Może Lovro jest śmiertelnie chory i stara się pozałatwiać swoje sprawy?

– Czuję się, jakbym był chory – kontynuował.

Czyli intuicja mnie nie zawodzi.

– Zazwyczaj jestem wygadany, teraz jednak mam trudności z chorwackim – przerwał. – Jeszcze nigdy tego nie mówiłem. Weroniko, zakochałem się w tobie. Kocham cię. Nic nie mów, nie odpowiadaj.

Tańczyliśmy dalej. Nie zamierzałam się odzywać, zapomniałam chorwackiego. Czy to możliwe, że ja też? Czy to tylko zauroczenie? Tańczyłam z nim całą noc, nie bacząc na brzęczącą komórkę, stado ludzi wokół, zmieniającą się muzykę.

– Idziesz? – Nina pociągnęła mnie za rękaw.

– Już?

– Jest czwarta.

– Przecież jutro niedziela.

– A to przepraszam szanownych państwa – zachwiała się lekko, opierając się na ramieniu Stiega. – Ja idę.

Wracaliśmy, gdy było już jasno. Wybraliśmy okrężną drogę, by wydłużyć spacer. Lovro z czułością przytulił mnie, jak gdyby się bał, że go od siebie odtrącę.

– Śpij dobrze – powiedział mi na pożegnanie – i pozwól mi o sobie śnić. Pozwolisz?

Pocałowałam go na dobranoc.

WERONIKA
LISTOPAD 2011

Weronika, ja dłużej tego nie wytrzymam! – Kilka dni po wioślarskiej imprezie Nina postanowiła ze mną porozmawiać. – Dziewczyno, co się z tobą dzieje? Nasza kwatera przypomina rodzinny grobowiec. Ja wiem, o co chodzi, ale wolałabym to usłyszeć od ciebie, żeby nie było, że się wtrącam. Już zaczynam reagować na dzwonek twojej komórki. Pogadajmy. Gość zawrócił ci w głowie i nie mów, że się mylę.

Popatrzyłam na nią, prowadząc wewnętrzną walkę pomiędzy pragnieniem zachowania swoich rozterek dla siebie a potrzebą wypowiedzenia ich głośno.

– Dobra, Nina, zrób kawę.

Poderwała się, by włączyć czajnik elektryczny i po chwili postawić na stoliku kubki z parującym czarnym płynem.

– Mam coś dla ciebie.

Do kawy dołączyły salaterki z lodami. Zaśmiałam się. Wiedziała, bestia, jak mnie podejść. Już Wańkowicz odkrył, że cukier krzepi.

– Gadaj jak na świętej spowiedzi – przeszła do rzeczy.
– Ciocia Nina zamienia się w spowiednika. Obowiązuje tajemnica spowiedzi, jasne?

– Jasne, jasne, ale nie myśl sobie, że nie mam do ciebie zaufania. Po prostu sama do siebie go nie mam, a to o wiele gorsze. Chodzi o Lovra.

– Przecież wiem. Może jestem głupia, ale nie ślepa. Na czym polega problem? Każdemu wolno się zabawić, w końcu ślubu z Pawłem nie brałaś. Nie możesz poflirtować na obczyźnie? Wrócisz do swojego po Erasmusie i będzie okej. A Lovro jest przystojny jak cholera. Wcale ci się nie dziwię. Wszystkie dziewczyny mają na niego oko.

– Nina, to nie o to chodzi, że on jest przystojny.

– A o co?

– To coś poważniejszego. On powiedział, że, no wiesz... Trudno mi o tym mówić.

– To nie kręć, tylko mów.

– On powiedział, że mnie kocha i nigdy nikomu jeszcze tego nie wyznał.

– I ty mu wierzysz?! Stieg też mi to powiedział, a jedno mu było w głowie. To ja mu na to: „Kolego, nie musisz ściemniać. Jak będę chciała tego samego co ty, to ci powiem bez gadania o miłości". Bardzo mu się to spodobało. U nich swoboda jest sprawą naturalną. Wyedukował się jednak przed przyjazdem do Chorwacji w kwestii wyrywania lasek w innym obszarze geograficznym i myślał, że trzeba je brać na miłość. A tu taka niespodzianka!

– Nina, nie mierz wszystkich własną miarą. Nie każdy facet zachowuje się jak Stieg.

– No może. Obym się myliła. Lecz radzę ci, żebyś nie była tak łatwowierna i patrzyła dobrze, kiedy przestanie się zachowywać jak zakochany Szekspir i złapie króliczka w sidła. Ale wiesz co, Weronika? Myślę, że czasami warto dać się złapać. Paweł to tylko podkład do tortu, a Lovro – bita śmietana z czekoladową posypką. Przynieść ci jeszcze lodów?

Wkurzyła mnie ta romantyczka od siedmiu boleści, ale czego mogłam się spodziewać. Żałowałam, że dałam się naciągnąć na zwierzenia. W końcu powinnam się spodziewać takiego przebiegu rozmowy. Udało jej się jednak zasiać we mnie wątpliwości dotyczące intencji Lovra. A jeżeli rzeczywiście chodzi mu tylko o to, a to całe gadanie to przykrywka do sztuki uwodzenia? Wypracowany na dziewczynach trik zanęcania? Cholera, ale dałam się podejść.

– Skoczymy do sklepu? – przerwałam rozważania. – Mam ochotę na szopską.

– A kiedy ty nie masz ochoty na szopską? – Nina wyraźnie się ożywiła. – Witamy wśród żywych! Nie gniewaj się, ale daj sobie trochę czasu. Być może masz rację z tym Lovrem. Pożyjemy, zobaczymy.

– Zaraz będę gotowa, napiszę tylko do Pawła.

Co porabiasz? U nas zajątka spoko. Ludzie fajni, wykładowcy okej. Najbardziej lubię warsztaty dziennikarskie i edycję programów. Mam zadanie domowe: napisać niebanalny tekst reklamujący Dubrownik lub Chorwację. To chyba niegłupie, bo przewodniki porażają nudą i ciężkim kalibrem historycznych danych. Litania dat i wojen, zbiór niepotrzebnych informacji, intelektualnych śmieci. Niebawem się za to biorę. A co tam w Warszawie? Pewnie jesienna plucha. U nas wyjątkowo, jak mówią miejscowi, ciepła jesień. Na wydział jeździmy autobusem, ale mimo sporej odległości czasami wracamy na piechotę. Cały czas jeszcze nie mogę się nacieszyć otoczeniem. Dookoła jest zielono. Chorwaci dbają o swoje rośliny. Wszędzie rosną pinie i agawy. Oleandry co prawda już przekwitły, ale dzięki temperaturze około dwudziestu stopni zieleń twardo się trzyma. Nie piszesz za często. Masz dużo zajęć? Kończę, idziemy z Niną do sklepu. Skrobnij coś przy okazji. Weronika.

Czekałam na odpowiedź. Komórka milczała. Trzeba się zebrać do biblioteki. Żadne sensowne pomysły nie przychodziły mi do głowy. Napiszę do mamy, ona na pewno coś odpowie. Nie, przypomniałam sobie, o tej porze dają teksty do redakcji, kompletny zamęt, nie będzie miała czasu. Nina zaległa na łóżku i nie zamierzała się nigdzie ruszać. Idę, zdecydowałam. Lepsze to od leżenia z otwartymi oczami. Muszę dać sobie kopa.

Ogarnęłam się z grubsza i na przystanek. Na ulicy nie było zbyt dużego ruchu, jedynie raz po raz przejeżdżały skutery. Czekałam na autobus, wystawiając twarz do słońca. Nawyki tanorektyka: jest słońce, trzeba się opalać. Zabrzęczał kolejny skuter.

– Weroniko, to ja.

Nie musiałam otwierać oczu, by poznać głos jego właściciela.

– Aaaa, cześć. Czekam na autobus – stwierdziłam inteligentnie, jak gdyby Lovro nie był w stanie się tego domyślić. Los mu sprzyja w polowaniu na króliczka – przypomniałam sobie słowa Niny.

– Może cię podrzucić?

Spojrzałam na niego. Miałam na to wielką ochotę, a gdy zdjął kask, potrząsając głową, i jego włosy rozsypały się na wszystkie strony, pozostawiając niesforny kosmyk na twarzy, byłam pewna, że nie odmówię.

– Nie, dziękuję. Zaraz będzie autobus – słowa wypłynęły wbrew woli.

– Weroniko, czekałem na ciebie kilka godzin na tym przystanku i będę czekał nadal. Może kiedyś dasz się podwieźć?

Spokojnie włożył kask i nie powiedział słowa więcej. Za chwilę przyjechał autobus.

WERONIKA
LISTOPAD 2011

Po dwóch godzinach w bibliotece wróciłam do chaty. Nina smacznie spała. Dobrze robi, przynajmniej się wyśpi, podczas gdy ja bez skutku siedziałam w czytelni, przypatrując się ambitnym koleżankom Francuzkom, skrzętnie notującym jakieś informacje z gazet i książek. Mama zawsze powtarza, że liczy się pomysł, to on pociągnie każdy tekst, pozwoli autorowi wejść z zainteresowaniem w temat i stworzyć całkiem niezły kawałek. Co mama jeszcze mówiła? W każdym razie Renée i Beatrice tak mnie zdeprymowały, zasuwając długopisem po papierze, że moja pomysłowość spadła do zera. Trzeba było zapytać Lovra, przeszło mi przez myśl. Może on podsunąłby mi jakiś projekt. Nina na pewno niczego sensownego nie wymyśli, a czas goni. Pojutrze mam przynieść tekst, a tu w głowie pustka.

Byłam coraz bliższa zatelefonowania do Lovra. Dlaczego nie? Przecież chcę od niego jedynie przyjacielskiej pomocy. Mam nadzieję, że się nie obraził za ten skuter.

Wyszłam na taras. Nad Adriatykiem zapadał zmierzch. Słońce schowało się za Lokrum, tworząc liliową poświatę nad wyspą. Gdybym umiała malować... – rozmarzyłam się. Ale nie potrafię i pisanie też nie idzie mi dobrze. Nie zastanawiając się dłużej, wybrałam znajomy numer.

– Lovro? To ja, Weronika.

– Miło, że dzwonisz. W czym mogę ci pomóc?

– Jeślibyś mógł... – rozpoczęłam, wiedząc, że mógł mój telefon odebrać dwuznacznie. – Chodzi mi o to...

W słuchawce panowała cisza.

– Mam pracę do wykonania na warsztaty dziennikarskie i nie bardzo mi idzie. Chodzi o napisanie tekstu reklamu- jącego Dubrownik, a nic nie wiem ani o Dubrowniku, ani o niebanalnej reklamie. Masz jakiś pomysł?

– Kiedy jutro kończysz zajęcia?

– O dwunastej.

– Przyjadę po ciebie. Wybierzemy się na Lokrum, jeśli wsiądziesz ze mną na skuter. Mam pewien pomysł.

O nieba, nie obraził się. Jak dobrze. Nie pytałam, o co chodzi, nie ciągnęłam go za język. Pojadę z nim gdzie- kolwiek, byle tylko mieć to z głowy. I niech sobie Nina myśli, co chce, fatalistka.

– Ika, popatrz, kto tam stoi. – Nina pierwsza przy- uważyła Lovra po drugiej stronie Ćira Caricia. – Idziemy na zakupy?

– Umówiłam się z nim na popołudnie. Będę za kilka godzin.

– No, no, widzę, że tracę koleżankę.

– Nina, przestań gadać głupoty. Lecę. No to cześć.

– Pewnie jesteś głodna? – Lovro czytał w moich myślach. – Zabiorę cię do knajpki przy plaży Buža. Już co prawda za zimno na kąpiel, ale na jedzenie w pięknym otoczeniu zawsze jest w sam raz – uśmiechnął się.

Zostawił skuter przy bramie Pile i przelecieliśmy się Placą do bramy świętego Szczepana, która prowadziła za mury Dubrownika. Z zacienionego tarasu knajpki roztaczał się widok na Adriatyk i Lokrum.

– Patrz, to jest cel naszej dzisiejszej wycieczki – wskazał na wyspę. – Popłyniemy łodzią, kursuje co godzinę. A teraz wybierz, na co masz ochotę – podał mi menu.

– Może jakąś sałatkę?

– Nie żartuj. Sałatka może być dodatkiem. Zdaj się na mnie, ja ci coś wybiorę. Zgadzasz się?

– Spróbuj, chociaż to nie będzie łatwe – zaczęłam odzyskiwać namiastkę pewności siebie.

Zawołał kelnera.

– Prosimy *palacinke* z owocami, śmietaną i czekoladą dla pani, a dla mnie *ćevapčići*.

– Jakie wino? – Kelner uznał, że wyglądamy na spragnionych.

– Jakie wino? – Lovro zawiesił głos, spoglądając na mnie.

– Białe.

– Poprosimy białe.

– Skąd wiedziałeś, że lubię *palacinke*?

– Zaryzykowałem. Udało się?

– Zobaczymy.

– A teraz do roboty. – Lovro przerwał utarczkę słowną,

478

przechodząc do rzeczy. – Mam pomysł na twój tekst, na który nie wpadłem kilka lat temu, gdy sam pisałem tę pracę. Możesz opowiedzieć o legendach Chorwacji, a przede wszystkim Dubrownika, bo tutaj powstało ich najwięcej. Znam kilka.

– Zamieniam się w słuch.

– Na początek powiem ci, że pochodzimy z tych samych terenów – zaczął.

Spojrzałam pytająco.

– Z Polski.

– Żartujesz.

– Niezupełnie. Według jednej z najsławniejszych legend o Białej Chorwacji, naszej praojczyźnie, średniowieczni Chorwaci zamieszkiwali ziemie na północ od Karpat, czyli terytorium dzisiejszej Polski. Stolicę mieli w Krakowie. Wasz święty Wojciech miał być potomkiem Chorwatów. Historycy twierdzą, że nasz lud przybył z północy. Ale czy z Polski? Legenda mówi, że tak. Ja jej wierzę.

– Dlaczego?

– Miło pomyśleć, że coś nas łączy.

– Mów dalej.

– O nie, teraz bierzemy się za zaspokajanie głodu.

Spojrzał na kelnera robiącego miejsce na stole, by postawić na nim talerze. Do kieliszków nalał białe wino, resztę zostawiając w butelce.

Po kilku łykach nie chciało mi się nigdzie iść. Wiaterek zawiewał delikatnie, dając nadzieję na kolejne udane popołudnie. Lovro jednak pozostał nieprzejednany.

– Idziemy do portu, praca czeka – pogonił mnie, widząc spadek morale.

Powlokłam się za nim niemrawo, przyciągnął mnie ramieniem.

– Chodź, leniwa istoto. Najpierw obowiązek, potem przyjemności.

– To po co stawiałeś mi wino? – załkałam teatralnie. – Teraz nic mi się nie chce.

– Trochę wiary w siebie, Weroniko. W końcu twoje imię oznacza „nieść zwycięstwo", a nie klęskę po połowie butelki.

– Skąd ty to wszystko wiesz?

– Odrobiłem lekcję, święta Weroniko. Wszak czy to nie twoja imienniczka otarła chustą twarz Chrystusowi, a jego wizerunek, który powstał na materiale, określony został prawdziwym obliczem Pana?

– Matko, a etymologię Lovra też sprawdziłeś?

– Jeszcze nie, może to kiedyś zrobię.

W supernastrojach dotarliśmy do portu i wsiedliśmy na łódkę do Lokrum. Lovro opowiedział mi jeszcze legendę o świętym Błażeju, biskupie wówczas ormiańskiej, a teraz tureckiej Sebasty, który za czasów cesarza Dioklecjana poniósł męczeńską śmierć za wiarę, by po siedmiu wiekach pojawić się w Dubrowniku i ostrzec ówczesnego proboszcza Stojka, że Wenecjanie zamierzają nocą napaść na miasto. Jego cudowne wstawiennictwo uratowało Raguzę, obecny Dubrownik, która na znak wdzięczności obwołała go swoim patronem. Czci się go trzeciego lutego na odpuście.

– Muszę cię zabrać na tę fetę. Przyjedzie mnóstwo

turystów, artystów, babek ubranych w ludowe stroje. Nie masz pojęcia, jak będzie fajnie. Masa imprez, wernisaży, telewizje z całego świata. I potańczyć można, zabawić się, mówię ci, sama radość.

– Kusisz... – szepnęłam zalotnie.

– Ciebie nieustannie.

– Okej. Masz w zanadrzu jeszcze jakieś legendy, panie bajarzu?

– Całe mnóstwo. Zejdźmy z łódki, opowiem ci.

Wysiedliśmy w niewielkim porcie pełnym żaglówek przycumowanych już chyba na stałe. Szliśmy ścieżką wśród egzotycznych roślin, których trudno szukać w innych częściach Chorwacji, kierując się w stronę ogrodów założonych w jedenastym wieku przez benedyktynów. Mnisi botanicy ściągnęli z różnych stron świata te roślinne okazy, by na niewielkiej adriatyckiej wyspie dać im schronienie i pozwolić przetrwać kolejne wieki. Lovro zaciągnął mnie na wzgórze, do Forte Royale.

– Czy ty musisz ciągle włazić na jakieś szczyty? – niecierpliwiłam się, pokonując skalne występy.

– Jeszcze trochę.

Spojrzałam w dół. Dokoła rozciągał się bajkowy widok na Stari Grad, Adriatyk, Wyspy Elafickie, Lokrum, przepiękne jezioro Mrtvo More, porażające przezroczystą wodą zachęcającą do kąpieli. Lovro przyciągnął mnie do siebie, nie opierałam się.

– Mamy jakąś legendę na tę okoliczność? – spytałam, mimo woli spoglądając mu w oczy.

Odgarnął mi włosy za ucho, wytrzymując spojrzenie.

– Może się znajdzie... Był sobie kiedyś angielski król Ryszard Lwie Serce, który wracał z wyprawy krzyżowej z Palestyny – zaczął opowieść. – Kiedy na Adriatyku rozszalała się burza, wzniósł modły do Matki Boskiej, obiecując, że jeżeli się uratuje, wybuduje kościół tam, gdzie uda mu się bezpiecznie dotrzeć. Niebawem zdołał zacumować u wybrzeży Lokrum. Za pieniądze angielskiego monarchy dubrowniczanie wznieśli katedrę przy Stradu, na której gruzach po trzęsieniu ziemi w siedemnastym wieku stanęła obecna.

– Niebywałe, Lovro, jesteś mistrzem. Kilka lat temu byłam z rodzicami na wyspie Hvar. Jeżeli znajdziesz legendę i na jej temat, odpadam.

– Bardzo proszę. – Ku mojemu zdumieniu Lovro szykował się do opowieści. – We franciszkańskim hvarskim klasztorze znajduje się obraz „Hvarska Ostatnia Wieczerza" autorstwa weneckiego malarza, który wcześniej pracował na dworach Bliskiego Wschodu. Gdy zachorował na cholerę, udał się statkiem do domu, by tam wyzionąć ducha. Kiedy kapitan się zorientował, że wiezie śmiertelnie chorego, wysadził go właśnie na wyspie Hvar. Pod dach przyjęli go i wyleczyli franciszkanie. Malarz odwdzięczył się zakonnikom obrazem przedstawiającym Ostatnią Wieczerzę. Gdy po kilku latach jego pracy wieszano obraz na ścianie, okazało się, że jest za duży, i pewien jego fragment, zawierający podpis artysty, odcięto. Do tej pory nie wiadomo, jak nazywał się malarz...

– Skąd ty to wszystko wiesz? – Patrzyłam na niego z podziwem. – Ja co najwyżej znam legendę o Warsie i Sawie, a właściwie, wstyd się przyznać, wiem, że taka istnieje.

– Nie domyślasz się, Weroniko? Przewaliłem pół biblioteki, żeby się tego wszystkiego nauczyć. Ten Hvar też nie jest przypadkowy. Wspominałaś, że tam byłaś. Mam wszystkie materiały potrzebne ci do pracy zaliczeniowej. I dam ci je, oczywiście – odwrócił się ode mnie, patrząc w morze.

– Lovro... Dziękuję, jesteś naprawdę wspaniałym... – Niestety, znowu na mnie spojrzał.

– Ty też.

Gdy wracaliśmy, po Adriatyku błąkała się wieczorna bryza. Lovro okrył mnie marynarką. Chciałam, by ten dziesięciominutowy rejs nigdy się nie skończył.

WERONIKA
GRUDZIEŃ 2011

Mamuś, to za drogo. Poszukam tańszego połączenia. Nie będę płacić osiem i pół stówy za lot! *Sorry*!

– Weroniko, sprawdzałam w Internecie inne. – Mama próbowała mnie namówić na podróż samolotem. – W sezonie jeżdżą autobusy do Dubrownika, no może z jedną przesiadką, ale teraz mimo zbliżających się świąt niczego nie ma, rozumiesz? Sama się przekonaj. Córciu, rozmawialiśmy z ojcem i kupimy ci bilet na ten lot. Na czym polega problem? Przecież chcemy razem spędzić święta.

– Nie mogę za bardzo gadać, Nina jest w pokoju – przyciszyłam głos. – Teraz mogę ci powiedzieć, wyszła na chwilę. Ona pewnie nie dostanie od rodziców takiej kasy. Mamy jechać oddzielnie?

– Córuś, rozumiem – mama dalej swoje. – Ale chyba nie jesteście od siebie uzależnione. Ja jej za przelot nie zapłacę.

Rzeczywiście trudno było wydostać się z Dubrownika autobusem, że nie wspomnę o czasie przejazdu z kilkoma przesiadkami.

– Kochanie, zdecyduj jak najszybciej. Do świąt zostały już tylko trzy tygodnie. Czekamy na ciebie wszyscy. Chłopaki pomogli mi umyć okna, kuchnia wypucowana, czeka na wielkie pichcenie. Żebyś mi tylko nie została w Dubrowniku. Nie wyobrażam sobie świąt bez ciebie.

– Mamuś, przyjadę, daj mi chwilę. Obiecuję, że dzisiaj usiądziemy z Niną przy komputerze i coś zdecydujemy. A co w domu?

– Wszystko w porządku. W styczniu się okaże, jak chłopcy sobie radzą w liceum. Mam nadzieję, że nie będzie źle. Alek siedzi nad książkami, Michał gra w nowym zespole, udzielali już pierwszego wywiadu! Tata jak zwykle dużo pracuje, a ja... też pracuję. Chociaż, wiesz, coraz bardziej mam już dość gazety. Myślałam o jakimś tygodniku. Mam też ochotę na jakąś książkę dla dorosłych. Nie umiałabym już chyba pisać dla dzieci. Herkulesik dorósł wraz z wami i wyfrunął z gniazda.

– Mami, na pewno coś wymyślisz. Kto, jeśli nie ty? A co tam u pani Lucyny?

– Wiesz, od czasu gdy wyprowadzili się z Andrzejem do Powsina, znacznie rzadziej się spotykamy. Lucyna ma ciągle kłopoty z alergią Edytki, szczególnie teraz, gdy mała poszła do zerówki. Jest wiecznie zasmarkana, kaszląca, a Lucyna stale siedzi z nią w domu. Mnie też rzadko się chce brnąć w korkach do nich i kontakty się rozluźniają. Siedzimy z tatą w domu i tak schodzi weekend za weekendem.

– Może byście zaplanowali jakiś wyjazd na lato?

– Koniecznie. Chłopcy też muszą gdzieś wyjechać. A ty byś się z nami wybrała?

– Jeszcze nie wiem, co będę robiła w wakacje. Na razie muszę szukać połączeń do Warszawy – nie chciałam ciągnąć tematu.

– Szukaj skutecznie i daj znać, gdy się zdecydujesz. Ściskamy ciebie wszyscy bardzo mocno, a ja najmocniej. Czekam na ciebie.

– Mami... – postanowiłam na koniec zapytać. – Paweł się z wami kontaktuje?

– Dawno go nie widziałam. Tato go czasami spotyka na uczelni. Mówił, że działa w kole chemików i w ogóle jest dość aktywny. A dlaczego pytasz? Coś między wami jest nie tak?

– Mamuś, wszystko jest tak. Po prostu zapytałam – zniecierpliwiłam się z powodu tej jej podejrzliwości.

Faktem jest, że ostatnio nie bywaliśmy na skypie tak często jak kilka tygodni temu. Ale jak mam szczerze porozmawiać z Pawłem, gdy Nina cały czas zalega w pokoju? W głębi duszy jednak czułam, że powodem mojej niechęci do skype'owych spotkań jest Lovro. Co ja mam robić? Nina co prawda przestała komentować nasze spotkania, ale wiedziałam, że nie ma zaufania co do intencji „tego przystojniaka". Po jaką cholerę zabrałam do Chorwacji przyzwoitkę? Chyba żeby patrzyła na mnie jak na zdrajcę. A tak w ogóle, co ona wie o naszych kontaktach z Pawłem? Tyle, co sama jej powiedziałam. Znamy się dwa lata, pierwsza miłość, i tyle. W końcu nic złego nie robię, opanowałam budzące się wątpliwości. Pojadę na święta do domu, spotkam się z Pawłem i zobaczę, co będzie. A teraz pójdę z Lovrem kupować świąteczne prezenty. W końcu kto, jeśli nie on, może mi w tym pomóc? Umocniona w swoim postanowieniu rozproszyłam męczące myśli.

– Nina, wychodzę! Kupić ci coś?

Leżała na tapczanie zwinięta w kłębek. Odsunęłam koc z jej głowy. Spała słodko w objęciach Morfeusza. Dobrze, nic ci nie kupię. Cichutko naciągnęłam botki i okręciłam szal wokół szyi. Temperatura na dworze oscylowała wokół zera, ale wiatr znad Adriatyku sprawiał, że wydawała się niższa. Szkoda, że nie wzięłam z domu czapki. Łeb chce oberwać. Mama by się denerwowała. Dotarłam do SR-a, opierając się podmuchom wiatru. Marketową knajpkę wypełniali ludzie, ale Lovra jeszcze nie było. Skusiłam się na dwie gałki lodów.

– Przepraszam, że się spóźniłem! – przytulił mnie znienacka. – Mam coś dla ciebie.

Spodziewałam się, że zza pleców wyciągnie różę, on jednak położył na stole zawiniątko.

– Otwórz, mam nadzieję, że ci się spodoba.

– Czapka! Bardzo ładna! Skąd ją wziąłeś?

– Mam ciotkę góralkę, która produkuje setki czapek. Przesadzam. Poprosiłem ją, żeby zrobiła coś specjalnego dla ciebie, w chorwackie wzory. Żebyś nie chodziła przy takiej pogodzie z gołą głową i... żebyś pamiętała o mnie, gdy wyjedziesz na święta do domu. Potraktuj ją jako wstęp do świątecznych prezentów.

– Wstęp? Przecież to już jest prezent. Jest naprawdę

cudowna, a mówię szczerze, bo w ogóle nie lubię czapek. Lecz ta mi się podoba. Ma śliczny wzór.

– To typowo chorwacka pletenica. Widziałaś pewnie na niejednej pamiątce tę plecionkę. Zastanawiałem się, czy ciotka nie powinna wyhaftować ci dalmatyńczyka, ale może następnym razem, jeśli będziesz chciała. – Delikatnie pocałował mnie w usta. – Jak długo cię nie będzie? – Objął mnie mocno, a ja stałam wtulona w jego ramiona okryte czarnym płaszczem, nie mogąc się ruszyć.

– Lovro... – Nie wiem, jak udało mi się to powiedzieć: – Mam chłopaka, Pawła. Studiuje w Warszawie chemię. Jesteśmy razem dwa lata.

Jego wzrok się nie zmienił, nadal przyglądał mi się z czułością, nie mając zamiaru odejść.

– Kocham cię. Nie wiem, co mogę innego powiedzieć. Nie chcę, żebyś wyjeżdżała, będę czekał, aż wrócisz.

– Jeszcze nie wyjeżdżam, Lovro – udało mi się odzyskać głos. – Pomożesz mi wybrać prezenty dla rodzinki?

– Z przyjemnością. Przy okazji czegoś się o niej dowiem. Usiądźmy przy kawie, mam kilka propozycji.

Lovro jak zwykle był doskonale przygotowany. Zamieniłam się w słuch.

– Kogo chcesz obdarować?

– Po pierwsze, mamę i tatę, dziadków, dwóch szesnastoletnich braci i może jeszcze kilka koleżanek.

– Dobra, zatem najpierw tata. Z tym mamy najmniejszy problem. Nie wiem, czy wiesz, ale chorwaccy żołnierze wymyślili krawaty.

– Niemożliwe. Myślałam, że to francuski wynalazek.

– Otóż nie, Francuzi kupili ten pomysł, ale historia sięga siedemnastego wieku. Gdy mężczyźni szli na wojnę, ich ukochane dawały im na szczęście szerokie białe szale, które z czasem przybrały kształt krawata. Do tej pory stanowi on u nas część ludowego męskiego stroju. Nie jest to rzecz bardzo tania, ale gdybyś chciała, wydaje mi się, że ma sens. Jeżeli ten pomysł ci się nie podoba, proponuję inne chorwackie wynalazki – długopis albo pióro.

– Nie mów. Myślałam, że to dzieło Parkera!

– Jestem świeżo po internetowym kursie w tym zakresie i mogę cię zapewnić, że twórcą był Slavoljub Penkala.

– Jeżeli mi powiesz, że przed Kopernikiem jakiś Chorwat odkrył, że Ziemia krąży wokół Słońca...

– To już wasza domena. I nic więcej nie powiem, bo na tym kończy się lista naszych wynalazków. Teraz smakołyki. Można pomyśleć o winie ze szczepu malvazja z okolic Istrii i Dubrownika. Białe, lekko musujące, o delikatnym smaku, doskonale pasujące do ryb, skorupiaków lub drobiu. Jeżeli nie chcesz kupować wina, kup likier maraschino z Zadaru z małych kwaśnych wiśni albo ziołową wódkę travarica czy rakiję. A do wina oliwę, oliwki, bardzo znany jest też wędzony ser z wyspy Pag i *prsut*, suszona szynka. No, nie gniewaj się. Wiem, że dla wegetarian to bezeceństwo, ale może dla dziadka?

Przyglądałam się Lovrowi, szukając u niego jakichś wad. Boże, albo ja jestem naiwna jak dziecko, albo się zakochałam, albo on się doskonale maskuje. Odechciało mi się kupować prezenty, wyjazd do domu przestawał mnie powoli interesować. Ale po chwili odsunęłam od siebie

te głupie myśli. Bardzo dobrze, że jadę. Zobaczę się z rodzinką, Pawłem i nabiorę dystansu, na pewno nabiorę.
Lovro też wyjedzie do Zagrzebia, a gdy wrócimy, spojrzymy
na wszystko od nowa. Tak będzie.

– A czym się interesują twoi bracia?

– Bracia... Michał gra na gitarze, a Alek się uczy i gra
na kompie.

– Okej. Majklowi możemy kupić płytę z chorwacką
muzyką Dalmatinske Klape, z fajnym akompaniamentem
gitary i mandoliny, a Alkowi... no, może grę rycerską Mo-
reska. Co ty na to?

– Jeżeli powiesz mi jeszcze, że wymyśliłeś prezenty
dla moich koleżanek, odpadam.

– Trudna sprawa, ale przynajmniej tania. Gdy nie mam
grosza, kupuję mamie suszone zioła lawendy, tymianku,
rozmarynu albo olejki w małych flaszeczkach. Albo sobie
powącha, albo włoży do szafy przeciw molom, nie wiem.
A dla ciebie mam jeszcze jeden drobny prezent. – Z wewnętrznej kieszeni płaszcza wyjął niewielki przedmiot.
– Otwórz.

Z papieru wydobyłam piernikowe lukrowane na czerwono serce z chorwackim napisem „Weroniko, wspaniałych
świąt. Wróć do mnie”.

WERONIKA
GRUDZIEŃ 2011

Wyleciałyśmy z Dubrownika o 6.40. Kalkulacje w tył, w przód i w każdą inną stronę nie pozostawiły wątpliwości, że lot jest najlepszym rozwiązaniem. Osiemset pięćdziesiąt pięć złotych tam i z powotem to niemało, ale każda inna opcja nie była znacząco tańsza, za to o wiele bardziej uciążliwa. Z ciężkim sercem wyłożyłam *cash* na bilet.

Z Lovrem pożegnałam się dzień wcześniej. Nie chciałam się z nim rozstawać na lotnisku przy Ninie. Ze Stiegiem jej się rozeszło. Nie mogło zresztą być inaczej. Kobieta miała dyskomfort z powodu mojego nadmiaru facetów, a jej niedomiaru, tak przynajmniej twierdziła. Nadmiaru! Szczęście jak diabli.

„Weroniko, dobrego lotu, napisz z Monachium, daj znać, gdy będziesz w Warszawie. Lovro" – odczytałam SMS-a na lotnisku w Dubrowniku. Pomyślałam o Pawle, który pewnie czeka na mnie w domu, o korzennych zapachach piernika i keksu wypełniających naszą kuchnię, o choince, która chyba jest już ubrana. Prezenty wybrane z Lovrem leżały w walizce. Jeden facet cię żegna, drugi wita. Taki scenariusz może podobać się tylko Ninie.

Krótka przesiadka w Zagrzebiu, przed dziesiątą byłyśmy w Monachium. Pięć godzin do wylotu spędzonych na kanapie w poczekalni.

– O czym myślisz? Paweł będzie na lotnisku? – wyrwała mnie z zadumy Nina.

– A jak sądzisz? Mam dość tych rozmów o moralności – próbowałam zapobiec dalszym wywodom. – Nina, mam wystarczająco wiele swoich problemów, żeby zastanawiać się nad twoimi radami. Daj mi spokój.

– Ale co ja takiego powiedziałam? Zrobisz, co będziesz chciała. Ja się nie wtrącam.

– I dobrze.

Oparłam głowę na kanapie, próbując odciąć się od przemieszczających się ludzi z walizkami na kółkach, stewardes w granatowych uniformach podążających do samolotów, Niny, która w obliczu swoich miłosnych zawodów stała się nagle obrończynią domowego, czyli mojego i Pawła, ogniska, a także głosów zapowiadających przez megafon kolejne odlatujące samoloty.

– Tata?!

Staruszek czekał na mnie na Okęciu. Wypatrywałam pozostałych członków komitetu powitalnego.

– Witaj, córuś. – Tata przywitał mnie niedźwiedzim uściskiem. – Nie cieszysz się, że widzisz starego ojca?

Spodziewałaś się mamy? Nie mogła przyjechać, ma jakiś pasztet w piekarniku czy ciasto? Jak podróż? Dzień dobry – przywitał się z Niną.

– Dobrze, wszystko w porządku. A Paweł? – zapytałam szybko, czując, że jeśli nie zrobię tego od razu, za chwilę się na to nie zdobędę.

– Paweł? Chciał ze mną jechać, ale jego ojciec trafił do szpitala ze stanem przedzawałowym i siedzą tam teraz z jego mamą. Wszystko będzie dobrze, zaprosiliśmy go na obiad w pierwszy dzień świąt.

– Jak to: zaprosiliście?! A czy mnie ktoś pytał o zdanie?!

– Córuś, zrobiliśmy to dla ciebie... – zaczął się tłumaczyć ojciec. – Nie denerwuj się, że nie przyjechał na lotnisko. Nie mógł.

Męski ród, zawsze się wspiera. Gdyby tak nie mógł, dałby znać SMS-em. Na pewno się wkurza z powodu naszych rzadszych kontaktów. I dobrze.

– Może powinnaś do niego zadzwonić? – Tata wymyślił genialne rozwiązanie.

Spojrzałam na niego z dezaprobatą.

– Odwieziemy Ninę na Centralny?

– Siadajcie, dziewczyny. Dokąd pani jedzie?

– Do Nidzicy.

Dzwonek mojego telefonu zabrzęczał w rytm „We are the champions". „Oglądałem wiadomości. Żaden samolot nie spadł nad Monachium ani Warszawą, to znaczy, że wylądowałaś szczęśliwie. Kocham cię, Weroniko. Lovro". „Dzięki za troskę" – tyle udało mi się napisać, zanim wskoczyłam do RAV-ki.

Tak jak przypuszczałam, z ojcem Pawła nie było tragicznie. Jego matka trochę panikowała, wykorzystując sytuację, by grać na uczuciach jego i jego siostry.

– Weronikuś, włóż prezent ode mnie pod choinkę. – Paweł przyniósł zawiniątko dzień przed Wigilią. – Jak dobrze, że jesteś – próbował mnie przytulić. – Zobaczymy się jutro u ciebie na obiedzie. Muszę być teraz z mamą, wiesz... Byłaby sama, bo Bożena spędza Wigilię z teściami.

– Nie ma sprawy, Paweł. Pozdrów ode mnie tatę. A jak on się czuje?

– Lepiej, najgorsze minęło. Tak, mamo, już jadę. Przepraszam, to mama. Do jutra kochanie – próbował mnie pocałować.

– Jedź, jedź.

– Alek, chodź po wazę! – zawołała mama z kuchni.

Na stół wkraczały kolejne wigilijne dania: zupa z suszonych owoców z łazankami, kasza gryczana z sosem grzybowym, pierogi z kapustą i grzybami, łazanki z makiem, ryby pod różnymi postaciami, kapusta z grochem. Prezenty rozpakowane, Mikołajowi już pokiwaliśmy, kolędy włączone, wieczór wigilijny w pełni.

– Cieszę się, że jesteśmy wszyscy razem. Za nasze zdrowie i za spotkanie przy rodzinnym stole! – wzniosła toast mama.

– Córeczko. – Dziadek podniósł się z fotela, by wygłosić mowę. – My z mamą mieliśmy tylko ciebie, a wy z Jerzym daliście nam troje wnucząt i teraz nasza rodzina potrzebuje dużego stołu. Dziękujemy wam za to i cieszymy się, że was mamy. Za to, byśmy byli zawsze razem i zawsze blisko. Za rodzinę!

– Przepraszam, muszę na moment wyjść – wtrąciłam po chwili, gdy wszyscy zdążyli się stuknąć kieliszkami.

Rodzinka pokiwała głowami ze zrozumieniem, słysząc sygnał mojego SMS-a. Poleciałam do kuchni, gdzie panował względny spokój. Jedzenie stało na stole w pokoju, nikt po nic nie przyjdzie. Mama odpaliła się jakieś pięć minut temu i nie należało się spodziewać jej wizyt po wodę, żarcie, lód do drinków. W komórce pulsowało zielone światełko nieodebranego esa. Zastanowiłam się przez chwilę... Ciekawe od kogo. Odbierać? A jeżeli się zawiodę?

Klik na wiadomości, skrzynka odbiorcza, Lovro...

– Siostra, gdzie jest sok pomarańczowy? – Do kuchni wtargnął Michał.

Wyciągnęłam rękę w stronę spiżarni.

– Coś ci jest? – spojrzał na mnie podejrzliwie. – No dobra, to ja biorę ten sok.

Trzymałam komórkę w garści. Kliknęłam na „Odbierz”.

SMS od Lovra: „Życzę ci pięknej Wigilii, Weroniko. Mam nadzieję, że następną spędzimy razem. Nie może być inaczej. Kocham cię. Wracaj, będę na lotnisku. Twój L.”.

– Pawełku, może jeszcze pieczeni? – Mama jak zwykle dogadzała gościom.

– Dziękuję, zaraz sobie nałożę.

Paweł pałaszował zawartość swojego talerza.

– Nooooo, jeszcze deser! – Dziadek rozkoszował się widokiem wkraczającej na stół galaretki z owocami i bitą śmietaną. – Młody człowieku, lubisz galaretkę? – zatokował do Pawła.

– Lubię wszystko, co słodkie. – Paweł znacząco spojrzał na mnie, puszczając oko do dziadka.

– I prawidłowo, bardzo dobrze. Może doczekamy jeszcze prawnuków, Anastazjo.

– Karolu, nie rozpędzaj się. Oni są dopiero na drugim roku. Lepiej nałóż mi kawałek piernika. – Babcia po raz pierwszy od nie wiadomo jakiego czasu zachowała się w porządku.

– Weroniko, mam dla ciebie niespodziankę. – Paweł dorwał mnie w przedpokoju, gdy biegłam przygotować kawę. – Możemy spotkać się pojutrze? Chciałbym zaprosić cię na występ mojego kumpla i jego kapeli. Nie wiem, jak śpiewają, ale wygląda na to, że dobrze.

– Pojutrze?

– No, tak. Jutro jedziemy z mamą do Bożeny i do taty. Kiedy wyjeżdżasz?

– Jeszcze nie wiem – skłamałam, wyjeżdżałam trzeciego stycznia. – Paweł, zdzwonimy się, okej?

– Jasne. Wracajmy do pokoju!

– Weroniko, pomożesz mi znieść ze stołu? – wołała mama z kuchni.

– Już idę, dokończę esa.

„Dragi Lovro! Przylatuję do Dubrownika trzeciego stycznia. Wracam do ciebie. Weronika".

WERONIKA
STYCZEŃ 2012

Czekał na lotnisku, jak obiecał. Zamiast kwiatów miał zrobiony przez ciotkę artystkę szal w pletenicę.

– Nie wytrzymam z tobą! – Okręciłam szal wokół szyi. – Czy ty chcesz zrobić ze mnie bałwana?

Przywarłam do niego niczym bluszcz do konaru drzewa. Lovro delikatnie odgarniał moje niesforne kosmyki, żeby nie przeszkadzały nam patrzeć na siebie, a ja odsuwałam jego czarne kędziory.

– Weroniko, nigdy jeszcze święta nie trwały tak długo. Ile czasu leciałaś?

– Ponad siedem godzin z przesiadkami. Ale warto było, Lovro.

Uwierzyłam mu. Mogłam mówić, co czuję, bez obawy, że dałam się wkręcić w niebezpieczną grę.

– No to ja niemal tyle czasu jechałem z Zagrzebia. Ojciec chciał mnie odwieźć, ale... sądziłem, że będzie nam przeszkadzał. Przygotowałem kolację. Czy zrobisz mi ten zaszczyt i zjesz ją ze mną? Tylko kolacja i wino, romantyczna i z szacunkiem – dodał, gdybym miała wątpliwości.

– Lovro, jeszcze nigdy żaden Chorwat nie zrobił dla mnie kolacji z winem i szacunkiem. To musi być warte grzechu. Rozumiem, że skuter czeka?

Kiwnął głową.

– Twoje długo nieużywane siodełko zarosło mchem.

– Poczekaj, powiem Ninie, żeby jechała do domu.

Stół wyglądał imponująco. Dyskretnie rozglądałam się po kątach, czy nie czai się w pobliżu kobieca ręka. Na biały obrus po półgodzinie raczenia się słodkim deserowym winem z dodatkiem ziół wjechało *brodetto*, roztaczając zapach oliwy i czosnku pomieszany ze słonym posmakiem Adriatyku. Dołączyła do niego polenta, która okraszona owczym serem i sosem pomidorowym pachniała tak wspaniale, że... poczułam się jak na królewskiej uczcie.

– Jedz, kochanie, jesteś głodna. – Lovro nakładał mi na talerz zapiekane ryby i morskie przysmaki. – Może nie wyszło, jak trzeba, robiłem po raz pierwszy sam, ale nie martw się, raz pomagałem mamie, no... żeby się nauczyć dla ciebie.

– Jest wspaniałe. Miękkie, aromatyczne, rozkoszne. Lovro, mam wrażenie, że śnię i zaraz się obudzę.

Musiałam wyglądać dziwnie, bo Lovro wyraźnie się zaniepokoił. Usiadł przy mnie i ogarnął ramieniem.

– Ciiiicho, kochana. Jeżeli ktoś się ma obudzić ze snu, to chyba ja. Nie rozmawiajmy. Jedz te moje przysmaki.

Nalejmy wino i przytul się do mnie. Nie mówmy o niczym, proszę. Najważniejsze, że tu jesteś. Szczęśliwego nowego roku, Weroniko.

Patrząc w jego oczy, wiedziałam, że jest szczęśliwy. Jak ja.

WERONIKA
STYCZEŃ 2012

To co robimy na warsztaty? – zaatakowała mnie Nina po popołudniowej drzemce.

Z jej tonu wywnioskowałam, że wstała jak zwykle ostatnio lewą nogą. Nie zamierzałam się dać terroryzować.

– Nina, przecież mamy napisać tekst indywidualnie. Nie możemy zrobić tego razem.

– Oczywiście, pani dostanie gotowca od Lovra, a Ninka będzie się męczyć.

Permanentne uszczypliwości mojej współlokatorki zaczęły mnie już niecierpliwić. Rozumiałam jej los chwilowego singla, ale to nie oznaczało, że miałam z tego powodu posypywać głowę popiołem. Jej próby wywołania u mnie wyrzutów sumienia traciły siłę oddziaływania. Co ona sobie wyobraża? Obrończyni Pawła, którego w ogóle nie zna, ciotka dewotka z bożej łaski. A w tym wszystkim wcale nie chodzi jej o moje dobro, tylko powodują nią własne frustracje. Muszę się zastanowić, czy chcę z nią mieszkać w przyszłym roku.

W przyszłym roku... Papieros spalał się szybko na wietrze grasującym po naszym tarasie. Musiałam wyjść na chwilę złapać oddech i pomyśleć. Przejrzałam esy od Pawła.

„Szkoda, że nie udało nam się spędzić w czasie świąt więcej czasu razem. Przepraszam, wiem, że to moja wina. Bożena zajmuje się swoimi sprawami, a mama, sama wiesz, jak potrafi być absorbująca. To się nie powtórzy. Kocham cię i tęsknię".

„Nie odpisujesz. Jesteś zła?".

„Dzięki za esa. Dobrze, że bezpiecznie dojechałaś. Nie mogę się doczekać połowy lutego. Wracasz!".

„Nie przejmuj się zaliczeniami, dasz sobie radę. Ja mam w sesji cztery egzaminy i też się cykam. Szczególnie boję się chemii fizycznej. Gość jest nieobliczalny. Latem pojedziemy na Mazury. Co ty na to?".

„Byłem na występie DJ! Jak zwykle gites! Szukam Erasmusa, na który wypuścimy się razem. Będzie się działo. Do zobaczenia. Paweł".

„Fajnie, że zaliczyłaś tę edycję TV. Mówiłem, że dasz radę. Przy moim wsparciu będzie dobrze. Całuski. Paweł".

„Nie pisałem, bo ojciec wrócił ze szpitala i musimy się wokół niego kręcić. Rozumiesz, rodzinka... Buziaczki".

„Nie mogę się do ciebie dodzwonić. Puść chociaż wędkę, kiedy będziesz wolna".

„Widziałem się z twoim tatą. Mówił, że u ciebie wszystko ok. Dlaczego mi nie odpisujesz?".

„Nareszcie się odezwałaś. Gratuluję zaliczenia koła z literatury. U mnie też powolutku. Dużo ryry, ale daję radę. Całus. Paweł".

„Pardon, że nie pisałem. Mieliśmy imprezę grupową i trochę zeszło. Jeszcze tylko miesiąc i wracasz! Całuję".

Wyłączyłam skrzynkę odbiorczą. Paweł, mój chłopak, a może tylko chłopak. Uniwerek, rodzina, impreza, dziewczyna, która niebawem przyjedzie i wszystko wróci do normy. Tylko jaka jest ta norma? Z zadumy wyrwała mnie Nina.

– No, wracaj już, bo zimno leci z dworu. To jak będzie z warsztatami?

– Tak będzie, jak powiedziałam. Każda pisze sama. Lovro raz mi pomógł z tą promocją Dubrownika i na tym się skończyło. Nie spotykam się z nim, żeby brać gotowce.

– Zamierzasz zostawić Pawła? – nieoczekiwanie zmieniła kurs.

– Co ci przyszło do głowy?

– Przecież widzę, nie jestem ślepa. Okej, nie moja broszka, ale może ci będzie łatwiej, jak się wygadasz.

– A tobie może będzie lepiej, gdy się przestaniesz

wtrącać! – wkurzyła mnie na maksa. – Znajdź sobie następnego Stiega i daj mi spokój!

Polazłam na taras zapalić kolejną fajkę. Czułam, że przegięłam ze Stiegiem, ale co tam, może się w końcu odczepi.

– Masz ogień? – Nina stanęła obok mnie, podpierając ścianę balkonu. – Dzięki.

Paliłyśmy kilka minut bez słowa, zaciągając się dymem. Adriatyk falował dość mocno, wpychając styczniowe bałwany do zatoczek i uderzając o kamieniste nabrzeże. Zakrywałam się szalem z pletenicą, chroniąc gardło przed podmuchami wiatru.

– Ładny – odezwała się Nina pojednawczo. – Nie kłóćmy się. Zgoda? – Wyciągnęła rękę. – Przepraszam.

– Dobra, tylko już nie gadaj byle czego.

– Ale ty mnie za ten wist ze Stiegiem też przeproś – ożywiła się, widząc, że się uspokoiłam.

– Nina, przepraszam cię bardzo. Jestem rozdrażniona, nie wiem, co robić. To nie takie proste. Za miesiąc wracamy do kraju!

– Chodź, otworzymy *domace*, pogadamy. Chyba że wychodzisz?

– Nie bądź kąśliwa. Lovro wyjechał na dwa dni, zatem nie wychodzę, jeśli chcesz wiedzieć. Zanim mnie znowu wkurzysz, wejdźmy do środka.

W pokoju panował półmrok. Rzuciłyśmy się na łóżka, stawiając kieliszki obok. Nina, nie Nina, musiałam pogadać. Z mamą ostatnio się nie układało. Wymianę informacji na skypie trudno nazwać rozmową, szczególnie gdy w tle kręcili się ciekawscy. A zresztą ona też nie była wobec mnie szczera. Kilka razy dopytywałam się, kto jej przysyła listy z Chorwacji, ale spuszczała mnie po brzytwie. Jak Kuba Bogu, tak Bóg Kubie. O swoich problemach sercowych nie będę z nią gadać.

– I co zamierzasz, Ika? Jaki będzie *end*?

– Lepiej polej jeszcze po jednym.

Niezłe to winko, idzie do głowy, jak należy. Usiadłam na łóżku, opuszczając nogi na podłogę.

– Zauważyłaś, że mamy zieloną wykładzinę? – spojrzałam w dół.

– Coś z tobą jest nie tak? Będziemy gadać o wykładzinie? Skup się na głowie, a nie na palcach od nóg. Pardon, znowu powiedziałam coś głupiego. Buzia na kłódkę, słucham.

Lepszy rydz niż nic. Nina to nie mistrzostwo świata, ale jest w pobliżu. Będę zeznawać.

– Słuchaj – zaczerpnęłam głęboko powietrza. – Nie wiem, czy zamierzam zostawić Pawła. Lovro jest cudowny, wprost idealny, ale ciągle się boję, że to sen, bajka, która musi się skończyć. No, jak długo jesteśmy z sobą? Dwa, trzy miesiące? Pawła znam dwa lata. Ale, Nina, Lovro... Lovro jest inny niż Paweł.

– Lepszy? – puściła oczko.

– Ninaaaa, nie spałam z nim. Jeśli jesteś w stanie to objąć, jest inny we wszystkim. Zakochałam się. Kocham Lovra. Paweł... jest czy był mi bliski, ale, kurczę, nie jesteśmy małżeństwem z dwudziestoletnim stażem! Nie mamy dzieci, domów, samochodów, długiej przeszłości, *sorry*!

– Powiedziałaś mu o tym?

– Coś ty! Był tak zaabsorbowany rodzinnymi sprawami, że traktował mnie jak żonę, która wszystko zrozumie. A poza tym... nie czułam, że nadszedł na to czas, i nie byłam pewna. W końcu Lovro mieszka tu, a ja tam.

– Nie mam pojęcia, co ci doradzić, Ika. Przystojny jest jak cholera...

– Ninaaaaa!

– A gdybyś miała tu zostać?

– Nie wiem, nic teraz nie wiem. Poczekam, w końcu do wyjazdu został nam niecały miesiąc. Chodź na taras, popatrzymy w gwiazdy. Może coś podpowiedzą? Aaaaa, jest jeszcze wino?

WERONIKA
LUTY 2012

W powietrzu czuło się nadchodzącą wiosnę. W nocy temperatura spadała do zera, ale za to w południe dochodziła do dwunastu stopni. Na Place zaroiło się od spacerowiczów, Dubrownik ożywił się, gotów na przyjęcie najpiękniejszej z pór roku, bardzo krótkiej i gwałtownej, szybko oddającej pole latu i otwierającej wrota turystom. Ostatnie zimowe niepokoje Adriatyku czyściły plaże dla amatorów coraz mocniej grzejącego słońca. Uliczki miasta, jeszcze pustawe, dawały ostatnią okazję na podziwianie ich piękna bez towarzystwa tłumów.

Korzystając z wolnego przedpołudnia, włóczyłam się po zakamarkach Stariego Gradu, próbując chłonąć klimaty, które za kilka dni staną się być może tylko wspomnieniem. Jutro jeszcze raz pojadę na Ćira Caricia na ostatnie spotkanie erasmusowców mojego wydziału, potem odbiorę papiery z rektoratu, może odwiedzimy z Niną Nikolę – i trzeba będzie pakować walizki. Prezenty dla rodziny, wspominając swoją ostatnią nieporadność w tej kwestii, gromadziłam od jakiegoś czasu. Zmęczona penetrowaniem starych kątów przysiadłam w knajpce przy Širokiej i w oczekiwaniu na kelnera wystawiłam twarz do słońca.

– *Što želite?* – zjawił się błyskawicznie.

– Poproszę dobrą kawę w małej filiżance, mocną i słodką – poprosiłam.

– Bardzo dobrze mówisz po chorwacku, ale chyba nie jesteś stąd?

– Nie jestem – uśmiechnęłam się mimo woli. Nie chciałam go urazić, ale nie chciałam z nim rozmawiać. Za godzinę spotykałam się z Lovrem.

– Skąd jesteś? – Kelner zaatakował po raz drugi.

– Dla mnie to samo – usłyszałam zza pleców głos Lovra i poczułam jego rękę obejmującą moje ramię. – Może być z mlekiem. Albo daj bez mleka, tak jak tej pani, koleś.

– Skąd wiedziałeś, gdzie jestem?

– Nie wiedziałem, szukałem. Weroniko. – Spojrzał na mnie poważnie. – Masz wątpliwości?

Kelner przyniósł kawę. Rozkładał serwetki, podstawki, wyrównywał łyżeczki. Przesunął cukiernicę, strząsnął okruszki z obrusa.

– Może do kawy podać po kawałku ciasta?

– Dziękuję.

– Słyszałeś? Nie! – Lovro z trudem trzymał nerwy na wodzy.

– Nie mam wątpliwości – powiedziałam spokojnie, olewając natrętnego kelnera. – Ale musisz mi to jeszcze raz powiedzieć.

– Kocham cię, Weroniko. Nie wyobrażam sobie życia bez ciebie. Załatw swoje sprawy w Warszawie i wracaj.

– Wrócę do ciebie, Lovro, bo cię kocham i chcę z tobą być. Ale daj mi trochę czasu na Pawła, na rodzinę.

– Ile tylko będziesz chciała, kochanie. I pamiętaj o moim zaproszeniu.

– Pamiętam, mama przyjeżdża za cztery dni, a twój tata kiedy?

– Jakoś też tak.

– No to zjemy rodzinną kolacyjkę. Wybrałeś knajpkę?

– O to się nie martw, nie będziesz się wstydzić. Kocham cię.

– Ja ciebie też.

Poszliśmy do jego domu, by po raz pierwszy i po raz ostatni przed moim wyjazdem być bardzo razem i bardzo blisko. Nigdy nie będę tego żałowała. Kocham go.

WERONIKA
LUTY 2012

O ósmej rano obudziła mnie komórka.
– Mama? Już lecisz? Aha, za dwadzieścia minut
wylatujesz. Nie... już nie śpię, czekam na ciebie. Dobrego
lotu, mami. Też się cieszę. Będzie super. Mam dla ciebie
niespodziankę. Wiem, każdy lubi niespodzianki. Uważaj
na siebie. Też całuję. Nina, wstawantus! Mama będzie
za kilka godzin, a tu taki bałagan. W pierwszej kolejności
trzeba wywalić te butle po winie. Zajmują pół pokoju.

– Już, już. Najpierw zrób kawę, bo jestem kompletnie
nieogarnięta.

– Masz. – Nalałam jej z dzbanka. – Pij i wstawaj – poganiałam, sama nakręcona adrenaliną.

Jutro wieczorem mama się dowie o Lovrze. Muszę jej
zakomunikować, że prawdopodobnie zostanę w Chorwacji, a wszystko to odbędzie się w towarzystwie tatusia
Lovra, który też nieźle się zdziwi, bo o niczym nie wie.
Umówiliśmy się z Lovrem, że nie piśniemy słówka. Mam

nadzieję, że przy dobrej kolacji starsi lepiej przełkną nasze rewelacje.

– Masz stracha, co? – Nina zdążyła obudzić się po kawie.

– Wiesz, że tak. Ale wolę to aniżeli takie szopki, jakie starzy zafundowali mi, gdy się dowiedzieli o bałkanistyce w Toruniu. Trzeba się rzucić na głęboką wodę. Ja żeglarka, Lovro wioślarz – damy radę.

– Byle nie było: „Co z oczu, to z serca", gdy wyjedziesz.

– Nie ma obawy, przemyślałam sprawę ze sto razy. Nastawiam się na ciężkie walki z rodzicami. A Paweł? – zastanowiłam się przez chwilę. – Z Pawłem od jakiegoś czasu nie za bardzo nam się układa. No trudno, ślubu nie braliśmy, dzieci nie mamy.

– Kiedy zamierzasz mu powiedzieć?

– Zaraz po przyjeździe! Zrozum, nie chcę rozstać się z nim przez telefon. Może mam wysłać esika: „Pawełku, z nami koniec, znalazłam tobie następcę"? Sama widzisz, że tak się nie da. Muszę to zrobić osobiście.

– A studia?

– Co: studia? Chorwacki można studiować też w Chorwacji. Nina, nie wiem, czy mi się uda pozałatwiać wszystko w czasie przerwy międzysemestralnej, ale mam nadzieję, że tak. Zamierzam za dwa tygodnie tu wrócić i skończyć rok w Dubrowniku. Lovro obroni magisterkę, a potem zobaczymy, gdzie nas poniesie.

– Ty kompletnie zwariowałaś! Z kim ja będę teraz mieszkać w Toruniu?

– Znajdziesz kogoś, a ciocia Weronika zaprosi cię na wakacje do Chorwacji. Może być?

– No, jakby się dobrze przyjrzeć... Mimo to jakoś mi nieswojo.

– Ninka. – Przysiadłam obok niej na łóżku. – Nie myśl sobie, że nie jest mi przykro. Nie wiem, jak się potoczy życie. Całkiem możliwe, że zlądujemy w Polsce. To wszystko jest nieprzewidywalne. Ale nie wybaczyłabym sobie, gdybym nie spróbowała. Jestem tak zakochana, jak nigdy nie byłam w Pawle. Rozumiesz?

– Niby tak...

Zrobiło się sentymentalnie.

– Lepiej bierzmy się za porządki. Kiedy mama przyjedzie?

– Ląduje około czwartej, no i chyba weźmie taksę albo załapie się na busa, to pewnie trafi tu w okolicach piątej. A i pamiętaj, idziemy na kolację we trzy. Idziesz z nami, Nina, tylko ani mru-mru, bo...

– Bo co?

– Już ty wiesz co.

– Zaszyję sobie usta.

– Najlepiej od razu bierz się za szycie, dobrze ci radzę.

Nie ma to jak pożartować. Atmosfera się rozluźniła. Biegałyśmy ze ścierą po pokoju, wycierając spod łóżek półroczny kurz – skąd on się bierze? – szorując zapyziały brodzik, wywalając niepotrzebne resztki z lodówki.

– Polecę do SR-a po wodę! – krzyknęłam z przedpokoju. – Coś jeszcze kupić?

– Wino jest na wykończeniu.

– Aaaaa, piwo dla mamy. Zaraz będę. Wino też kupię.

– Tylko nie wsiąknij gdzieś z Lovrem!

– Nie ma obawy. On będzie niańczył tatusia. Pisał, że starszy już przyjechał.

– No, no, spieszy mu się poznać przyszłą synową.

– Idę, Nina. Zamieć jeszcze taras.

– Wykorzystujesz mnie, kobieto.

– Tfu, tylko nie to!

– Głupia!

– Mami!

Mama pojawiła się w drzwiach z niezbyt dużą czerwoną torbą.

– Masz nową torbę?

Nawet nie przypuszczałam, że spotkanie mamy w Dubrowniku sprawi mi taką przyjemność.

– Chodź tu do mnie, córuś, tak się cieszę!

Ściskałyśmy się, jak gdybyśmy nie widziały się od dwóch lat.

– A torba jest całkiem nienowa. Powiedziała mi, że chce jechać, i ją wzięłam. Dzień dobry, pani Nino.

– Jaka tam pani, proszę mi mówić po imieniu. – Nina wskazała krzesło. – Zrobić kawę?

– Jak lot, mami?

– Świetnie. I poproszę kawę. Jaki macie ładny widok z okna, całe Lokrum widać.

Spojrzałyśmy z Niną na siebie. Nie wiedziałam, że mama tak dobrze zna te okolice.

– A co ty masz tak mało rzeczy?

– Musimy zabrać się do samolotu z twoim dobytkiem, to nie zabierałam wiele własnego. Całuję od taty, chłopaków, dziadków. Jak tu ładnie.

Wyszłyśmy na taras. Mama zaciągnęła się papierosem.

– Nic się nie zmieniło. Widok piękny jak zawsze.

Chodźmy na miasto – ożywiła się nagle. – Muszę pooddychać powietrzem Dubrownika.

– Nie chcesz odpocząć?

– Jeśli można, to trochę się odświeżę i polecimy, dobrze?

Po piętnastu minutach wkraczałyśmy na Stari Grad
bramą Pile.

– Mami, chcesz iść w jakieś konkretne miejsce? – Miałam ochotę oprowadzić ją po całej starówce, pokazać moje
ulubione kąty, knajpki.

– Dziewczyny, jeżeli mogę mieć do was prośbę... Chciałabym zjeść z wami kolację, a potem odwiedzić starych
znajomych, jeśli się nie obrazicie. Jutro pochodzimy po
mieście, jestem wszystkiego bardzo ciekawa, dobrze?

– Jasne, mami.

Spojrzałam na Ninę, która oczywiście nie miała nic
przeciwko propozycji mamy.

Przysiadłyśmy w mojej ulubionej knajpce przy ulicy
Od Kaštela, do której często chodziliśmy z Lovrem.

– Ale ceny! – szepnęła Nina, spoglądając w menu.
– Nie wiedziałam, że tak się drogo żywiłaś z tym swoim
Chorwacikiem.

– Cicho – syknęłam. – Miałaś być grzeczna.

– Ja wezmę rybę *na leso* – mama już zdecydowała.
– A wy możecie sobie wziąć coś bardziej kalorycznego.
Widzę, że nabrałyście linii.

Rzeczywiście, nie miałam ochoty *na leso*, czyli rybę
z wody z *blitvą* i zieloną kapustą.

– Biorę krewetki i małże *na buzaru*.

– Ja poproszę to samo. – Nina skończyła przeszukiwać

kartę dań. – Ale gdybyś jeszcze powiedziała, co to takiego.

– Małże, ostrygi i krewetki duszone z pomidorami z oliwą, czosnkiem, cebulą, polane winem i posypane siekaną pietruszką oraz bułką tartą. Do tego polenta. Palce lizać.

– Córeczko! Jestem pod wrażeniem. Widzę, że edukacja nie poszła w las! Mieliście zajęcia z chorwackich potraw?

– Coś w tym rodzaju, mami. Może wybierzemy jakieś wino?

– Jeśli o mnie chodzi, to weźmy *domace*. Niech dają, jakie mają – mama utrafiła w nasze gusta.

Złożyłam zamówienie.

– Ciągle mnie zaskakujesz, Weronikuś. Świetnie ci idzie z chorwackim. Widzę, że wyjazd był bardzo owocny.

Niedługo się dowiesz, jak bardzo, pomyślałam o zawodzie, który czeka ją na jutrzejszej kolacji.

Po smakowitym jedzeniu i niezłej porcji *domace* pożegnałyśmy się z mamą, która poszła odwiedzić starych znajomych z wojny.

– Trafisz do domu? Może przyjść po ciebie?

– Nie trzeba, córuś. Na pewno trafię.

Wydała mi się taka krucha i zagubiona. Przez chwilę pomyślałam, że może jest smutna. Znałam ją, udawała dobry nastrój. Co tam, może odezwały się sentymenty. Jutro połazimy po Dubrowniku, pogadamy, przejdzie jej, a ja jakoś ją przygotuję na wszystko. Tak, to z pewnością sentymenty. W końcu każdy ich czasami doświadcza.

– Będę za jakiś czas, dziewczyny. Dzięki za miły wieczór.

Poszła w stronę Kneza Hrvaša.

ANNA
LUTY 2012

Tylko mi tam nie zostań! – Jerzy pogroził mi palcem, żegnając się ze mną na lotnisku.

– Co ci przyszło do głowy?

– No, no, raz już wracałaś z Dubrownika.

– Jerzy! Daj spokój, jadę po Weronikę. Za dwa dni jesteśmy z powrotem. Właściwie to żałuję, że nie zaplanowałam dłuższego pobytu. Szkoda kasy na samolot na tak krótki czas.

– Wracaj, wracaj, przywieź córkę. Czekamy na was. Pogoda zapowiada się dobrze, powinnaś mieć spokojny rejs.

– Miej oko na chłopaków.

– Niczym się nie martw, kochanie. Do zobaczenia.

Déjà vu. Siedziałam w samolocie Lufthansy do Monachium, przesiadka do Zagrzebia, potem kolejna do Dubrownika. Tyle lat, a trasa pozostała ta sama. Wyjęłam lusterko, żeby podmalować usta. Jezus Maria, jaka jestem stara!

Niemal dwadzieścia jeden lat temu widziałam w lustrze zupełnie inną twarz. Dobrze zrobiłam, że przez te wszystkie lata nie spotkałam się z Blażem. Przecież to by był jeden wielki szok. Czym innym jest z kimś się starzeć, a czym innym zobaczyć go po takim czasie. Co Jerzy dzisiaj sugerował? Żebym nie została w Dubrowniku? Niemożliwe, żeby wtedy się czegoś domyślał, nie on. A jednak! Pytał, dlaczego zabieram czerwoną torbę! Pamiętał, że ją wtedy miałam, a przecież nigdy o niczym nie pamięta. Matko, jestem głupsza, niż mi się wydawało. Okej, dość samobiczowania. Nic złego nie zrobię, spacerując sobie po Dubrowniku, i może uda mi się odwiedzić Mirjanę i Stjepana! Muszę koniecznie ich odwiedzić. Obiecałam, że jeszcze się zobaczymy.

W samolocie z Monachium do Zagrzebia nikt nie sprzedawał broni, na lotnisku nie widziałam skrzynek z kałasznikowami. Razem z innymi pasażerami grzecznie przesiadłam się na linię Zagrzeb–Dubrownik. Wszystko sprawnie, szybko, profesjonalnie. Do dziewczyn dotarłam bez problemu. Mieszkanie wysprzątane na mój przyjazd, na dzień dobry kawa. Weronika zaprowadziła mnie do uroczej knajpki przy Od Kaštela. Kilka domów dalej mieszka Mirjana, a w jej domu jest pokoik, w którym... Jedząc kolację z dziewczynami, starałam się nie pozwolić wspomnieniom zapanować nad sobą, tym bardziej że Weronika od czasu do czasu przyglądała mi się jakoś dziwnie. Moja córka też nie była sobą. Pewnie to moja wina. Może wyczuwa niedopowiedzenia? Muszę się opanować, w końcu to jej Erasmus, jej wyjazd. Ale do Mirjany musiałam pójść. Będziemy miały z Weroniką cały jutrzejszy dzień na łażenie po Dubrowniku. Jakoś jej wynagrodzę ten mój dzisiejszy sentymentalizm.

Po kolacji trafiłam pod czwórkę przy Kneza Hrvaša. Te same drewniane drzwi z kołatką, teraz zaopatrzone w domofon. Szukałam nazwiska Cervar. Nie było. Zadzwoniłam pod jedynkę.

– Przepraszam, szukam państwa Cervar...

– Pani Cervar nie mieszka tu od śmierci męża. Chyba wyprowadziła się do Zagrzebia. A o co chodzi?

– Nic ważnego, dziękuję pani.

Powoli wróciłam na Place. Mimo niezbyt atrakcyjnej pory roku pierwsi turyści już pojawili się na ulicach. Usiadłam przy stoliku, nie mając ochoty z nikim rozmawiać ani nikomu zatruwać życia swoim nastrojem.

– *Što želite*? – Usłużny kelner w białym fartuszku przybiegł spełnić moje życzenia.

– Dawaj *domace*, w karafce.

Aż wstyd przyznać, ale gdy wróciłam, dziewczyny już spały.

WERONIKA
LUTY 2012

Mama wróciła, gdy już spałyśmy. Pewnie udał jej się wieczór ze znajomymi, bo słyszałam trzask „delikatnie" zamykanych drzwi. Położyła się do łóżka bez mycia, zważywszy na czas, jaki spędziła w łazience. Pewnie się tylko rozmalowała, żeby nie budzić nas pluskiem wody z prysznica. Porozrabialiśmy troszeczkę! Dobrze, jutro będzie łatwiejsza.

Z rańca poderwałam się z wyrka. Nawet udało mi się przygotować śniadanie. Nina by się zdziwiła, gdyby nie spała snem sprawiedliwych.

– Mamuś, napiłabyś się kawki? – spróbowałam obudzić śpiocha około dziesiątej.

– Tak, już wstaję! – Przewróciła się na drugi bok. – Która godzina?

– Dochodzi dziesiąta. Może jeszcze pośpisz?

– Nie, nie, szkoda czasu. – Usiadła zamaszyście na łóżku, przecierając jeszcze senne oczy. – Pójdę się umyć i biegniemy na miasto. Jakie słońce, aż razi.

Dzień zapowiadał się doskonale. Lutowe promienie wzięły nasz pokój w niewolę. Zapach kawy zachęcał do życia.

– Udało się wczoraj?! – krzyknęłam, idąc po filiżanki do kuchni.

– Tak, tak.

– No właśnie widzę. Może etopirynkę?

– Nie, dzięki, córuś. Pójdę się umyć.

Po kilku minutach wróciła odświeżona, z turbanem z ręcznika na głowie. Krem, cień, tusz i siedziałyśmy przy śniadaniu.

– To jakie mamy plany na dzisiaj? Chciałabym zobaczyć twoją uczelnię, a potem Stari Grad. Co ty na to?

– Dobrze, pojedziemy najpierw na Ćira Caricia, na mój wydział. Potem pokażę ci nasze studenckie centrum na Tomislava i możemy pochodzić po starówce.

– Świetnie, wieczorem zapraszam cię na drugą i ostatnią kolacyjkę i do domku. Samolot jutro przed siódmą. Spakowałaś się już?

– Mami – nadszedł czas, żeby jej o tym powiedzieć. – Wysusz włosy i chodźmy na chwilę na taras.

– Musisz o czymś wiedzieć – zaczęłam niezgrabnie. – Chodzi o to, że mam już zaplanowany wieczór.

Patrzyła na mnie wnikliwie, więc ciągnęłam:

– Słuchaj, poznałam chłopaka, ma na imię Lovro i dzisiaj on i jego ojciec zapraszają nas na kolację.

Cisza. Nic nie mówiła, spoglądając na mnie jak na Shreka.

– Weroniko – odezwała się po chwili. – Czy to coś poważnego?

– Chyba tak, mami.

Stałyśmy oparte o ścianę tarasu, obserwując Adriatyk. Fale uderzały łagodnie o brzeg. Znowu cisza. Mama zapaliła fajkę.

– Poczęstujesz mnie? – zdobyłam się na pytanie.

– Ty palisz?

– Od czasu do czasu. – Tak było łatwiej.

– Proszę.

– Weroniko, mogłam się tego spodziewać – zaczęła po chwili – ale miałam nadzieję, że... miałam nadzieję, że nic takiego się nie zdarzy – przerwała na moment. – Takie oficjalne spotkanie w towarzystwie jego ojca... Czy mam się spodziewać jakichś zaręczyn?

Zauważyłam nerwowe odruchy. Wiedziałam, że jej się to nie podoba.

– Mami, żadnych zaręczyn nie będzie. Po prostu może trochę się zmieni. Jestem z Lovrem jakiś czas, no wiesz.

– Wiem, wiem. Ale idź się sama pożegnać z tym swoim chłopakiem i jego ojcem. Tak będzie lepiej.

– Nie, mami, idziemy razem. Nie jest tak, jak ci się wydaje. Zależy mi na tym. Przepraszam, że wcześniej nie wspomniałam o Lovrze. Pójdziesz?

Stałyśmy kilka minut na tarasie obok siebie. Mama podeszła do balustrady.

– Dobrze, miejmy to już za sobą. Na którą się umówiłaś?

ANNA
LUTY 2012

Weronika obudziła mnie o jakiejś niestworzonej godzinie. Łeb dotkliwie dawał o sobie znać. Dobrze, że wczoraj przed pójściem spać chociaż się rozmalowałam. Jedna karafka *domace* czy druga... Wczoraj było mi już wszystko jedno. Mirjana, Stjepan, wojna, o nieba!, co za słowo. Czułam się, jakbym pamiętała drugą wojnę światową. Jeszcze jeden dzień w Dubrowniku, pięknym mieście nad Adriatykiem, rozmarzyłam się, i do domu. Poszukiwanie zeszłorocznego śniegu, grzebanie w przeszłości. To nie ja! Czy mi się wydaje, czy Weronika woła na kawę? Woła, świetnie, to mnie ocuci.

Teraz tylko umyć włosy, umalować się, doprowadzić do porządku.

– Za etopirynkę dziękuję, głowa już prawie nie boli – podziękowałam córeczce. Chyba zauważyła, o której wróciłam.

– Wysusz włosy i chodźmy na chwilę na taras – usłyszałam zdanie wypowiedziane dość stanowczym tonem.

O coś jej chodzi. Mam nadzieję, że niczego nie zawaliła. Po chwili byłyśmy na tarasie. Stałyśmy oparte o ścianę, obserwując Adriatyk. Fale uderzały łagodnie o brzeg. Weronika zaczęła:

– Słuchaj, poznałam chłopaka, ma na imię Lovro i dzisiaj on i jego ojciec zapraszają nas na kolację.

– Czy to coś poważnego? – zapytałam, czując trwogę w piersiach.

Odpowiedziała mi, że tak, potem poprosiła o papierosa, poczęstowałam ją. To nie może być prawda, to nie mogło się zdarzyć. Weronika nie mogła znaleźć miłości w Chorwacji, nie!

– Takie oficjalne spotkanie w towarzystwie jego ojca... Czy mam się spodziewać jakichś zaręczyn? Ja, wybacz, nie mam zbyt wielkiej ochoty uczestniczyć w tej kolacji. Idź się sama pożegnać z tym swoim chłopakiem i jego ojcem. Tak będzie lepiej.

– Nie, mami, idziemy razem. Nie jest tak, jak ci się wydaje. Zależy mi na tym. Przepraszam, że wcześniej nie wspomniałam o Lovrze. Pójdziesz? – zapytała stanowczym tonem.

Zależało jej. Matko, co ją opętało? A może niepotrzebnie się martwię, może to tylko złudzenie? Patrzyła na mnie zdecydowana, próbując wymusić wzrokiem reakcję.

– Dobrze, miejmy to już za sobą. Na którą się umówiłaś? – odpuściłam na chwilę, na dzisiejszy wieczór. Potem się zobaczy.

– Może ci pożyczę tusz. Ten twój już coś nie bardzo.
– Weronika przyglądała się moim przedkolacyjnym ablucjom.

– Dobry jest, daj spokój. Nie idę na wybory miss świata.

– O! Widzę, że wzięłaś małą czarną i te ładne buciki na obcaskach. No, no, no, i ten wisiorek z koralem. Bosko!

– Przestań, nie chcę zrobić ci wstydu, skoro już muszę iść.

– Mami, panowie będą zachwyceni!

– Weronika, daj sobie luz, nie przesadzaj, nie jesteś ogrodnikiem. A tak w ogóle to się pospiesz, mamy jeszcze tylko pół godziny.

Mimo woli czułam podniecenie, rozdrażnienie? Nie wiem co. Moja córka zdecydowała się postawić mnie w sytuacji podbramkowej. Trzeba przełknąć tę żabę. No, może stawić czoło, a później się zobaczy. Tylko spokój mnie może uratować. Już nawet nie mówiłam Jerzemu przez telefon, jaki pasztet się kroi. Kilka godzin i zobaczymy, czy to tajfun, czy burza w nocniku.

Casa Restaurant na Lapadzie. Światła, kręcone schody, dywany... Ojciec Lovra musi być niezłym snobem. Pewnie będziemy jeść ostrygi lub inne wyszukane dania. Pięknie. Weszłyśmy do środka.

– Panie mają zamówiony stolik? – Wymuskany kelner pojawił się przy szatni, gdzie oddawałyśmy płaszcze.

Gdyby był ze mną Blaż, toby mu powiedział! – pomyślałam, patrząc na gołowąsa wyszkolonego w „obsłudze”. Szkoda słów.

– Jesteśmy umówione. Znajdziemy drogę, dziękuję panu – odprawiłam gościa.

Sala była duża i przestronna. Weronika zamachała w kierunku dwóch mężczyzn siedzących przy narożnym stoliku w pobliżu okna. Młodszy poderwał się i skierował w naszą stronę. Starszy... to był Blaż.

– Mami, poznaj Lovra! – Córka przedstawiła mi wysokiego chłopaka z czarnymi, wijącymi się włosami, uprzednio wymieniając z nim pocałunek niebudzący wątpliwości odnośnie do ich relacji.

Jaki Lovro?! Przecież to jest Zoran! – miałam ochotę krzyknąć, ale przywitałam się, podając mu rękę.

– Zapraszam do stolika. Panie, poznajcie mojego ojca.

Lovro-Zoran przepuścił nas przodem, wskazując kierunek.

Nie znajduję słów, by opisać, co wtedy czułam. Skądinąd dobrze wychowany chłopak i przystojny. Jak ojciec – przemknęło mi przez myśl. Blaż uniósł się z krzesła i wygładził marynarkę, zapinając jej górny guzik. Widać było, że też jest zaskoczony, choć próbował to skrzętnie ukryć. Dzieciaki, raz po raz spoglądając na siebie, nie były w stanie dostrzec niuansów naszego zachowania. A ja jeszcze nigdy nie widziałam Blaża tak zdenerwowanego. Przez moment zastanawiałam się nad strategią powitania. Zdecydowałam się jednak nie ukrywać, że się znamy.

– Cześć, Blaż. Co za spotkanie. Nie wiedziałam...

– Ja też jestem zaskoczony i bardzo się cieszę...

Objęliśmy się jak dobrzy znajomi, wymieniając pocałunki w policzek.

– To wy się znacie?! – Młodzi zareagowali jednakowo.

– Tak, pracowaliśmy razem w Dubrowniku – wyjaśniłam trochę zbyt szybko.

Cholera, żeby tylko się nie zorientowali, jak blisko się znaliśmy.

Blaż wyglądał świetnie. Nadal miał długie, ściągnięte rzemykiem włosy, i choć teraz już nie tak kruczoczarne jak dwadzieścia lat temu, to jedynie w niewielkim stopniu przyprószone siwizną. Czas był dla niego łaskawy. Czarna marynarka na czarnym golfie, jego ulubiony zestaw, nie musiała ukrywać żadnych krągłości. Może tylko trochę zmężniał, co dodało mu uroku. Boże, a ja? Dobrze, że chociaż wzięłam małą czarną, w której nie wyglądałam najgorzej. Wisiorek z adriatyckim koralem, świąteczny prezent od Blaża, parzył w szyję. Pomyśli, że musiałam wiedzieć o dzieciakach i włożyłam go dla niego, bo spodziewałam się go spotkać. Niemożliwe, mogłam go przecież zabrać z sentymentu do Dubrownika.

Blaż przyjął konwencję znajomych z redakcji. Rozmawialiśmy głównie o dzieciach, ich planach, które niestety niemile mnie zaskoczyły. Weronika miała zamiar przynajmniej na jakiś czas zostać w Chorwacji. Oczyma wyobraźni zobaczyłam czekającego na nią w Warszawie Pawła, reakcję Jerzego, dziadków i w końcu własną. My tam, ona tu. Nie, tego na razie nie mogłam przyjąć do wiadomości. Na szczęście młodzi byli tak skoncentrowani na własnych sprawach, że znajomość moją i Blaża zostawili w spokoju. Kilka zdawkowych pytań, kurtuazyjnego zainteresowania i po zjedzeniu wyśmienitego *brudetu* pognali na parkiet. Przy stole zapanowała cisza.

– Nie wiesz nawet, jak się cieszę, że cię widzę. – Blaż skorzystał z okazji do rozmowy. – Tyle lat mnie omijałaś, broniłaś się przed spotkaniem, ale dopomógł mi los. Pięknie wyglądasz. Nic dziwnego, że mój Zoran wybrał sobie twoją córkę. Jest bardzo podobna do ciebie.

– Dziękuję, Blaż. Cały czas nie mogę uwierzyć, że historia zatoczyła takie koło. To nieprawdopodobne. Co teraz porabiasz?

Delikatnie wziął mnie za rękę i pocałował.

– Czy musimy teraz rozmawiać o pracy? Daj mi cieszyć się tą chwilą. Będzie musiała wystarczyć na kolejne dwadzieścia lat, chyba że nasze dzieci... umożliwią nam częstsze kontakty – mrugnął znacząco.

Niestety, on mi się też nadal podobał. Nie wyrwałam ręki. Patrząc mu w oczy, odczuwałam te same emocje co przed laty. „Późno, późno, późno jest, by zaczynać wszystko znów" – przypomniałam sobie słowa piosenki Budki Suflera. Magia chwili udzieliła się nam obojgu. Gdyby nie powrót dzieci do stolika, pewnie pomilczelibyśmy jeszcze trochę razem.

– Nie nudziliście się? – Weronika pocałowała mnie w policzek. – Co robiliście?

– Wspominaliśmy dawne czasy, takie tam – zaskoczona ich nagłym najściem plątałam się w zeznaniach.

Blaż uratował sytuację:

– A teraz zapraszam państwa do zamówienia deseru. Może *palacinke* i kawę?

– Skąd pan wie, że lubię *palacinke*?

– Kobiety na ogół je lubią. – Blaż znacząco spojrzał na mnie. – Twoja mama też ich nie odmawiała.

– Pamięta pan takie rzeczy?

– Mam dobrą pamięć.

– Przepraszam, muszę na chwilę wyjść do toalety – przerwałam tę niebezpiecznie rozwijającą się konwersację. – Pójdziesz ze mną, córciu?

Posiedzieliśmy jeszcze kilka godzin. Zoran okazał się nie tylko dobrze wychowany, ale i dowcipny. Razem z ojcem zabawiali nas z pełnym poświęceniem, serwując dobre wino. Rozstaliśmy się pod domem Weroniki.

– Widzimy się jutro. – Blaż przygarnął mnie do siebie, może nazbyt serdecznie.

– Naprawdę nie musicie odwozić nas na lotnisko – oponowałam po raz kolejny tego wieczoru.

– Ale chcemy, prawda, Zoran?

– Tak, tak – odparł pospiesznie, czule żegnając się z moją córką.

– A za tego Lovra to ty jeszcze dostaniesz. – Weronika przekomarzała się z chłopakiem. – Tyle czasu mnie oszukiwać!

– Nie oszukiwałem. Mam na drugie Lovro i od lat używam tego imienia.

Żeby tylko szybko zasnąć. Jutro ciężki dzień i jeszcze trudniejszy wieczór.

WERONIKA
LUTY 2012

Lotnisko w Dubrowniku pozostawiłyśmy za sobą. Nina musiała zostać tydzień dłużej, uzupełnić zaległości, w związku z czym miałam kilka godzin lotu sam na sam z mamą, co – delikatnie mówiąc – wzbudzało pewien niepokój. Część rzeczy zostawiłam u Zorana (jeszcze się nie przyzwyczaiłam do jego nowego imienia), dając konkretny dowód, że niebawem zamierzam tam wrócić.

Mama siedziała przygnębiona po randce, za co po części czułam się odpowiedzialna. Muszę przyznać, że z Blażem kryli się świetnie, ale nie do końca im się to udało. Jaka byłam głupia przez te wszystkie lata! I ta książka z pudełka po butach, która dziwnym trafem zniknęła z pola widzenia. I ten dystans taty wobec pomysłu wakacyjnej wycieczki do Chorwacji.

Puzzle trafiły na swoje miejsce. Mama miała tajemnicę, która z powodu nieprawdopodobnego zbiegu okoliczności po dwudziestu latach ujrzała światło dzienne. Muszę z nią o tym porozmawiać i nie, mamusiu, teraz nie wywiniesz mi się od zwierzeń. To jedna sprawa, na dodatek czasu przeszłego. A ja? W domu Paweł, ojciec, dziadkowie... Chłopakami się nie przejmowałam, nie było czym. „Fajnie, siostra. Będzie dobra miejscówka na letnie wypady" – z dużą dozą prawdopodobieństwa przewidywałam ich reakcję.

– Córuś, chyba musimy porozmawiać. – Moja mama Ana, tak się do niej zwracał Blaż, przerwała milczenie.

– Tak, mami, chyba tak. Ale nie myśl sobie, że zmienię zdanie – zastrzegłam, przygotowując się na atak.

– We wrześniu dziewięćdziesiątego pierwszego redakcja wysłała mnie do Chorwacji, w której od trzech miesięcy trwała wojna – zaczęła opowiadać.

Czułam, że muszę dać jej doprowadzić myśl do końca.

– Trudno streścić w kilku zdaniach półroczny pobyt i kolejne lata. Ale nie mamy za dużo czasu, więc się postaram. Poznałam Blaża, dziennikarza zadarskiej gazety, który przyjechał po mnie na lotnisko w Zagrzebiu i był ze mną do mojego wyjazdu. Tak, mimo że byłam mężatką. To była miłość. I obiecałam mu, że po krótkim pobycie w Polsce wrócę. Planowaliśmy wspólną przyszłość. Blaż miał żonę, z którą dość szybko się rozstał, i syna, jak wiesz, Zorana. Chciałam do niego wrócić, ale życie tak się potoczyło, że się nie dało. Książkę, na którą wpadłaś, grzebiąc w mojej szafie, napisał Blaż po pobycie w obleżonym Sarajewie. Schowałam ją. Bałam się, że po jej przeczytaniu zaczniesz szukać analogii. A ty z jakąś dla mnie niepojętą konsekwencją uczyłaś się chorwackiego i wiedziałam, że przeczytasz „ze zrozumieniem". Wymieniamy listy do tej pory, ale o niczym to nie świadczy. Po prostu relacja przyjaciół na odległość zawsze nam odpowiadała. Wprowadzała do codzienności iskierkę emocji, przyjemności, może dowartościowania. Nigdy później się nie spotkaliśmy, nie wymieniliśmy zdjęć, nie rozmawialiśmy przez telefon, na skypie, w żaden inny sposób. To spotkanie było dla mnie wielkim wstrząsem, ale niczego nie zmieni. Jestem szczęśliwa z twoim ojcem, mam was i bardzo dobrze – powiedziała zdecydowanie. – Widać tak musiało być. Mówię ci o tym wszystkim z dwóch powodów. Po pierwsze, chcę, żeby wszystkie niedopowiedzenia zniknęły, po drugie, chcę cię uchronić przed podjęciem nieodpowiedniej decyzji. – Skończyła.

– Dzięki, mami, za szczerość, chociaż dwa do dwóch zdążyłam już dodać. Kocham Lovra i do niego wrócę, czy się to komuś będzie podobało, czy nie. A teraz ty posłuchaj. – Zaczerpnęłam głęboko powietrza, nie pozwalając jej otworzyć ust. – Przyjeżdżając do Dubrownika, nie miałam zamiaru się z nikim wiązać, wręcz przeciwnie, to Nina poszukiwała wrażeń. Lovro znalazł mnie. Opierałam się, walczyłam, mając w Warszawie Pawła. Ale z Lovrem układało mi się coraz lepiej, a z Pawłem odwrotnie. Pamiętasz Boże Narodzenie, gdy nie znalazł dla mnie czasu? Mamuś, my z Pawłem nie mamy już z sobą wiele wspólnego! Nie wytrzymaliśmy próby i tyle. Zresztą nawet gdybym tylko ja nie wytrzymała, to trudno. Kochamy się z Lovrem i nikt tego nie zmieni. Jest mi przykro, że będę musiała was znowu opuścić na jakiś czas, ale nie martw się, skończę drugi rok w Dubrowniku, Lovro obroni pracę magisterską, a potem zobaczymy, co będzie. Może zlądujemy w Warszawie? Mami, teraz są inne czasy, cały świat stoi otworem, musisz się z tym pogodzić.

– Nie zrobisz tego – oświadczyła mama stanowczo, najwyraźniej nie mając zamiaru przyjąć do wiadomości moich argumentów.

– Zrobię – starałam się być delikatna, ale zapowiadała się długa walka na ringu.

– Ja tego nie zrobiłam i jestem szczęśliwa.

– Nie jestem tego pewna – zaczynała mnie denerwować.

– Ważne, że ja jestem.

– Fałsz, nie jesteś.

– A skąd ty o tym możesz wiedzieć?

– Bo mam oczy.

– Córuś, to błąd, chcę cię przed nim uchronić.

– Ja też chciałabym cię uchronić przed twoim błędem, ale nie było mnie jeszcze na świecie.

– Mam doświadczenie. Sprawdziło się, co założyłam.

– Nie mam doświadczenia, jestem świeża i odważna. Jestem pewna, że sprawdzi się to, co zakładam.

Mami, dlaczego taka jesteś, czemu to robisz? – przewalało mi się w głowie!

– Kochałam go, ale już od dawna nie kocham.

– Kocham go i będę go kochać.

– Mam udane życie.

– Będę miała udane życie.

– No nie wiem.

– A ja wiem.

Skończyłyśmy. Mama odetchnęła, ja spojrzałam w okno. Wszystko powiedziane, wykrzyczane, kropka. Co dalej?

– Czy mogę paniom zaproponować drinka? – właściwa stewardesa na właściwym miejscu.

– Piwo – to mama.

– Wino – to ja.

Po chwili mama zdążyła się opanować.

– Dobrze, córuś. Porozmawiajmy, jak o tym wszystkim powiedzieć w domu.

– Mami, dzięki. – Przytuliłam się do niej z uczuciem ulgi. – Jesteś wielka!

– Weroniko – odetchnęła głęboko. – Rozumiem, ale nie mogę się do końca pogodzić z twoją decyzją. Pogadamy jeszcze w domu, okej? Paweł będzie na lotnisku, dostałam esa od ojca. Myślę, choć to miała być niespodzianka, że muszę ci o tym powiedzieć.

– Proszę zapiąć pasy, będziemy lądować na lotnisku w Monachium – oznajmiła stewardesa.

– To co? Mamy kilka godzin do lotu. Może jakiś mały lunch, żeby zebrać siły? – Mama próbowała dodać mi otuchy.

– Dobrze, tylko ukryj gdzieś tę swoją stylową czerwoną torbę, bo taka cenna, że jeszcze ci ją ktoś ukradnie i z czym będziesz do mnie jeździła do Chorwacji? – zaśmiałam się pod nosem.

– Jesteś niemądra. Musisz zjeść coś na przyrost szarych komórek. Może sałatkę niemiecką!

– Tylko nie to! Idziemy na szopską.

WERONIKA
LUTY 2012

Samolot z Zagrzebia wylądował na Okęciu zgodnie z planem o szesnastej piętnaście. Przyzwyczajona do pierwszych kwiatów przebijających się na przekór zimie na skwerach Dubrownika zauważyłam na obrzeżach lotniska zszarzałe, brudne muldy – relikt trzymającej się pazurami tej najbardziej dla mnie przygnębiającej pory roku, zimy. Okropność! Zobaczyłam mój pokoik z widokiem na Adriatyk, żegnającego mnie na lotnisku Lovra którego niesforny kosmyk włosów próbował przeszkodzić nam w ostatnim pocałunku. Zostawiłam miłość mojego życia, ale zaraz wracam! Mając mamę u boku, czułam się raźniej. „Pogadamy w domu", powiedziała na zakończenie naszej utarczki. Wiedziałam, że nie będzie łatwo, ale mimo emocji, które nią targały, stanie po mojej stronie, jak zawsze. Wynagrodzę jej to. Po prostu teraz miał nadejść moment konfrontacji z rodziną, walki o swoje. Muszę być twarda, ale i tak ich nie zawiodę. Wszystko się ułoży.

– Jak lot?! – zauważyłam tatę, który niemal biegł w naszą stronę.

Paweł z bukietem białych tulipanów próbował dotrzymać mu kroku.

– Bardzo dobrze. – Mama przywitała się z ojcem.

– Weronikuś, tak się cieszę, że jesteś. – Paweł podniósł mnie, okręcając kilka razy. – Nareszcie!

Nawet się nie wyrywałam. Pocałowałam go w policzek, pochwaliłam kwiaty, cmoknęłam tatę i... poszliśmy, dwie pary za rączkę, w kierunku samochodu. Paweł gadał jak najęty, opowiadając o wydarzeniach ostatnich dwóch miesięcy, o studiach, zajęciach, planach, próbując mnie dotykać, całować. Cieszył się.

– Podobają ci się kwiaty? – zapytał, czekając na pochwałę. – Białe, takie jak lubisz.

– Bardzo. Są piękne, dziękuję.

Gdy dojeżdżaliśmy do Puławskiej, zaczął się tłumaczyć:

– Przepraszam cię bardzo, że nie skorzystałem z zaproszenia twojego taty na kolację, ale... moi rodzice wyprawiają dziś trzydziestą rocznicę ślubu i muszę tam być. Zobaczymy się jutro, okej? Nie gniewasz się?

– Jasne, zobaczymy się jutro, Paweł. Nie gniewam się. Zadzwoń do mnie, umówimy się.

Jaka ulga, że nie będzie go u nas. Jaka ulga, że znowu nawalił. A te kilka tulipanów? Ładne są i tyle.

– Jedźmy do domu, tati. – Po pożegnaniu Pawła wskoczyłam na tylne siedzenie.

– Wszystko zaliczone? – Tata zadowolony i jak zwykle konkretny.

– Tak, wszystko.

– To wspaniale! Należy się zatem moim paniom dobra kolacyjka. Czuję się, jak gdybym sam ją przygotował. Babcia nieźle mnie dzisiaj przegoniła po sklepach.

Zajechaliśmy przed dom. Wyciągnęłam z bagażnika walizkę, mama zarzuciła na ramię swoją okropną czerwoną torbę, chociaż już miałam nadzieję, że zaginie na lotnisku w Monachium.

– Witajcie!

Babcia wytoczyła się na podjazd. Dziadek podążył za nią.

– Chłopaki, pomóc paniom z bagażami – poganiał.

Całusy, uściski, radocha.

– To ja podkręcę piekarnik, zapiekanka mi dochodzi. – Babcia Anastazja zajęła swoje miejsce w kuchni. – Michał, zanieś podkładkę na stół. Gdzie jest Michał? Alek, zanieś tę podkładkę na stół. Nigdy ich nie ma, kiedy trzeba – zrzędziła.

– Babciu, może w czymś pomóc? – poderwałam się po odstawieniu bagażu.

– Ty usiądź. Karol, zawołaj chłopaków – przerwała dziadkowi konwersację z Jerzym.

Stół wyglądał smakowicie, jak zwykle zresztą. – No, to czas na toast. – Dziadek wstał z miejsca, obciągając kamizelkę. – Skoro już jesteśmy wszyscy razem, chciałbym powiedzieć, że właśnie takie chwile w życiu są najpiękniejsze i żeby było ich jak najwięcej. Za to, abyśmy zawsze byli razem!

Spojrzałyśmy z mamą po sobie, wypijając wino z kieliszków, które o mało co nie ugrzęzło mi w gardle. Zebrałam się na odwagę:

– Kochani, dziadek oczywiście ma rację – wstałam i powoli zaczęłam monolog. – Ale muszę wam o czymś powiedzieć.

W pokoju zapanowała cisza. Oczy wszystkich były skierowane na mnie. Najchętniej schowałabym się do mysiej dziury. I pewnie bym tak zrobiła, gdybym miała dziesięć lat. Przypomniałam sobie, skąd bierze się moja przemowa – Lovro! Zaraz lepiej.

– Poznałam w Dubrowniku Lovra, studenta z Zagrzebia, zakochałam się i za tydzień mam zamiar do niego pojechać i jakiś czas tam studiować. Proszę, nie odwodźcie mnie od tego, ja już postanowiłam. Kochamy się.

Usiadłam. W pokoju zapanowała cisza. Nie umiem opisać zdziwienia, zaskoczenia, zawodu, który zagościł na twarzach biesiadników. Mama siedziała blada, bez ruchu. Po chwili wstała i zwróciła się do taty:

– Jerzy, możesz uzupełnić kieliszki?

Ojciec automatycznie spełnił jej prośbę.

– Wypijmy za szczęście Weroniki.

Wszyscy podnieśli kieliszki, stukając się nimi bezszelestnie.

– Przepraszam. – Mama nagle wybiegła z pokoju.

– Weroniko? – to tata.

– O co chodzi? – dziadek.

– Spokojnie, zaraz porozmawiamy. Chodź, Weroniko, do kuchni, zrobimy kawę – to babcia.

– Jaja – to Alek.

– Będzie miejscówka w Chorwacji – Michał.

Mama, już uspokojona, pomagała w rozkładaniu serwetek pod ciasto i kawę. Nie wiem, czy zrozumieli, czy nie, ale wysłuchali. Tata tylko patrzył na mnie ze zdumieniem. Myślę, że z nim będę musiała jeszcze porozmawiać.

ANNA
LUTY 2012

Nareszcie w domu. Serce rozkołatało mi się po tych emocjach jak sztormowe morze. Nie było innej rady, musiałam przyznać się Weronice do swojej chorwackiej przeszłości, tym bardziej że zauważyła nasze relacje z Blażem. W pewnym sensie ulżyło mi, gdyby nie przyszłość Weroniki i Zorana, która wydawała się przesądzona. Cień nadziei, że podejmie decyzję o pozostaniu w Warszawie, był tak nikły jak nić babiego lata. Znałam swoją córkę, która mimo wszelkiego do mnie podobieństwa była osobą znacznie bardziej ode mnie zdeterminowaną i pewną swoich wyborów. Zamiast przekonywać ją do zmiany zdania, mogłam jedynie wesprzeć w starciu z rodziną, nie zważając na swój żal.

Paweł szczęśliwym zbiegiem okoliczności miał inne plany na wieczór i nie musiał przynajmniej tego dnia usłyszeć decyzji Weroniki. Zresztą to ich sprawa, poradzą sobie. Sama zauważyłam, że ich więzi ostatnio się rozluźniły.

Są młodzi, nie ma o czym mówić. Jerzy nie odzywał się, kompletnie porażony wiadomością, która, jak już teraz się domyślałam, przypominała mu mój powrót sprzed dwudziestu lat. Moi rodzice zareagowali odpowiednio do swoich charakterów. Mama co pięć minut robiła kawę, tata co chwilę rozluźniał krawat i z pewnością odechciało mu się toastów za jedność rodziny. Wyszli koło dziewiątej, tłumacząc się wiosennym zmęczeniem.

Jerzy nadal nic nie mówił. Wyczułam jego rezygnację wobec oczywistych faktów i decyzji naszej córki. Sprzątnęliśmy ze stołu i gdy zmywarka rozpoczęła swoje wieczorne mruczenie, kątem oka zauważyłam, jak Jerzy przytulił Weronikę. Dźwięk zmywarki nie przeszkodził mi usłyszeć jego słów:

– Córciu, musisz jechać?

– Tak, tati, ale nie martw się, wszystko będzie dobrze.

Pobiegłam na górę ratować się od alergii, która nagle zaatakowała nos. Na szczęście chusteczki miałam zawsze pod ręką. Przydały się też następnego dnia, kiedy Weronika wróciła po spotkaniu z Pawłem. Siedziałyśmy obok siebie na łóżku, wyciągając z pudełka jedną po drugiej.

– Mami, dlaczego to jest takie trudne? – Córcia wypłakiwała mi się w rękaw.

– Jest, kochana. Każda decyzja jest trudna. Ale wiesz, mam coś dla ciebie.

Ożywiła się, przecierając po raz kolejny oczy.

– Książka Blaža. Teraz znasz już dobrze chorwacki, przeczytaj. To nie jest nasza historia, ale bardzo wzruszająca opowieść. Może dzięki niej lepiej poznasz... swojego przyszłego teścia.

– Mami, możesz mi coś obiecać?

– Co tylko chcesz.

– Opowiesz mi kiedyś, co się między wami wydarzyło?

– Spojrzała na mnie pytająco.

– Tak... – zastanowiłam się chwilę. – Myślę, że mogę ci o tym opowiedzieć. Piękna, miniona historia kobiety, która jest szczęśliwa. Tak, opowiem ci.

– Drogie panie. – Jerzy wsunął głowę do naszej sypialni. – Może z tymi pogaduchami przeniesiecie się na dół. Stary ojciec poszedłby już spać.

– Idziemy na piwo? – zaproponowałam już w lepszym nastroju.

– Nie, na wino!

– No tak, nieodrodna córeczka tatusia. Już, Jureczku, schodzimy. – Minęliśmy się w drzwiach.

– Baby! – pobłażliwie pogroził nam palcem. – Tylko za długo nie siedźcie.

– Mami, masz list bez nadawcy. – Weronika przekazała mi niebieską kopertę z chorwackim znaczkiem, którą wyjęła ze skrzynki, wracając ze sklepu.

Jerzy od dwóch godzin był w pracy, chłopaki w szkole. Poszłam do kuchni zrobić kawę. Na ławie starannie rozłożyłam jednorazową serwetkę, zdjęłam gazety, wyrównałam poduszki na kanapie, poszłam się uczesać i umalować usta. Jestem gotowa na wiadomości. Aaaa, jeszcze włączę muzykę. Odkładałam chwilę otwarcia koperty. Może to już ostatni list?

– Ania? – podniosłam słuchawkę telefonu.

Dzwoniła Lucyna.

– Wróciłaś i nie dajesz znać? A ja jestem taka ciekawa! Jak było?

– Lucynko, mogę zadzwonić później? Mam coś ważnego do zrobienia – próbowałam się wykręcić. – Jedno ci powiem: dużo się działo i nadal się dzieje. Zadzwonię, gdy tylko będę mogła.

Lucyna jak zawsze nienachalna.

Otworzyłam list od Blaża, mając niejasne przeczucie, że robię to po raz ostatni.

Draga Ana!

Słyszałem różne opowieści o zrządzeniach losu, nieprawdopodobnych przypadkach, przeznaczeniu, ale nie dawałem im wiary. Wydawało mi się, że pojawiają się w umysłach ludzi bardzo wierzących, próbujących przypisać zdarzeniom nadzwyczajną moc. To jednak, co przydarzyło się nam, trochę nadwątla moją postawę wiecznego niedowiarka, twierdzącego, że życie można wziąć za bary i osiągnąć to, co się chce. Że jest się kowalem swojego losu. Próbowałem być tym kowalem i nic mi z tego nie wyszło. Dopiero przypadek przywiódł mi Ciebie do stołu w dubrownickiej knajpie i to za sprawą naszych dzieci. Ana, Ty na pewno wiesz, że nigdy nie przestałaś mi być obojętna – bez względu na męża, dzieci, pracę i cokolwiek innego. Ubolewam nad tym ograniczeniem, użalam się nad sobą, widząc kobiety, które być może chciałyby związać swoją przyszłość z moją. Co z tego, Ana, jeżeli moje serce jest cały czas przy Tobie? Zdaję sobie sprawę, że jest to rodzaj psychicznego inwalidztwa, na które nie ma lekarstwa. Bo jedynym lekarstwem jesteś Ty, Ana. Dlatego jako człowiek chory i uzależniony zwracam się do mojego najlepszego lekarza. Ana, wróć do mnie. Wiem, że proszę o wiele, proszę o wszystko. Nie odpowiadaj mi od razu. Czekałem na Ciebie dwadzieścia lat, poczekam jeszcze, ile będzie trzeba. Przypadek Twojej Córki i mojego syna utwierdził mnie w przekonaniu, że wszystko może się zdarzyć. Pełen nadziei i miłości do Ciebie, Ana.

Twój cierpliwy Chorwat.

Blaż

– Mami, czy coś się stało?! – Weronika zbiegła do kuchni, usłyszawszy mój płacz, którego mimo usilnych starań nie mogłam opanować.

– Nic, córuś. Nic się nie stało, po prostu dużo wrażeń i nerwy mi wysiadają. Masz rację, świat się zmienił. Jedź, spróbuj. Jeżeli Zoran jest podobny do swojego ojca, musi wam się udać.

Na szczęście chłopów nie było w domu i mogłyśmy sobie zdrowo popłakać. Obie.

WERONIKA
POCZĄTEK MARCA 2012

Jeszcze zimno. Zresztą na lotnisku zawsze wieje. Córuś, obwiąż się lepiej szalikiem. – Mama nie mogła się powstrzymać od uwag na temat mojego ubioru.

– Mamiiiiii, za kilka godzin ten szalik nie będzie mi potrzebny.

– Chcesz przyjechać do Dubrownika chora? – nie mogła odpuścić.

– Słuchaj mamy – odezwał się tata z drugiej linii. – Dbaj o siebie i w ogóle... Dbaj.

– Jesteście kochani – rozczuliłam się na widok tych dwojga.

Nie wiem, co bym zrobiła, gdyby nie ich akceptacja.

Moi rodzice. Mama – czasem neurotyczna wariatka z problemami, czasem poukładana gospodyni domowa, uganiająca się ze ścierą po mieszkaniu. Tata – marudny sceptyk zalegający w każdej wolnej chwili przed telewizorem, zapracowany, dorabiający do pensji w weekendy, żeby był *cash* na nasze utrzymanie. Starsi, braciszkowie, dziadkowie, rodzina, babcia Anastazja, dziadek Karol, moje życie w domu. Kocham ich, ale kocham też Lovra, który będzie czekał na lotnisku w Dubrowniku. Razem pomyślimy, co dalej. Będzie dobrze, będzie bardzo dobrze. Paweł? Nie było to miłe, ale do przeżycia.

– Dam znać, gdy spotkam się z Lovrem.

– No właśnie, gdy tylko się z nim spotkasz.

– Kiedy przyjedziesz do... Dubrownika, mami?

– Cały czas się zastanawiam, córciu. Nie podjęłam jeszcze decyzji. Dam ci znać. Pewnie wtedy, gdy mnie zaprosisz – powiedziała już niemal wesoło. – Dobrego lotu i uważaj na siebie, kochanie.